D0716416

Une héritière à séduire

Sur la route de Paradise

FIONA BRAND

Une héritière à séduire

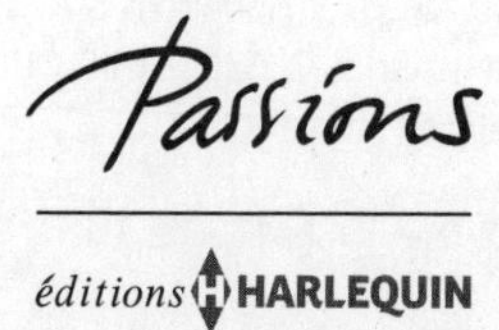

Collection : PASSIONS

Titre original : A BREATHLESS BRIDE

Traduction française de ANDREE JARDAT

HARLEQUIN®
est une marque déposée par le Groupe Harlequin
PASSIONS®
est une marque déposée par Harlequin S.A.

Photo de couverture
Mariée : © GETTY IMAGES / PANORAMIC IMAGES

83-85, boulevard Vincent-Auriol, 75646 PARIS CEDEX 13.
Service Lectrices — Tél. : 01 45 82 47 47
www.harlequin.fr
ISBN 978-2-2802-8242-0 — ISSN 1950-2761

- 1 -

Constantine Atraeus passa en revue chacune des personnes présentes aux obsèques de Roberto Ambrosi… jusqu'à ce qu'il trouve Sienna.

Avec ses longs cheveux blonds, ses yeux sombres et ses courbes élégantes, la fille de Roberto se distinguait naturellement parmi les membres de l'assemblée, tel un oiseau exotique entouré d'un groupe de rapaces.

Les mâchoires serrées, il refoula le sentiment de compassion que lui inspiraient les larmes de la jeune femme. Il ne devait pas oublier que son ex-fiancée était la présidente d'un empire perlier sur le déclin, ni qu'elle était avant tout une Ambrosi, c'est-à-dire membre d'une famille jadis aisée et dénuée du moindre scrupule.

— Ne me dis pas que tu vas régler tes comptes maintenant.

Son frère, Lucas, vint le rejoindre. Encore sous le coup du décalage horaire — le vol Rome-Sydney était interminable —, il sortit le premier de l'Audi que Constantine avait choisie pour l'occasion.

A Sydney pour deux jours de réunions, il portait des vêtements de circonstance bien qu'il ait renoncé depuis longtemps au traditionnel costume cravate.

Zane, lui, arborait un jean et une chemise noirs, ainsi que des lunettes aux verres fumés qui lui donnaient l'air encore plus distant, voire dangereux. Demi-frère de Constantine et de Lucas, il avait passé son adolescence livré à lui-même, dans les rues de Los Angeles, avant que son père ne le prenne en charge.

Constantine haussa les épaules tandis qu'il regardait Sienna accepter les condoléances qu'on lui présentait. A contrecœur, il admit qu'elle l'attirait toujours, physiquement, et que cela faussait son jugement. Pourtant, l'heure n'était plus aux regrets et si, par hasard, Sienna Ambrosi redevenait sa maîtresse, ce serait parce que *lui* en aurait décidé ainsi.

— Je ne suis pas venu jusqu'ici pour fleurir la tombe de Roberto, figure-toi.

— Tu ne sauras donc jamais tourner la page, lui reprocha Lucas en claquant la portière de l'Audi.

Constantine lui lança un regard réprobateur. Lucas n'était pas assez vieux pour se souvenir de l'époque où l'on était si pauvre, dans la famille Atraeus, qu'on ne pouvait même pas s'offrir une voiture. Et même si, avec la découverte d'une mine d'or sur l'île méditerranéenne de Médinos, les choses avaient bien changé, il n'oublierait jamais ce que ne rien posséder voulait dire.

— Lorsqu'il s'agit de la famille Ambrosi, la page ne sera jamais tournée, en effet. Et je me fiche bien que le moment soit opportun ou pas. Je suis juste venu chercher des réponses aux questions que je me pose.

Et si possible récupérer l'argent que Roberto Ambrosi avait extorqué à leur père sur son lit de mort, alors que lui-même était en déplacement à l'étranger.

Aussi, funérailles ou pas, il ne repartirait pas sans avoir réglé cette affaire, dont il n'avait eu connaissance qu'une semaine auparavant. A bout de patience, après avoir vainement tenté de joindre un membre de la famille Ambrosi au téléphone, il avait finalement effectué le déplacement, dans l'espoir de régler enfin ce problème.

— Tu es certain que Sienna était dans le coup ? lui demanda Lucas, tandis qu'ils se dirigeaient, ses deux frères et lui, vers la foule à présent dispersée.

Constantine ne chercha même pas à cacher son incrédulité. Comment aurait-elle pu ignorer ce que tramait son père ?

— Elle sait, affirma-t-il sans l'ombre d'une hésitation, toujours amer à la pensée que cette femme, qui avait accepté de l'épouser deux ans plus tôt, ait pu ainsi le trahir.

Tandis qu'ils approchaient de la tombe, Constantine remarqua que la famille Ambrosi, qui, jadis toute-puissante, avait employé son grand-père comme jardinier, n'était plus désormais composée que de Margaret, la veuve de Roberto, de ses deux filles, Sienna et Carla, et de quelques parents éloignés.

Il se tenait immobile, un peu à l'écart, lorsque le regard de Sienna croisa le sien. L'espace d'une seconde, quelque chose comme de la joie éclaira son visage. Avait-elle déjà oublié que, lorsque le moment était venu de choisir entre sa société et l'homme qu'elle prétendait aimer, elle avait choisi sa société ?

Durant un moment qui lui parut une éternité, il eut une impression de déjà-vu et un poids énorme lui comprima la poitrine. Un flot d'émotions le submergea, qui lui permit de soutenir le regard ensorceleur de Sienna. Ce même regard l'avait en effet totalement envoûté deux ans auparavant.

Il détourna la tête pour reporter son attention sur la terre fraîchement retournée, recouverte des nombreuses gerbes déposées là en l'honneur du défunt.

Toute sa vie, Roberto Ambrosi avait menti, volé, escroqué, mais il s'était débrouillé pour réussir sa sortie.

Sienna, elle, n'aurait aucun moyen de lui échapper.

Le cœur de Sienna s'emballa lorsqu'elle vit Constantine s'approcher d'elle. L'espace d'un instant, tiraillée entre la tristesse de perdre un père et le soulagement de ne plus avoir à faire face à ses dettes de jeu, elle se sentit le cœur un peu plus léger.

Constantine.

Ses traits réguliers, sa mâchoire volontaire, ses larges épaules et ce même parfum viril qui lui faisait immanquablement battre le cœur la ramenèrent brusquement à la réalité.

— Qu'es-tu venu faire ici ? demanda-t-elle sèchement.

Depuis qu'ils avaient rompu leurs fiançailles, les familles Ambrosi et Atraeus ne se fréquentaient plus, si bien que Constantine était la dernière personne qu'elle s'attendait à voir aux obsèques de son père.

En guise de réponse, il lui prit la main. Ce simple

contact suffit à propager des ondes électriques dans tout son corps. Elle inspira profondément, tâchant de se rappeler que cet homme séduisant lui avait fait oublier la règle d'or qu'elle s'était fixée : ne jamais céder aux sentiments.

Constantine n'était pas pour elle, point. Il était trop riche, trop puissant et, elle l'avait découvert à ses dépens, beaucoup trop impliqué dans l'empire qu'il dirigeait.

Aussi intransigeant en affaires qu'en amour, le P.-D.G. du groupe Atraeus était un beau parti pour qui le mariage ne signifiait pas grand-chose.

Il se pencha en avant, si près que sa joue rasée de près frôla la sienne. Elle crut qu'il allait l'embrasser, mais son visage fermé indiquait clairement que telle n'était pas son intention.

— Il faut que je te parle, lui dit-il à l'oreille.

Sa voix était chaude et grave, teintée d'un mélange d'intonations qui révélaient son héritage méditerranéen. Se retrouver en tête à tête avec l'homme qui l'avait demandée en mariage pour la plaquer quelques jours plus tard ? Il n'en était pas question !

— Nous n'avons plus rien à nous dire, trancha-t-elle.

— Cinq minutes, Sienna. Je te demande juste cinq minutes.

L'estomac noué, elle le regarda s'éloigner dans le cimetière. Et ce fut pour voir alors Lucas et Zane le rejoindre, ainsi que la horde de photographes qui le traquait en permanence, même si elle était tenue à distance par ses deux gardes du corps. La tension qu'elle ressentait déjà s'accentua un peu plus.

Ce monde n'était décidément pas le sien.

Sa sœur, Carla, lui posa une main sur l'avant-bras, la faisant légèrement tressaillir. Il lui fallut quelques secondes pour chasser Constantine de son esprit, ainsi que le flot d'émotions contradictoires que cette rencontre avait suscité en elle. Il avait suffi d'un regard pour qu'elle oublie l'endroit où elle se trouvait et les circonstances qui l'avaient amenée là.

— Tu es blanche comme un linge, dit Carla d'une voix inquiète. Tu vas bien ?

— Oui, oui, répondit-elle.

Soucieuse de dissimuler le trouble qui l'envahissait, elle prit son poudrier dans son sac et vérifia son maquillage. Les larmes versées ajoutées à l'humidité ambiante avaient rougi ses yeux, et sa longue chevelure habituellement parfaitement disciplinée était quelque peu en désordre.

Carla fixa les trois frères Atraeus d'un air soupçonneux.

— Que font-ils ici ? s'enquit-elle. S'il te plaît, ne me dis pas que tu as revu Constantine.

Sienna referma son poudrier d'un geste sec et le fourra dans son sac.

— Je ne suis pas folle, tout de même.

— Dans ce cas, que veulent-ils ?

Pour la sécurité de sa famille et de sa société, Sienna ne pouvait se payer le luxe de laisser libre cours à la colère ni à l'inquiétude qui l'habitaient.

— Rien, répondit-elle donc d'une voix neutre.

Durant les trois derniers jours, elle avait passé des heures dans le bureau de son père à fouiller dans ses papiers personnels. Elle avait fini par trouver des relevés de compte sur lesquels figuraient des sommes importantes ne correspondant à aucun versement professionnel. Ces sommes, qui avaient été versées pendant une période de deux mois, avaient permis de renflouer les caisses dangereusement vides de l'entreprise familiale et de couvrir les dettes de jeu de son père.

A ce jour, elle ignorait encore l'origine de ces fonds providentiels.

Dans un premier temps, elle avait pensé qu'il s'agissait de gains raflés à des tables de jeu, mais son père n'aurait jamais gagné des sommes systématiquement identiques. Elle avait donc écarté cette éventualité.

Soucieuse de rejeter sa seconde hypothèse — celle qui commençait pourtant à s'imposer à elle — et dans le but détourner l'attention de Carla, qui continuait de surveiller les trois hommes, elle fit mine de chercher leur mère du regard.

— Je crois que maman a besoin d'aide.

Carla repéra aussitôt le journaliste qui avait entamé une discussion avec Margaret Ambrosi, épuisée par l'épreuve qu'elle venait de subir et par les sédatifs administrés par son médecin.

— Je m'en occupe, proposa-t-elle. De toute façon, il est grand temps que nous partions. Tante Via nous attend pour déjeuner.

Même si Sienna jugeait ce luxe superflu, Octavia, la sœur de Roberto, avait pris l'initiative d'organiser un buffet dans son appartement.

Or si, depuis la mort de son père, Sienna avait été emportée dans un tourbillon de problèmes à régler, elle n'avait jamais perdu de vue la réalité. Les jours fastes, durant lesquels son grand-père avait transféré sa société de Médinos à Sydney, appartenaient à un passé révolu.

Désormais, elle devait feindre pour donner de l'entreprise une image florissante. Heureusement que Roberto avait pensé à souscrire une petite assurance-vie : grâce à cela, elle avait pu lui payer des obsèques honorables.

— Dis à Via que je ne pourrai pas venir, annonça-t-elle en plissant les yeux. Je vous retrouverai à la maison un peu plus tard.

« Une fois que je me serai débarrassée de Constantine », se dit-elle avec détermination.

Tandis qu'il s'installait dans sa voiture pour attendre Sienna, Constantine leva les yeux vers le ciel menaçant.

Assis à l'arrière, Zane surveillait les journalistes qui tentaient régulièrement d'échapper à la vigilance du service de sécurité.

— Elle t'aime encore, lâcha-t-il soudain.

Constantine chercha à dissimuler l'irritation que cette remarque venait de faire naître en lui.

— Il s'agit d'affaires, rétorqua-t-il avec raideur. Pas de divertissement.

— Tu as eu l'occasion de parler de l'emprunt à Roberto ? demanda Lucas qui venait de prendre place dans le siège passager.

Les mots « avant sa mort » restèrent en suspens.

— A ton avis, qu'est-ce qui a provoqué son

attaque cardiaque ? dit Constantine en desserrant son nœud de cravate.

Au lieu de se rendre chez Constantine, comme les deux hommes en étaient convenus, Roberto avait filé au casino, sans doute dans l'espoir insensé de rafler la somme dont il avait besoin pour rembourser son créancier.

Ne le voyant pas arriver et devinant ce qui était en train de se passer, Constantine avait envoyé son assistant le chercher. Et ce fut au moment où celui-ci arrivait qu'Ambrosi s'était trouvé mal. Il avait porté une main à son cœur et s'était écroulé quelques secondes plus tard, bien avant l'arrivée de l'ambulance, appelée en urgence.

— Sienna sait-elle que tu devais rencontrer son père ? s'enquit Lucas devenu soucieux.

— Non.

— Mais tu vas la mettre au courant ?

— Evidemment.

Il voulait traiter directement avec Sienna. Après avoir été indirectement responsable de la mort de son père, il était certain qu'elle lui accorderait toute son attention, désormais.

Le tonnerre se mit à gronder. Sienna pressa le pas en direction de sa voiture pour aller chercher le parapluie qu'elle avait pris soin d'emporter.

Tandis qu'elle traversait le parking, la portière d'un van coulissa, d'où jaillit un photographe qui pointa son objectif vers elle. Machinalement, elle se protégea de son bras replié.

Un deuxième photographe rejoignit le premier. Renonçant alors à atteindre sa voiture, elle changea de direction. Mais elle avisa une autre camionnette, qui venait juste de se garer sur le parking. Il ne s'agissait plus là des quelques paparazzi présents au début de la cérémonie funéraire. Elle se trouvait entourée de prédateurs à l'affût de quelque vieux scandale à déterrer.

Elle en voulait terriblement à Constantine d'être venu. Avait-il prémédité tout ce cirque médiatique afin de la jeter en pâture, elle et sa famille, à tous ces photographes ?

La pluie se mit à tomber dru, après un coup de tonnerre assourdissant. Les mains crispées sur son sac, elle accéléra le pas, avant de se mettre à courir aussitôt qu'elle eut dépassé la rangée d'arbres qui partageait le parking en deux. Un coup d'œil furtif par-dessus son épaule lui apprit que les journalistes avaient renoncé à la traquer, du moins momentanément.

Et soudain, elle se heurta à un torse puissant. Constantine.

Tandis qu'elle s'agrippait à lui comme à une bouée de sauvetage, elle sentit son corps s'enflammer, malgré sa robe trempée.

Il pointa un chêne du menton.

— Par là. Nous serons plus tranquilles.

La chaleur de la paume qu'il venait de plaquer au creux de ses reins la fit frissonner de désir. Son cœur s'emballa à l'idée qu'il avait agi dans l'intention de la protéger.

— Merci, dit-elle dans un souffle.

Sans un mot, il l'entraîna à l'abri du feuillage, si dense qu'il ne laissait passer que quelques gouttes. Elle tira un mouchoir en papier de son sac et s'essuya le visage, indifférente désormais aux ravages que l'eau avait pu causer à son maquillage.

Ils restèrent ainsi côte à côte, silencieux, jusqu'à ce que la pluie cesse et qu'un mince rayon de soleil pénètre l'épaisse frondaison. Sans qu'elle s'y attende, les larmes jaillirent et se mirent à ruisseler sur ses joues déjà humides.

— Tiens, prends ça, dit Constantine en lui tendant un mouchoir.

L'instant d'après, elle était tout contre lui, pleurant à chaudes larmes, mais enveloppée de ses bras rassurants. Elle ne chercha pas à se soustraire à cette étreinte. Au contraire, elle se laissa aller, acceptant le moment de réconfort qu'il lui offrait. Elle trouvait si bon de s'abandonner quand, depuis des jours, elle pleurait dans la solitude de sa chambre pour ne pas bouleverser un peu plus sa mère, que la disparition brutale de son mari avait anéantie.

Lorsque Constantine desserra légèrement son étreinte, elle se mit à pleurer de plus belle, cette fois en silence. Elle resta immobile, juste heureuse d'être là et de profiter de la chaleur et du réconfort que lui procurait ce torse puissant. Il serait bien temps de quitter cet abri rassurant, le moment venu, et elle était trop fatiguée pour esquisser le moindre geste.

— Nous devons partir d'ici, lui murmura-t-il à l'oreille. Je dois te parler. Tu te rappelles ?

En bougeant légèrement, elle sentit contre son ventre la manifestation de son désir pour elle. Les souvenirs affluèrent, certains sensuels, d'autres douloureux et humiliants.

Plus jamais, elle ne revivrait cela.

Le visage en feu, elle se libéra d'un geste brusque, faisant tomber son sac et quelques-uns des objets qui se trouvaient dedans. S'étant baissée pour les ramasser, elle réfléchissait à toute allure.

Si Constantine voulait avoir une discussion avec elle, il allait devoir reconsidérer son emploi du temps. Car, en ce qui la concernait, il n'était pas question qu'elle revive l'humiliation qu'elle avait subie deux ans plus tôt.

— Sienna…

Elle crut déceler une certaine douceur dans son regard, dans sa voix. Mais c'était impossible. Elle devait se tromper.

Lorsqu'il se baissa pour l'aider, elle s'empressa de rassembler ses affaires éparpillées. La pluie s'était remise à tomber, mais quelle importance ? Elle était déjà trempée, les cheveux plaqués à ses joues ruisselantes d'eau et de larmes, sa robe lui collait à la peau et ses chaussures étaient crottées de boue. Constantine n'était pas mieux loti. La veste de son costume était plaquée à ses épaules et sa chemise blanche devenue transparente laissait voir le hâle de sa peau.

Elle détourna les yeux de cette vision trop tentatrice et se releva d'un bond, brusquement consciente que sa robe de soie noire devait en révéler tout autant que la chemise de Constantine.

— Ta discussion devra attendre, décréta-t-elle

d'une voix qu'elle voulait ferme. Comme tu peux le constater, je suis trempée.

Elle tourna vivement les talons, cherchant du regard une issue où ne serait caché aucun journaliste

Le bras de Constantine se referma sur sa taille pour l'attirer contre son torse brûlant.

— Après quatre jours d'appels sans réponse, gronda-t-il d'une voix sourde, ne compte pas m'échapper aussi facilement.

- 2 -

Furieuse d'être ainsi retenue prisonnière contre son gré, Sienna se libéra d'un geste brusque.

— Laisse-moi partir.

— Non, dit-il, en plongeant les yeux dans les siens.

Des bruits de portières que l'on ouvrait se firent entendre. La pluie ayant cessé de tomber, les photographes avaient repris leur traque.

— Je n'y suis pour rien, affirma-t-il devant l'air soupçonneux de Sienna. Même si je dois admettre que tu mérites ce qui arrive.

Elle le fusilla d'un regard assassin.

— Comme la dernière fois, c'est ça ? Bravo, Constantine ! Il n'y a pourtant rien de criminel à vouloir protéger sa famille, que je sache.

Une lueur menaçante passa dans le regard de Constantine, qui lui parut bien plus dangereuse que la perspective d'être assaillie par une meute de journalistes.

— Parce que c'est ainsi que tu vois les choses ? railla-t-il.

Une fois de plus, elle fut submergée par le sentiment de culpabilité qui la rongeait depuis deux ans. Elle s'en voudrait toujours de ne pas avoir prévenu Constantine que sa famille était criblée de dettes.

Peut-être était-elle la seule responsable de leur rupture, finalement.

— Dis-moi, Constantine, qu'ai-je fait de mal ? interrogea-t-elle avec douceur.

La bouche de Constantine se tordit en un rictus moqueur.

— Si c'est une nouvelle déclaration que tu attends de moi, tu perds ton temps.

— Comme si je ne le savais pas, répliqua-t-elle en le repoussant de ses deux mains.

— Reste tranquille, lui ordonna-t-il de sa voix de velours qui lui envoya une nouvelle onde de désir dans tout le corps.

Pourquoi fallait-il qu'elle soit encore si sensible à son charme ? Désorientée d'être ainsi troublée, elle accentua la pression sur son torse pour laisser entre eux une distance qu'elle souhaitait salvatrice.

— Qui a appelé la presse ? demanda-t-elle en l'épinglant d'un regard glacial. Toi ?

Il éclata d'un rire amusé.

— *Cara,* je te rappelle que je paie des gens pour m'en débarrasser.

— Je t'interdis de m'appeler…

— Quoi ? la coupa-t-il. Chérie ? Bébé ? Mon cœur ?

De ses longs doigts fins, il lui attrapa le menton et inclina légèrement la tête, de sorte que quiconque les aurait surpris dans cette posture aurait pu penser qu'il allait l'embrasser.

Son cœur se serra violemment. Son regard sur elle, les minuscules gouttes de pluie qui perlaient sur ses longs cils noirs, la marque rouge sur sa mâchoire, là où sa tête avait reposé, tout lui rappelait leur première rencontre, deux ans auparavant.

La nuit était tombée et, tout comme aujourd'hui, il pleuvait. Elle venait de sauter d'un taxi et se hâtait vers un restaurant. Comme son champ de vision était rétréci par son parapluie, ils s'étaient heurtés. Elle avait violemment atterri par terre. Elle portait ce jour-là une petite robe sexy, plus courte, plus moulante, dont l'une des coutures avait craqué dans la chute. Elle avait également perdu son parapluie et l'une de ses chaussures.

Constantine lui avait présenté ses excuses et demandé si elle n'avait rien de cassé. Captivée par le son de sa voix, à la fois grave et sensuelle, et alors qu'il chaussait délicatement son pied de l'escarpin retrouvé un peu plus loin, elle avait eu l'impression de se trouver dans un conte de fées où le prince charmant n'avait jamais été aussi beau.

— Non, non, avait-elle répondu, troublée à l'extrême.

Elle se garda bien d'ajouter que son cœur lui, en revanche, allait saigner aussitôt qu'il allait disparaître.

La pression des doigts de Constantine sur son bras la ramena à la réalité. Une veine pulsait à son cou, et elle comprit que, même s'il était en colère, il devait éprouver le même flot d'émotions contradictoires qu'elle.

— *Basta*, gronda-t-il. Ça suffit.

Il s'écarta d'elle, semblant éprouver le même désir qu'autrefois.

— Tu portes la même robe, dit-il, confirmant qu'il s'était lui aussi laissé rattraper par le passé.

— Pas du tout ! C'était une robe de cocktail.

— C'est le même tissu, insista-t-il. Aussi lisse et soyeux que ta peau.

— Ne me touche pas, lui intima-t-elle avec une détermination que démentait son incapacité totale à croiser son regard.

Elle avait l'air sérieusement secouée. Lucas avait raison. Compte tenu des circonstances, il pourrait faire preuve d'un peu de compassion et la laisser partir. Pourtant, il s'en sentait incapable car, deux ans plus tôt, Sienna Ambrosi avait accompli un exploit qu'aucune autre femme avant elle n'avait réussi. Elle était parvenue à le duper. Et, s'il était réfractaire à l'idée de coucher de nouveau avec elle, il se sentait prêt, en revanche, à relever le défi qu'il voyait danser au fond de ses prunelles sombres.

— Pas avant que je n'aie obtenu ce pour quoi je suis venu.

Elle écarquilla les yeux. Visiblement, elle encaissait le choc. Autrement dit, elle était dans le coup, il n'y avait plus à en douter. La confirmation de ce qu'il redoutait le rendit à la fois triste et furieux.

— Je te l'ai dit, rétorqua-t-elle, légèrement rougissante. Si c'est une discussion que tu veux, il faudra la remettre à plus tard. Regarde un peu dans quel état nous sommes ! Et je te rappelle que je viens juste d'enterrer mon père.

Par réflexe, il resserra son étreinte, et l'onde électrique que lui envoya le contact de sa peau contre la sienne ne fit qu'allonger la liste déjà longue de ce qu'il attendait d'elle.

Lorsqu'il avait rencontré Sienna, la passion l'avait

aveuglé au point que, pour tenter la grande aventure avec elle, il avait fait comme si la relation conflictuelle de leurs parents n'était pas un obstacle et que la réputation des Ambrosi était intacte.

Sienna lança un regard furtif par-dessus son épaule.

— Toute cette folie médiatique… c'est ta faute. Si tu n'étais pas revenu rôder par ici, ils ne tourneraient pas autour de nous comme des vautours.

— Calme-toi, dit-il en regardant les photographes approcher d'eux. Et à moins que tu ne veuilles faire la une du journal de ce soir, reste avec moi et laisse-moi parler.

Les deux hommes qui assuraient la sécurité de Constantine surgirent, comme sortis de nulle part, et s'interposèrent entre les journalistes et eux. Sienna se rendit seulement compte à ce moment-là qu'une équipe de télévision était parmi eux.

Un flot ininterrompu de questions se déversa bientôt sur elle.

— Mademoiselle Ambrosi, est-il exact que votre société est au bord de la faillite ?

— Avez-vous un commentaire à faire sur le fait que votre père aurait escroqué Lorenzo Atraeus ?

Les flashes qui crépitaient l'éblouirent momentanément, la forçant à garder les yeux fermés. Lorsqu'elle les rouvrit, ce fut pour voir une silhouette franchir le barrage de la sécurité et tendre un micro devant elle. C'était le rédacteur en chef d'une des plus importantes chaînes de télévision du pays.

— Mademoiselle Ambrosi, pouvez-vous nous dire si des plaintes ont été déposées contre lui ?

Cette question lui fit l'effet d'une douche froide.

— Des plaintes… ?

— A moins que vous ne souhaitiez être vous-même poursuivi pour diffamation, je vous suggère de mettre un terme à ce genre de questions. Pour mémoire, la société Ambrosi et le groupe Atraeus sont en pleines négociations et sur le point d'aboutir à une fusion. C'est tout ce que je peux vous dire pour le moment.

— Constantine, enchaîna le rédacteur en chef qui avait été fermement repoussé derrière la ligne de sécurité, s'agit-il juste d'une relation d'affaires ? Si une fusion est dans l'air, pourquoi pas un mariage ?

Constantine entraîna Sienna vers l'Audi venue se garer silencieusement à quelques mètres de là.

— Pas de commentaires.

Lucas, qui se trouvait au volant, sortit et lança les clés par-dessus le capot, en direction de son frère qui les rattrapa habilement. Lorsque Sienna réalisa qu'il avait l'intention de la faire monter avec lui, elle sentit tous ses muscles se tendre.

— J'ai ma propre…

Il se pencha vers elle, si près qu'elle sentit son souffle tiède sur son oreille.

— Tu peux choisir de venir avec moi ou de rester. Mais, dans ce cas, il faudra te débrouiller seule avec les médias.

Cette perspective l'horrifia tellement qu'elle n'hésita pas une seconde.

— Je viens.

— Alors donne-moi tes clés. Mon équipe de sécurité récupérera ta voiture et nous suivra jusqu'à ce que nous ayons semé les journalistes. A ce moment-là, tu pourras reprendre ton joli petit cabriolet.

Elle le fixa d'un air soupçonneux.

— Comment sais-tu que j'ai un cabriolet ?

— Il n'y a plus grand-chose que j'ignore sur toi et ta famille, tu peux me croire.

— C'est ce que j'ai pu comprendre, en effet, vu les réponses que tu as données à la presse.

Elle lui tendit ses clés. La proposition de Constantine était sa seule issue. Si elle commettait l'erreur de retourner au cimetière, elle devrait affronter la presse et, avec elle, d'autres questions auxquelles elle ne se sentait pas la force de répondre.

Quelques secondes plus tard, elle se retrouva donc installée dans la luxueuse voiture de Constantine, dont les vitres teintées les cachaient du monde extérieur.

Tandis qu'elle bouclait sa ceinture, Constantine appuya sur l'accélérateur et, dans un crissement de pneus, amorça la courbe qui allait les dissimuler à la presse. L'air froid qui provenait de la climatisation la fit frissonner. Elle sortit de son sac une pochette de mouchoirs en papier et en tendit une poignée à Constantine.

— *Grazie*, remercia-t-il en lui coulant un regard en biais.

Elle détourna vivement la tête, consciente que les battements de son cœur s'accéléraient. Visiblement, les hostilités étaient momentanément suspendues.

— De rien, dit-elle d'un ton qu'elle s'appliqua à garder neutre.

Elle prit des Kleenex pour s'essuyer le visage et les bras. Elle ne pouvait rien pour sa robe et ses cheveux, pas plus que pour ses cuisses qui collaient au cuir du siège.

Elle jeta un coup d'œil dans le rétroviseur et vit que sa voiture était bien derrière, suivie de près par une grosse berline à bord de laquelle se trouvaient l'un des gardes du corps et les frères de Constantine.

— Je vois que tu ne te sépares jamais de ta garde rapprochée, dit-elle un brin ironique.

— C'est parce qu'elle a son utilité, répliqua-t-il en se glissant dans la circulation.

Elle ne sentait pas prête à le remercier. Pas quand il était évident que cette meute de journalistes avait justement été attirée là par sa présence. Jusqu'à son arrivée, ni elle ni sa famille n'avaient été harcelées de la sorte. Elle observa à la dérobée la ligne pure de son profil, ses cils incroyablement recourbés et la petite cicatrice qui barrait l'une de ses pommettes. Des images longtemps refoulées resurgirent dans sa mémoire : sa peau mate sur fond de lumière du matin, son corps tout en muscles étendu en travers du lit, les draps froissés enroulés autour de ses hanches.

Soucieuse d'échapper à ces souvenirs intimes qui exacerbaient un désir latent, elle s'empressa de reporter son attention sur la route.

— Maintenant que nous sommes seuls, tu pourrais peut-être m'expliquer la raison de cet assaut médiatique. Pourquoi ce journaliste a-t-il employé des mots comme « escroqué », « plainte » ? Et qu'est-ce que c'est que cette prétendue fusion que nous serions en train de négocier ?

Dotée d'un diplôme de droit commercial, elle faisait office de conseillère juridique au sein de l'entreprise. A aucun moment elle n'avait entendu son père parler d'une alliance financière avec le groupe Atraeus. D'ailleurs, le sujet était devenu quasiment tabou, après sa rupture avec Constantine et l'impossibilité qu'avait eue Roberto de faire un emprunt à la banque.

— En effet, il y a un problème, mais je ne vais certainement pas l'aborder au volant d'une voiture.

Alors qu'ils attendaient que le feu passe au vert, elle sentit une intense frustration l'envahir.

— Si tu ne veux pas en discuter maintenant, dis-moi au moins pourquoi — si la société Ambrosi est soupçonnée d'actions répréhensibles — tu m'as offert ton aide au lieu de me jeter en pâture à la presse ?

— Comme je l'ai fait il y a deux ans ?

— Oui.

— Parce que tu es encore sous le choc de la perte de ton père.

Le calme avec lequel il s'était exprimé mit tous ses sens en alerte et redoubla son malaise. Curieusement, et bien qu'il soit connu pour sa grande générosité, Constantine n'avait jusque-là jamais éprouvé la moindre compassion pour elle et sa famille.

— Je ne te crois pas. Il y a autre chose.

Lorsqu'il lui avait annoncé qu'il la quittait, Sienna avait tenté de lui faire comprendre à quel point il lui était difficile de faire face aux problèmes de jeu de son père, de soutenir sa mère et de maintenir la société à flot, tout cela simultanément.

Sans compter la pression qui avait pesé sur ses épaules avant que Constantine ne découvre que

Roberto, suivant une logique désespérée qui n'appartenait qu'à lui, était venu demander de l'aide à Lorenzo Atraeus.

Mais cela avait été peine perdue.

Constantine n'avait rien voulu savoir et l'avait quittée, indifférent aux détails douloureux de la lutte quotidienne qu'elle avait à mener pour garder la tête hors de l'eau.

— Comme les journalistes l'ont laissé entendre, répondit-il, il y a bien *autre chose*. C'est d'ailleurs ce quelque chose qui a mis un terme à notre relation.

— Mon père n'a fait que proposer une affaire au tien, se défendit-elle.

— Vouloir réimplanter une ferme perlière à Médinos, c'était une proposition basée sur l'opportunisme et la nostalgie, pas sur le profit, contra-t-il d'une voix tranchante.

— La vérité, dit-elle, frémissante de colère, c'est que le profit est beaucoup plus important à tes yeux que d'honorer le passé ou de créer quelque chose de beau !

— J'avoue que dédier à des huîtres un site exceptionnel prévu pour le développement d'un complexe hôtelier n'avait alors aucun sens, et n'en a pas plus aujourd'hui, d'ailleurs. Le groupe Atraeus nourrit des ambitions plus lucratives que de simplement restaurer une industrie perlière à Médinos.

— Des ambitions qui ne font appel ni à l'histoire ni aux sentiments, comme l'exploitation de mines d'or ou la construction d'hôtels de luxe !

Son regard croisa brièvement le sien.

— Je ne me rappelle pas que le profit t'ait dérangé,

à l'époque. Si j'ai bonne mémoire, il y a deux ans, tu l'as même fait passer avant les sentiments.

Ses joues s'empourprèrent violemment en même temps qu'un sentiment de culpabilité l'envahissait.

— Je ne m'excuserai pas pour une affaire dont j'ignorais tout.

Ou pour s'être sentie soulagée d'avoir enfin compris l'origine des problèmes financiers de sa famille.

— Ma seule faute a été de n'avoir pas osé te parler de l'accord passé entre nos pères, concéda-t-elle, tandis que Constantine se garait sur le parking d'un centre commercial.

De toute façon, il était trop tard, maintenant,pour admettre qu'elle avait aussi eu peur que leur relation pâtisse, si elle lui révélait l'addiction de son père. Il venait d'ailleurs de lui confirmer qu'elle avait vu juste. Constantine croyait qu'elle avait trahi sa confiance et qu'elle n'avait vu en lui qu'un parti intéressant.

— Franchement, précisa-t-elle en maudissant intérieurement le tremblement de sa voix, je suis surprise que ton père ne t'ait pas mis au courant.

Constantine gara l'Audi à la place la plus proche, défit sa ceinture de sécurité et, se tournant vers elle, glissa un bras sur le dossier du siège qu'elle occupait.

Elle soutint son regard, suffoquant presque de la proximité qu'il lui imposait.

— Même en sachant qu'il y avait anguille sous roche, vu le manque de transparence de cet accord ?

Une limousine noire vint se glisser à côté de l'Audi, suivie de sa petite décapotable crème, qui prit la place vacante de l'autre côté.

Pressée d'échapper au clan Atraeus, elle défit sa ceinture de sécurité et tendit la main vers son sac.

— J'ignorais que tu étais aussi farouchement contre cette idée de réimplantation perlière à Médinos.

— Tout comme j'ignorais que tu étais au courant de l'accord entre nos pères, alors qu'il avait été passé juste un jour après l'annonce de nos fiançailles.

— Combien de fois devrais-je te le dire ? Je n'avais rien à voir avec cet emprunt. Réfléchis un peu, Constantine. Si j'étais aussi vénale que tu le penses, j'aurais choisi de t'épouser.

Un silence pesant s'installa entre eux. Si pesant que l'air vint à lui manquer. Elle ouvrit sa portière précipitamment pour humer l'air du dehors. Contre toute attente, Constantine se pencha et referma la portière, l'empêchant ainsi de lui échapper.

L'accès d'humeur inhabituel qui le submergea fut accentué par une intense frustration physique. La question du désir qu'il éprouvait pour elle depuis la seconde où leurs regards s'étaient croisés ne se posait plus. Même les yeux rougis et les cheveux emmêlés, elle restait belle et désirable, et éveillait le mâle en lui.

La combinaison de délicatesse et de sensualité qui émanait d'elle le rendait tout simplement fou. Depuis qu'il l'avait revue aux funérailles de son père, il était en permanence tiraillé entre l'envie de la protéger et celle de l'entraîner au lit et de lui faire l'amour jusqu'à ce qu'elle s'abandonne totalement. Il éprouvait une telle attirance pour Sienna qu'il préférait cent fois se disputer avec elle que de passer du bon temps avec une nouvelle conquête, aussi belle soit-elle.

— Voilà qui est intéressant, ironisa-t-il. Je suppose que tu n'as rien dit parce que ton père était trop pressé pour attendre ce mariage.

Il vit à son visage devenu blême qu'il était allé trop loin.

— Ou peut-être ne faisais-je qu'exécuter ses ordres ? suggéra-t-elle d'une voix tranchante.

Son regard s'attarda sur ses lèvres pâles, sur la ligne délicate de sa gorge.

— Non, assura-t-il d'une voix ferme.

Sienna avait été le bras droit de Roberto au cours des quatre dernières années. Et tandis que lui jouait sans compter l'argent qu'il n'avait pas, elle s'évertuait à diriger l'entreprise familiale avec un talent et une ambition qui faisaient défaut à son père. La dernière fois qu'elle avait suivi un ordre, elle s'était retrouvée dans de sales draps. La seule faiblesse qu'il lui connaissait était son besoin permanent d'argent.

Son argent.

Encore aujourd'hui.

Elle exhala un faible soupir, dont le souffle tiède sur son bras lui rappela des souvenirs aussi torrides que l'air étouffant de l'extérieur.

Un petit coup donné par l'un des gardes du corps sur la vitre du côté passager dissipa la tension qui régnait entre eux.

Constantine relâcha la poignée et regarda Sienna s'extirper de l'habitacle pour récupérer les clés de sa voiture. Il sortit à sa suite, dans la chaleur caniculaire de ce début d'après-midi, et donna ses instructions pour qu'on le laisse seul, sans escorte, durant les heures qui allaient suivre.

Il se débarrassa ensuite de sa veste trempée et l'arrangea sur le dossier de son siège. Soudain, à sa grande surprise, il vit Lucas échanger quelques mots avec Sienna. La réputation de tombeur de Lucas n'étant plus à faire, il éprouva un vif soulagement lorsqu'il comprit, à la brièveté de l'échange, qu'il n'avait fait que lui présenter ses condoléances.

Il se dirigeait vers elle, au moment où elle s'apprêtait à répondre à un appel téléphonique.

Lucas l'arrêta d'un mouvement bref du menton.

— Tu es certain de savoir ce que tu fais ? interrogea-t-il d'un air sceptique.

— Absolument.

— Pourtant, vous ne paraissiez pas parler affaires au cimetière, ni ici, d'ailleurs, il y a quelques secondes.

Constantin l'épingla de son regard glacial.

— Je te rappelle que j'ai une affaire personnelle à régler avec elle.

— Message reçu, dit Lucas en haussant négligemment les épaules.

Mâchoires contractées, Constantine regarda son frère reprendre sa place dans la limousine. Il n'aurait peut-être pas dû se montrer aussi tranchant, mais il avait agi de façon instinctive. A ce moment précis, il avait clairement pris conscience d'une chose : tant qu'il ne parviendrait pas à chasser Sienna Ambrosi de ses pensées, elle lui appartiendrait.

Il médita un bon moment là-dessus, tandis qu'il repensait à chaque minute de l'heure qui venait de s'écouler. La tension qu'il avait ressentie à la seconde où il avait posé les yeux sur Sienna grimpa d'un cran.

Il se connaissait bien. Il se savait déterminé, résolu, un brin acharné. Lorsqu'il s'était fixé un but, rien ni personne ne pouvait l'en détourner. C'étaient des qualités qu'il jugeait indispensables pour atteindre ses ambitions professionnelles aussi bien que personnelles. Homme de passion, il ne renonçait jamais à prendre les décisions qui s'imposaient, aussi difficiles soient-elles. C'était ainsi que, deux ans plus tôt, il n'avait pas hésité à rompre tout lien avec Sienna et la famille Ambrosi.

Il abaissa ses lunettes de soleil et, bras croisés, il observa Sienna à la dérobée, tandis qu'elle poursuivait sa conversation téléphonique.

Une fois encore, il fut séduit par la perfection de ses traits, par l'affolante combinaison de ses yeux sombres contrastant avec son teint diaphane, par la sensualité de sa bouche pulpeuse.

Il se souvint du moment de panique qu'il avait éprouvé en lisant le rapport qu'il avait demandé sur la société perlière Ambrosi. Sienna avait été vue à plusieurs reprises en compagnie d'un riche négociant du nom d'Alex Panopoulos. Et la panique s'était muée en colère, à l'idée que cet homme pouvait être son amant.

Mais, très vite, les détails du rapport l'avaient rassuré. Malgré le zèle déployé et la cour empressée faite à la jeune femme, Panopoulos n'était pas parvenu à ses fins.

Sienna ne manqua pas de remarquer l'air impatient

de Constantine, pendant qu'elle mettait un terme à sa discussion avec Carla qui s'inquiétait pour elle.

— Préfères-tu que nous allions chez toi ou chez moi ? demanda-t-il sans ambages.

Elle prit le temps de ranger son téléphone portable dans son sac. Après la tension et le trouble ressentis dans la voiture, elle ne pourrait cacher son émoi bien longtemps, si elle se retrouvait en tête à tête avec Constantine, dans son appartement. C'était là en effet que leur relation s'était épanouie, mais c'était également le lieu de leur rupture.

Mais l'idée de la présence de Constantine dans le petit havre de paix qu'elle s'était créé n'était pas non plus envisageable.

— Je ne veux pas qu'on aille dans un appartement, trancha-t-elle.

— Je n'ai plus le mien, dit-il. Je l'ai vendu pour acheter une maison sur la côte.

— Je croyais que tu adorais vivre en ville.

— J'ai changé d'avis.

Tout comme, deux ans plus tôt, il l'avait fait avec elle, de façon brusque et irrévocable.

Galamment, il lui ouvrit la portière et la laissa s'installer au volant. L'estomac noué, électrisée jusqu'au bout des ongles, elle s'appliqua à éviter tout contact physique avec lui.

— Carla a emmené notre mère chez tante Via qui a organisé un déjeuner de famille, l'informa-t-elle. Cela nous laisse deux heures pour disposer de la résidence secondaire de mes parents, à Pier Point. C'est là que je vis depuis la mort de mon père.

Constantine referma délicatement la portière sur

elle. Les bras sur le toit de la petite décapotable, il se pencha et la fixa sans ciller.

— Cela explique pourquoi je n'arrivais pas à te joindre chez toi, mais cela n'explique toujours pas pourquoi tu ne rappelais pas, lorsque je tentais de te joindre à ton bureau.

— Si tu tenais tant que cela à me parler, pourquoi ne pas avoir appelé ma mère ?

— J'ai essayé deux fois et, les deux fois, je suis tombé sur Carla.

Elle sentit le rouge lui monter aux joues. Après leur rupture, Carla s'était montrée particulièrement protectrice à son égard et si elle avait fait preuve de zèle, c'était tout simplement parce qu'elle entendait faire barrage entre sa sœur chérie et l'homme qui lui avait brisé le cœur.

— Désolée, dit-elle sans en penser un mot. Maintenant que tu le dis, je me souviens que Carla m'a en effet parlé de plusieurs appels, mais nous pensions qu'il s'agissait de la presse, déchaînée contre nous. D'ailleurs, pour lui échapper, nous nous sommes réfugiées à Pier Point.

Elle se souvenait aussi très bien des appels reçus à son bureau, mais elle les avait délibérément ignorés, trop occupée à tenter de remettre de l'ordre dans les transactions opaques de son père. Par ailleurs, lui répondre l'aurait obligée à faire face à des créanciers hargneux ou à avoir des discussions musclées avec l'Institut de recherche pour le développement, au sujet de paiements non honorés.

— Si tu considères Pier Point comme un territoire

hostile, nous pouvons essayer de trouver un terrain plus neutre, proposa-t-il gentiment.

Avait-elle perçu une pointe d'amusement dans sa voix ?

Non, si Constantine ressentait quelque chose, ce n'était certes pas de l'amusement. Il y avait en lui quelque chose de prédateur, qu'elle avait perçu à plusieurs reprises, d'abord au cimetière, puis sur le parking. Le pressentiment qui l'avait étreinte un peu plus tôt resurgit de nouveau, accélérant les battements de son cœur.

Sur les nerfs, éreintée de fatigue, elle mit le contact tout en bouclant sa ceinture de sécurité.

— La maison de Pier Point est suffisamment éloignée de la ville pour que nous puissions échapper aux journalistes. Et, si cette conversation doit prendre la tournure que je pense, nous serons parfaitement à l'abri pour l'aborder sans crainte d'être surpris ou dérangés.

— Et quelle tournure va-t-elle prendre, selon toi ?

— Une conversation avec Constantine Atraeus… Voyons un peu, dit-elle en feignant de chercher, un sourire ironique aux lèvres. Je ne vois que deux sujets possibles. Le sexe ou l'argent. Comme il ne peut s'agir de sexe, il nous reste l'argent.

- 3 -

L'argent était certes un point sensible, mais lorsque Sienna s'engagea dans Pier Point, suivie de près par Constantine, elle n'était plus sûre du tout que le sexe serait absent de la discussion.

Un peu plus tôt, dans l'Audi, la proximité de Constantine avait fait naître en elle un désir qu'elle ne connaissait que trop bien. Et ce désir était réciproque, il n'avait même pas cherché à le dissimuler.

Les souvenirs affluèrent aussi heureux que douloureux. Elle revit la première fois où il l'avait embrassée. C'était dans sa voiture ; il lui avait pris le visage entre ses mains et déposé sur ses lèvres un baiser langoureux. Malgré sa volonté de lui résister, elle avait noué ses bras autour de son cou et lui avait rendu son baiser. Elle le connaissait depuis quelques heures à peine, mais la magie avait opéré instantanément. Elle avait été incapable de garder ses distances, comme elle se l'était pourtant promis, et il en avait joué.

Chassant ces pensées encore trop présentes, elle mit son clignotant et s'engagea dans l'allée qui menait à la maison. Mais, très vite, des images liées à Constantine l'assaillirent de nouveau. Le fait qu'il la désirait ne voulait pas dire pour autant qu'il nourrissait encore des sentiments à son égard ; cela signifiait juste qu'il était un homme normalement constitué, doté d'une libido en accord avec son âge et sa vitalité.

D'ailleurs, au cours des deux années écoulées, il avait été vu au bras de nombreuses conquêtes, chacune plus belle que la précédente, chacune nourrissant l'espoir de devenir la future Mme Constantine Atraeus.

Lorsqu'il amorça à son tour la courbe qui conduisait à la propriété, elle eut le sentiment étrange d'être poursuivie. Elle prit la précaution de refermer la grille automatique derrière eux, au cas où la presse les aurait suivis jusque-là. Dès qu'elle fut garée, elle s'empara de son sac à main et franchit la cour pavée qui ceinturait la vieille maison.

Constantine était déjà sorti de sa voiture. Les manches retroussées de sa chemise laissaient voir la peau bronzée de ses avant-bras musculeux.

Elle déverrouilla la porte d'entrée et, tandis qu'il pénétrait à sa suite dans le hall baigné de lumière, elle sentit de nouveau son estomac se nouer. Le savoir derrière elle lui donnait l'impression d'être une proie pourchassée par un prédateur.

— Qu'est-il arrivé au mobilier ? s'enquit-il.

Sa voix grave et profonde résonna dans la pièce. Il y avait comme une sorte d'intimité à se retrouver là, seule avec lui dans cette maison vide.

Elle parcourut du regard les murs où se trouvait, jadis, toute une collection de tableaux de maîtres, parmi lesquels un Degas d'une valeur inestimable.

— Vendu, avec tous les chefs-d'œuvre que mon

grand-père avait acquis au fil des ans. Aux enchères, bien sûr, précisa-t-elle. De même que les bijoux de maman, ceux de Carla et les miens. N'est-ce pas risible ? dit-elle comme pour elle-même. Nous possédons une ferme perlière et n'avons même pas les moyens de nous offrir une parcelle de notre propre production.

Elle ouvrit grand la porte à deux battants du bureau de son grand-père, qui n'était plus désormais meublée que d'une table et de deux chaises.

Constantine balaya du regard le parquet nu et les rangées d'étagères en acajou, à présent dépourvues des livres rares dont elles avaient été garnies.

Elle guetta sur son visage le moment où il comprendrait enfin ce que leur vie était devenue. Elles vendaient des perles aux nantis en vue de sauver l'entreprise, mais la lutte s'avérait si âpre qu'elle les avait laissées, sa mère, sa sœur et elle, démunies de tout.

— Que n'a-t-il pas vendu pour payer ses dettes de jeu !, s'exclama-t-il d'un ton sarcastique.

L'espace d'un bref instant, elle le soupçonna de penser qu'elle n'avait vu dans ces ventes qu'un intérêt personnel, mais elle chassa très vite cette pensée de son esprit. Intransigeant, Constantine allait toujours droit au but. Lorsqu'il avait rompu leurs fiançailles, il avait clairement énoncé les raisons qui l'avaient poussé à prendre cette décision. A aucun moment, il n'avait joué avec ses sentiments, et il ne lui avait d'ailleurs laissé aucune chance de se défendre. Il n'avait plus confiance en elle, point.

— Il nous reste la maison, crut-elle bon de préciser,

et, pour le moment, la société nous appartient toujours. C'est peu, mais c'est mieux que rien. La société emploie une centaine de personnes dont certaines sont là depuis sa création. C'est pour cela que nous n'avons pas hésité à vendre nos biens personnels : cela leur permettait de garder leur emploi. Reste là, ajouta-t-elle avec une certaine brusquerie, je vais chercher des serviettes de toilette.

Heureuse de s'accorder un moment de répit, elle prit l'escalier qui menait aux chambres. Elle retira ses chaussures trempées et les changea contre une paire de mules, avant de vérifier son reflet dans le miroir.

Malgré tout, elle avait le regard pétillant, et les pommettes légèrement rougies. Elle se rendit dans la salle de bains et, à l'aide d'une serviette, se sécha les cheveux, qu'elle laissa libres sur ses épaules. Elle ne prit pas la peine de changer de tenue, décidant qu'elle n'avait pas à faire d'effets de toilettes et que plus vite cette conversation serait terminée, mieux ce serait pour elle.

Lorsqu'elle alla rejoindre Constantine, il admirait la vue époustouflante qu'on avait sur l'océan Pacifique, depuis la baie vitrée du salon. Sans un mot, elle lui tendit la serviette sèche qu'elle lui avait apportée.

— Si nous avons pu garder cette maison, c'est uniquement parce que maman a vendu celle que nous avions en ville, dit-elle après quelques secondes. Cette semaine, d'ailleurs. Cela dit, celle-ci est quand même hypothéquée.

Et elle partirait sans doute, elle aussi. Ce n'était qu'une question de temps.

Constantine se frotta énergiquement les cheveux, puis posa la serviette sur le dossier d'une chaise.

— J'ignorais que les choses allaient si mal, dit-il.

— Comment aurais-tu pu savoir ? Nous vivons à des milliers de kilomètres l'un de l'autre.

Elle fut soulagée de ne voir sur son visage aucune trace de compassion ou, pire, de pitié.

Elle lui fit signe de s'asseoir, tandis qu'elle allait se poster derrière le bureau de son père, soulignant ainsi sa position de P.-D.G. de la société Ambrosi.

— Peu de gens sont au courant de la situation financière dans laquelle nous nous trouvons, dit-elle avec dignité. Aussi, je te serais infiniment reconnaissante de ne pas répandre la nouvelle. J'aurais beaucoup de mal à convaincre nos clients de la solidité de l'entreprise, si cela venait à se savoir.

Constantine, qui avait ignoré la chaise, vint se placer face à elle, bras croisés, neutralisant la situation afin d'éviter la position d'infériorité qu'elle avait voulu lui imposer. Le cœur battant, elle détourna les yeux de cet homme dont la virilité était si prégnante.

— Les choses n'ont pas dû être faciles pour toi, admit-il. Diriger une société dont le responsable est accro au jeu, ça doit être un vrai cauchemar.

Voilà, on y était. Constantine allait enfin aborder le sujet qu'il avait si soigneusement évité, il y avait deux ans.

— Je ne pense pas que tu puisses comprendre, dit-elle en refoulant la colère qu'elle sentait monter en elle. Ton père ne jouait pas, si je ne m'abuse.

— En tout cas, pas de la même façon que le tien.

— Lorenzo Atraeus s'est toujours montré un

homme d'affaires avisé. Qui plus est, l'argent appelant l'argent, et avec de bons investissements, vous n'en avez jamais manqué. Contrairement à mon père qui, lui, s'acharnait à le perdre, aussi bien en affaires qu'aux tables de black jack. Tu ne peux pas savoir ce que c'est que de perdre sans cesse, simplement parce qu'un membre de ta famille a dérapé et totalement perdu le contrôle de son existence.

— Nous n'avons pas toujours connu notre train de vie actuel, lui rappela-t-il avec gravité.

En effet, la famille Atraeus avait connu la pauvreté pendant des années, vivant chichement de l'élevage de chèvres. Le grand-père de Constantine avait même travaillé comme jardinier pour celui de Sienna, jusqu'à ce qu'un bombardement détruise leur ferme perlière durant la guerre.

Elle se pencha vers lui, en le regardant droit dans les yeux :

— Donc, pour résumer : effectivement, diriger une affaire dont le responsable était accro au jeu a été difficile.

A son tour, il s'approcha d'elle, si près que leurs visages se touchèrent presque.

— Puisque les choses allaient si mal, pourquoi n'as-tu pas laissé tomber ?

Le passé resurgit d'un coup, et elle allait montrer un malin plaisir à se mesurer à lui. Elle ignorait pourquoi ; le trop-plein d'émotions sans doute.

— Tu veux dire abandonner ma famille ainsi que tous les gens qui comptent sur cette entreprise pour se nourrir ?

Elle s'interrompit pour lui adresser un sourire forcé.

— Cela n'était pas envisageable, et j'espère que je n'aurai jamais à en arriver là. Ce qui nous amène à la discussion qui nous intéresse. Combien vous devons-nous ? demanda-t-elle sans plus tergiverser.

— Savais-tu que ton père était venu nous voir à Médinos, il y a deux mois ?

Elle encaissa la nouvelle, immobile.

— Non.

— Tu ignorais également qu'il comptait démarrer là-bas une nouvelle ferme perlière ?

— C'est impossible, assura-t-elle d'une voix qu'elle voulait ferme, malgré le froid qu'elle sentait s'insinuer en elle. Nous avons à peine de quoi maintenir notre entreprise ici, à Sydney. Comment aurions-nous pu envisager de nous développer ailleurs ?

Elle vit dans le regard de Constantine que sa décision était déjà prise. En effet, il lui indiqua un document qu'il avait dû sortir lorsqu'elle l'avait laissé seul. Elle le parcourut rapidement et sentit ses jambes se dérober sous elle. Incapable de croire à ce qu'elle venait de lire, elle s'assit.

Il ne s'agissait pas d'un emprunt, mais de plusieurs, dont le montant total dépassait largement ce qu'elle avait découvert en fouillant dans les papiers personnels de son père.

Lorsqu'elle leva enfin la tête, elle vit que Constantine la regardait fixement.

— Pourquoi Lorenzo a-t-il prêté cet argent à mon père ? Il savait bien qu'il jouait !

— En fait, lorsqu'il a consenti ces prêts, il était en phase terminale et n'avait plus toute sa tête. A son décès, il y a un mois, nous savions qu'il y avait un déficit, mais c'est seulement il y a cinq jours que nous avons découvert les documents confirmant ces prêts.

— Mais tu n'as rien fait pour faire opposition ?

— Tu penses bien que si je l'avais su à temps, j'aurais agi en conséquence. Malheureusement, à ce moment-là, j'étais en déplacement à l'étranger. Ton père est passé outre les voies légales, en faisant appel à son ancien juriste, aujourd'hui à la retraite, pour obtenir des contrats que papa n'avait plus qu'à signer.

Il s'interrompit et passa un doigt dans le col de sa chemise, manifestant ainsi une impatience naissante.

— Je vois que tu commences à comprendre la situation. Roberto a « emprunté » — je dirais plutôt « soutiré » — de l'argent à un mourant, qui plus est pour satisfaire son vice et non pour l'investir dans une affaire qu'il n'avait aucune intention de mener à bien.

Cela avait un nom : fraude. Ou, pire, escroquerie.

Sous cet éclairage nouveau, les questions des journalistes prenaient à présent tout leur sens.

— En as-tu parlé à la presse ?

— Je pensais que tu me connaissais mieux que cela.

Elle se sentit immensément soulagée que la fuite ne vienne pas de lui. Quelqu'un, probablement un employé, avait dû vendre la mèche. Son soulagement fut de courte durée. Fixant les sommes hallucinantes qui s'alignaient sur le document, sa combativité naturelle céda la place au plus grand désarroi.

Elle releva néanmoins fièrement le menton et tenta

de rassembler ses esprits. Il devait bien y avoir une solution. Elle avait déjà surmonté tant d'obstacles ! Il lui suffisait de réfléchir.

Elle comprenait mieux à présent pourquoi Constantine avait tenu à lui parler dans un endroit calme, où il pourrait jauger sa réaction, lorsqu'elle prendrait connaissance des documents.

— Tu me croyais complice d'une telle magouille ?

Quelque chose en elle se brisa lorsqu'elle le vit river sur elle un regard impénétrable. Elle remarqua à peine qu'elle avait lâché les documents, qui jonchaient désormais le sol. Il était évident, à présent, que la société Ambrosi devait beaucoup d'argent au groupe Atraeus, c'est-à-dire à Constantine, puisqu'il en était l'actionnaire majoritaire.

— Je vois que tu as compris, annonça-t-il d'une voix dure. A moins que tu ne rembourses tes dettes, je suis désormais propriétaire de la société Ambrosi et de tout ce qui lui appartient.

- 4 -

Les vibrations d'un téléphone portable rompirent la tension presque palpable qui s'était installée entre eux.

Constantine répondit, soulagé d'échapper pour un instant à une situation devenue incontrôlable.

Il avait pratiquement menacé Sienna, ce qu'il n'avait jamais fait auparavant, même avec les plus retors de ses débiteurs. Sa conduite était impardonnable, d'autant plus qu'il savait maintenant qu'elle ignorait tout des manigances de son père. Il aurait dû prendre le temps de réfléchir, de réexaminer la situation, voire de reporter cette discussion à plus tard.

Il aurait voulu se faire détester qu'il ne s'y serait pas pris autrement. N'était-ce pas là ce qui expliquait pourquoi il s'était montré aussi implacable ? Sans doute cherchait-il à oublier les images érotiques qui affluaient aussitôt qu'il se trouvait en sa présence. Et il devait vouloir aussi décourager en elle tout désir pour lui.

Il prit soudain conscience du fait qu'il ne l'avait jamais vue aussi passionnée, aussi animée. Même au lit, elle ne s'était jamais totalement abandonnée. Il avait toujours senti en elle une certaine réticence, décelé une partie d'elle qu'il ne pouvait atteindre.

Son comportement lui faisait clairement sentir qu'elle était beaucoup plus liée à la société Ambrosi qu'elle ne l'était à lui-même.

Mâchoires contractées, il lui tourna le dos pour poursuivre son entretien avec son assistante. Pour la première fois, il avait raté des appels ; pour la première fois, les affaires n'avaient pas été sa priorité.

Il raccrocha et la regarda rassembler les documents épars, pour en faire une pile nette qu'elle plaça sur le bureau. Même avec sa robe froissée et son maquillage défait, elle ne perdait rien de son élégance et gardait ses allures de grande dame.

Quelque part, au loin, une portière claqua. Le bruit de talons hauts martelant les pavés de l'allée fut suivi de celui de la porte que l'on ouvrait.

Le visage de Sienna se décomposa, exprimant toute la panique qu'elle ressentait. S'il était là pour réparer une injustice faite à son père, Sienna avait elle aussi à cœur de protéger sa famille.

— Ne t'inquiète pas, dit-il à voix basse. Je ne dirai rien.

Elle eut juste le temps de lui adresser un regard plein de reconnaissance que déjà sa mère pénétrait dans la pièce, suivie de près par Carla.

— Que se passe-t-il ? demanda Margaret de sa voix haut perchée. Et n'essaie pas de te défiler, Sienna, je vois bien que quelque chose ne va pas.

— Madame Ambrosi, commença Constantine d'une voix douce que Sienna ne lui connaissait pas, laissez-moi vous présenter mes condoléances. Sienna et moi étions en train de discuter des détails d'une affaire que votre mari avait mise en œuvre, il y a quelques mois.

— Je ne pense pas que mon père aurait entrepris quoi que ce soit sans…, intervint Carla d'une voix tranchante.

— C'était sans doute la raison de son voyage en Europe, l'interrompit Margaret. J'aurais dû m'en douter.

Carla fronça les sourcils d'un air soupçonneux.

— Il s'est rendu à Paris et à Frankfort. Il n'a jamais été question qu'il aille en Méditerranée.

Le visage de Margaret exprima quelque chose qui ressemblait à de la colère.

— Roberto avait avancé son départ pour pouvoir passer une journée à Médinos, expliqua-t-elle. Il voulait se rendre sur la tombe de ses grands-parents et visiter le site de notre ancienne ferme perlière. Rien que cela aurait dû m'alerter. Roberto n'avait rien d'un sentimental. S'il est allé à Médinos, c'était pour affaires, évidemment.

— C'est exact, renchérit Constantine avec la même douceur, ce qui donna envie à Sienna de l'embrasser, en dépit de l'antagonisme qui les divisait.

Il avait toujours été gentil à l'égard de sa famille, et cela avait été l'une des raisons pour lesquelles elle était tombée amoureuse de lui. Il l'avait aimée et protégée en faisant preuve d'une loyauté indéfectible, qui aujourd'hui encore avait le pouvoir de la faire fondre de tendresse.

Aussi, lorsqu'elle avait découvert que son père jouait, avait-elle été terrorisée à l'idée que Constantine l'apprenne. Redoutant sa réaction, elle refusait même d'y penser. Elle ne s'était pas trompée : sitôt qu'il avait su, il lui avait tourné le dos.

Elle refoula les larmes que ce souvenir encore douloureux lui faisait monter aux yeux.

— Vous voudrez bien m'excuser, mais j'ai un autre rendez-vous, annonça Constantine après avoir consulté sa montre. Et pardonnez-moi d'avoir fait intrusion chez vous, en un jour si difficile.

Il fixa sur Sienna son regard clair, lui signifiant de façon implicite qu'il n'en avait pas fini avec elle.

— Je te raccompagne, dit-elle après avoir rangé les documents aussi discrètement que possible.

Elle le suivit dans le couloir, pressée qu'il sorte de cette maison.

Entrant à flots par la porte ouverte, le soleil brûlant du dehors contrastait étrangement avec la pénombre de l'intérieur.

— Fais attention à la marche, prévint Constantine en passant une main sous son coude.

Ce n'était qu'un geste de pure courtoisie, mais il suffit néanmoins pour ranimer le feu qui couvait en elle. Le cœur battant la chamade, elle accéléra le pas, anxieuse d'échapper à ce contact physique aussi bien qu'à la conviction grandissante qu'il n'était pas pleinement heureux du pouvoir qu'il allait désormais exercer sur la société Ambrosi et par voie de conséquence sur elle.

— Merci de n'avoir rien dit à ma mère, finit-elle par murmurer.

— Si j'avais pensé que ta mère était dans le coup, je l'aurais mentionné.

— Ce qui signifie que tu me crois coupable.

— Tu diriges la société de ton père depuis dix-huit mois, dit-il lorsqu'ils furent arrivés près de l'Audi. Et tu as payé ses dettes.

Elle prit la télécommande dans sa boîte à gants et ouvrit la grille, pressée de le voir monter dans sa belle voiture et disparaître.

— En vendant des biens personnels, pas en empruntant un peu plus, dit-elle sèchement.

De nouveau, le téléphone de Constantine se mit à vibrer. Il décrocha et échangea quelques mots dans sa langue natale avec son interlocuteur. Elle capta le nom de Lucas ainsi que celui de Ben Vitalis, leur avocat attitré.

La tension qui lui nouait l'estomac se renforça un peu plus.

— Nous avons encore beaucoup à nous dire, annonça-t-il lorsqu'il eut raccroché. Une voiture passera te chercher à 20 heures. Nous pourrons poursuivre cette discussion tout en dînant.

Elle se raidit. Un dîner, c'était beaucoup trop personnel à son goût, et cela dépassait largement le cadre de ce qu'elle s'était autorisé avec lui.

Il avait disparu de sa vie pendant deux ans, sans jamais chercher à la contacter. Les deux premiers mois, elle n'avait cessé d'espérer un coup de fil ou une visite, puis, avec le temps, elle avait décidé que son silence et son intransigeance étaient finalement la meilleure chose qui aurait pu lui arriver.

Non sans mal, elle avait tourné la page. Alors s'il s'imaginait la séduire de nouveau, rien qu'en claquant des doigts, il se trompait lourdement.

— Je te rappelle que je viens juste d'enterrer mon

père, objecta-t-elle fermement. Nous reprendrons donc cette discussion dans un jour ou deux.

Ce qui lui laisserait le temps de passer un coup de fil à son comptable et de réfléchir aux différentes options qui s'offraient à elle. Les chances de rassembler le montant de l'emprunt ou de faire une grosse vente d'ici là étaient maigres, mais cela valait la peine d'y réfléchir.

Par ailleurs, ce temps de réflexion lui permettrait également d'essayer d'analyser clairement ce qu'elle ressentait à l'égard de Constantine. Elle ne l'aimait plus, elle en était certaine ; alors, qu'est-ce qui justifiait ce désir intense qu'elle éprouvait chaque fois qu'elle se trouvait en sa présence ?

— Malheureusement, je crains que le temps ne me manque. J'ai prévu de repartir demain soir, à minuit. Je peux te proposer de me rejoindre chez moi, en fin d'après-midi. Je donne un cocktail en l'honneur de mes associés.

— Non.

La réponse avait jailli sans même qu'elle prenne la peine d'y réfléchir. Compte tenu du désastre financier de sa propre société, se rendre à une réception de ce genre, aussi informelle soit-elle, était bien la dernière chose dont elle avait envie.

— Je préférerais que nous nous voyions pendant les heures de bureau, trancha-t-elle.

Dans un endroit neutre, où elle ne risquerait pas de succomber.

*
* *

Le ton très « femme d'affaires » qu'elle avait employé irrita Constantine. Les choses prenaient une tournure inattendue qui lui déplaisait souverainement. Non seulement il passait pour le méchant, mais, en plus, elle lui dictait sa loi, ce dont il n'avait pas l'habitude.

— Nous devons parler, insista-t-il. A quelle heure est prévue la lecture du testament ?

— A 16 heures, cet après-midi.

Si elle persistait à refuser cette discussion, il pourrait toujours envoyer quelqu'un, documents à l'appui. Mais il savait qu'il ne ferait pas une chose pareille, qui ne pourrait qu'effrayer Margaret.

— Tu n'as pas le choix, Sienna, dit-il en se glissant derrière son volant. Sois prête, demain soir à 20 heures.

Le lendemain matin, Constantine arriva dans les bureaux du groupe Atraeus avec dix minutes de retard, fait inhabituel chez lui.

Lucas et Zane étaient déjà là, vibrants d'énergie après leur séance de gym quotidienne. Confortablement installés dans de profonds fauteuils en cuir, ils fixèrent sur leur frère un regard insistant, qui l'amena à se demander s'il n'avait pas mis sa chemise à l'envers.

— Quoi ? demanda-t-il d'un ton peu amène.

En guise de réponse, Zane abaissa les yeux sur le magazine qu'il avait entre les mains, tandis que Lucas chantonnait à voix basse un air qui lui paraissait vaguement connu.

Constantine prit une gorgée du café qu'il s'était servi en arrivant, le regard rivé sur ses frères.

— Maintenant que tu as ta dose de caféine, dit Lucas, jette un coup d'œil là-dessus.

S'il s'était attendu à figurer dans ce genre de presse, la photo prise aux funérailles de Roberto Ambrosi le stupéfia néanmoins. Il se souvenait parfaitement d'avoir protégé Sienna de la horde de journalistes qui la poursuivait, mais ce qu'il avait devant les yeux n'avait rien à voir avec une attitude courtoise. Il voyait un homme au regard allumé de passion, qui semblait sur le point d'embrasser une femme.

Il parcourut rapidement l'article qui accompagnait le cliché et laissait entendre l'annonce prochaine d'un mariage. Il se rendit compte alors que l'air entonné par Lucas n'était autre que la fameuse marche nuptiale.

— Si je connaissais le salaud qui…

— Que ferais-tu ? s'enquit Lucas d'un air sardonique. Tu lui offrirais une augmentation ?

D'un geste las, Constantine laissa retomber le magazine sur son bureau.

— C'est donc si évident ?

— Tu es là, non ? C'est lourd de sens.

D'un mouvement fluide, Zane se leva de son siège.

— Si tu préfères te retirer des négociations, Lucas et moi, nous pouvons repousser notre retour en Nouvelle-Zélande de quelques jours. Ou, même mieux, nous pourrions charger Vitalis de s'occuper du recouvrement de cette dette.

— Pas question.

Même s'il savait que ses frères n'agissaient que

dans son intérêt et pour le protéger, Constantine sentit la colère monter.

Zane haussa les épaules.

— Comme tu voudras. Mais, si tu restes à Sydney, la presse va s'en donner à cœur joie.

Constantine reprit le magazine et, sans rien dire, il fixa la photo pendant un long moment.

— Je vais gérer ça tout seul. De toute façon, je repars demain soir.

Le téléphone de Lucas se mit à bourdonner dans sa poche.

— Le plus tôt sera le mieux. Tu n'as pas besoin de toutes ces tracasseries en ce moment, dit-il avant de décrocher.

Les mâchoires contractées, Constantine alla se poster devant les immenses baies vitrées qui occupaient tout un pan de mur. De là où il se trouvait, il pouvait voir un angle du bâtiment de la société Ambrosi, que les immenses buildings, récemment construits, éclipsaient impitoyablement. Il n'arrêtait pas de penser à la façon dont Sienna avait tenté de protéger sa mère et il en était profondément touché.

— C'était un des gars de la sécurité, annonça Lucas après avoir raccroché. Un photographe a découvert la maison de Pier Point, et malheureusement Sienna est partie à la plage.

Le sang de Constantine ne fit qu'un tour.

— Ils ont dû me filer hier, dit-il en lançant d'un geste rageur son gobelet dans la poubelle.

S'il n'intervenait pas, Sienna risquait de faire les frais de la presse dès le lendemain matin. Il ne supporterait pas de voir dans son regard tous les reproches qu'il risquait d'y lire.

— Tu as besoin d'aide ? proposa Lucas qui paraissait sincèrement inquiet.

— Merci, mais comme je te l'ai déjà dit, je vais régler ça tout seul.

- 5 -

Sienna repéra le photographe alors qu'il empruntait l'allée étroite menant à la crique située derrière la maison. Cette intrusion dans une retraite qu'elle pensait encore secrète la contraria profondément. Il était évidemment inutile de se demander comment ils avaient fait pour la trouver.

Pour quitter la plage elle avait le choix entre nager ou passer devant le photographe, ce qui impliquerait des photos d'elle en maillot de bain.

Elle se coula dans l'eau tiède et, quelques brasses plus tard, elle se hissa sur un petit ponton ancré au large de la baie. Elle repoussa ses cheveux en arrière et fixa d'un air goguenard le photographe immobile au bord de l'eau. Satisfaite de constater que son appareil n'était pas équipé de téléobjectif, elle s'assit sur la plate-forme ondulant sous la houle et attendit que l'importun quitte son poste d'observation. S'il le fallait, elle pourrait toujours nager jusqu'à l'autre bout de la baie, d'où elle grimperait la côte escarpée qui menait à la maison.

Plusieurs minutes passèrent, interminables. Elle s'allongea sur le dos, prenant son mal en patience et s'exhortant au calme. Elle repensa à la nuit qu'elle avait passée, incapable de trouver le sommeil. Elle était tiraillée entre sa colère contre Constantine et la terreur de voir sa famille dépouillée de tout ce qui lui restait.

Pourtant, même s'il était très plaisant de blâmer Constantine de tous ses maux, cela n'en était pas moins injuste.

Une main en écran sur son front, elle réprima un bâillement et s'autorisa à fermer les yeux, l'espace de quelques secondes. Elle les rouvrit brusquement, entendant des vagues qui s'écrasaient contre le ponton.

Elle vit un nageur fendre les flots dans sa direction et fut à la fois soulagée et contrariée de reconnaître Constantine. Elle se glissa dans l'eau et s'éloigna du ponton. Si elle décrivait un demi-cercle, elle pourrait non seulement l'éviter mais aussi regagner la plage avant lui. Avec un peu de chance, il resterait un moment au ponton avant de réaliser qu'elle lui avait échappé.

Sa réaction était peut-être démesurée, mais elle se sentait au bord de la panique. Quitte à entamer une discussion avec un Constantine à demi nu, elle préférait l'affronter habillée.

Lorsqu'elle tourna la tête, elle le vit malheureusement qui nageait dans son sillon. Son cœur se mit à battre à tout rompre. Pour s'être baignée avec lui des dizaines de fois et avoir pris, sur ses conseils, des cours de plongée lorsqu'ils étaient fiancés, elle savait qu'il était un excellent nageur et qu'il ne tarderait pas à la rattraper.

Elle parcourut aussi rapidement qu'elle put les quelques mètres qui la séparaient encore de la plage et commença à regagner la rive à pied. Mais elle sentit bientôt les biceps musculeux de Constantine s'enrouler autour d'elle, et la tête se mit à lui tourner. Elle se raidit et tenta de se dégager mollement, tandis qu'il la soulevait de terre et l'emportait dans ses bras.

Malgré tous ses efforts, elle s'abandonna peu à peu à la douceur de cet instant et laissa sa tête aller contre son torse puissant. Mais, très vite, elle s'écarta de lui.

— C'est bon, monsieur Muscles, lui lança-t-elle d'un ton désinvolte, vous pouvez me reposer à terre maintenant. Qu'as-tu fait du photographe ?

— Si cela peut te rassurer, je ne l'ai pas tué, même si ce n'était pas l'envie qui me manquait. Chérie, je n'étais pas là lorsque ton père a fait cette crise cardiaque, ajouta-t-il avec gravité. J'ignorais même qu'il avait le cœur fragile. Il était au casino alors que nous avions rendez-vous à mon bureau, et c'est là-bas qu'il est mort. Un de mes hommes a pu l'évacuer avant que les journaux ne s'emparent de l'affaire, mais malheureusement, quelqu'un a vendu la mèche. Il s'agit probablement de la même personne que celle qui a parlé des emprunts.

Il avait essayé de les protéger. Elle était tellement sous le choc qu'elle occulta presque le fait qu'il l'avait appelée « chérie ».

Elle inspira profondément, mais l'air semblait avoir déserté ses poumons. Après une nuit presque blanche et la séance de natation qu'elle venait de s'infliger, une fatigue intense l'envahit et elle sentit ses jambes flageoler. Lorsque son champ visuel commença à se rétrécir, elle comprit que, pour la première fois de sa vie, elle allait s'évanouir.

Refusant farouchement de perdre le contrôle, elle tendit machinalement la main dans le vide et sentit un bras ferme lui entourer la taille. Elle eut vaguement conscience que sa tête heurtait le torse viril de Constantine. Sa joue râpeuse contre la peau sensible de son front lui envoya des ondes électriques dans tout le corps, en même temps qu'elle recouvrait quelques forces. Elle inspira profondément et se grisa de son odeur virile à laquelle se mêlaient des senteurs marines.

Les souvenirs se bousculèrent, certains sensuels, d'autres douloureux. Elle se raidit, mais vacilla un peu plus. Constantine resserra son étreinte. Lorsqu'elle reprit connaissance, elle était assise sur le sable, entre les genoux de Constantine qui lui soutenait la tête.

— Je vais bien maintenant, le rassura-t-elle.

En effet, la pression sur sa nuque s'était dissipée et, en clignant des yeux, elle pouvait presque affronter la lumière intense du soleil.

Ce moment lui parut soudain surréaliste. A demi nu avec elle, sur une plage isolée, Constantine semblait plus humain, comme éloigné des responsabilités écrasantes qui étaient son lot quotidien.

La sonnerie d'un téléphone attira son attention. Elle regarda autour d'elle et vit, à quelques mètres d'eux, la pile désordonnée de ses vêtements. Cela l'amena à remarquer que Constantine n'était pas en maillot, mais qu'il portait un boxer-short gris moulant ses hanches musculeuses.

Immobile contre elle, il ne fit pas le moindre mouvement pour atteindre son mobile.

— Tu ne réponds pas ? demanda-t-elle.

Le visage de Constantine afficha un calme et une sérénité qui ne lui étaient pas coutumiers.

— Non.

— Pourquoi ?

— Je ne réponds jamais au téléphone lorsque je suis à la plage, répondit-il avec un sourire en coin.

Elle se surprit à lui rendre son sourire. En cela du moins, ils étaient semblables. Il lui arrivait fréquemment de faire un saut à la plage, juste pour le sentiment de liberté que lui procuraient la mer, le soleil et le sable conjugués.

Une vague de mélancolie l'envahit. Depuis qu'ils avaient rompu, elle n'avait cessé de ruminer les causes de leur échec, refusant de s'attarder sur les moments merveilleux qu'ils avaient partagés.

Submergée par l'émotion, elle prit une poignée de sable qu'elle laissa filer entre ses doigts.

— Alors tu devrais y aller plus souvent, dit-elle dans un souffle.

Il fixa sur elle un regard qui se voulait neutre. Pour la première fois, elle réalisa qu'il avait dû souffrir, lui aussi, et qu'il n'était pas aussi dénué de sentiments qu'elle avait bien voulu le croire. Après tout, cette rupture avait été un échec pour lui comme pour elle.

— Pourquoi avoir envisagé d'aider mon père ? le questionna-t-elle.

Elle se tourna vers lui et le dévisagea, afin de lire la vérité dans ses yeux.

— Parce que je ne suis pas un monstre. Je voulais discuter du problème avec lui.

— Dis plutôt que tu voulais le forcer à rembourser l'argent emprunté.

— Tu te trompes, dit-il en soutenant son regard sans ciller. C'était ton père qui m'avait contacté et qui avait souhaité ce rendez-vous. Il voulait me demander un autre emprunt, en fait.

Quelques minutes avant 20 heures, Sienna enfila une longue robe fourreau de soie bleu marine. Elle tenta, en vain, de calmer l'excitation qui n'avait cessé de croître depuis le moment passé sur la plage avec Constantine. C'était lui qui l'avait forcée à se rendre à ce dîner, et cela n'avait rien d'un rendez-vous galant, elle ne devait pas l'oublier.

Elle vérifia une dernière fois son maquillage et sa coiffure, et caressa avec émotion les perles somptueuses qui ornaient son cou et le lobe de ses oreilles. C'était une parure rare, à la fois moderne et opulente, qu'elle utilisait quand elle voulait impressionner et convaincre d'éventuels acheteurs. Puisqu'elle devait se rendre à ce cocktail, autant essayer de promouvoir sa société. Les contacts dont elle avait désespérément besoin ne manqueraient pas, ce soir-là.

La voiture arriva pile à l'heure.

Carla, qui avait tourné autour d'elle pendant qu'elle se préparait, la suivit dans l'escalier, la regardant vérifier qu'elle avait bien son téléphone portable, sa carte de crédit et les clés de la maison.

— Je t'attendrai, lui dit-elle. Si tu as besoin d'aide, appelle-moi ou envoie-moi un S.M.S., je viendrai à ton secours.

Sienna afficha un sourire plein d'assurance.

— Merci, mais je ne pense pas que ce sera nécessaire. Crois-moi, je ne vais là-bas que parce que cela sert nos intérêts.

Malgré son air désinvolte, elle se prépara mentalement à la confrontation qui l'attendait.

Pourtant, contre toute attente, ce ne fut pas Constantine qui sortit de la limousine pour lui ouvrir sa portière. Ce fut son assistant personnel, qui se présenta sous le nom de Tomas.

La déception la submergea tandis qu'elle prenait place dans le véhicule. En dépit de la tension qui existait avec Constantine, elle avait cru que le petit intermède de la plage l'aurait poussé à venir la chercher en personne. Visiblement, elle s'était trompée. Et pire : si Constantine avait voulu asseoir son pouvoir sur elle, il ne s'y serait pas pris autrement.

Vingt minutes plus tard, Tomas franchissait une grille gardée par un service de sécurité et allait se garer devant une impressionnante demeure coloniale. Tandis qu'elle gravissait les marches qui menaient au perron, Sienna remarqua, avec un brin d'appréhension, les voitures luxueuses alignées les unes à côté des autres.

Après une brève vérification d'identité, on l'introduisit dans une salle immense, éclairée par d'imposants chandeliers.

Même si la foule était particulièrement dense, elle repéra tout de suite Constantine, que son costume sombre et sa chemise blanche rendaient encore plus impressionnant.

Affichant un air déterminé, elle se dirigea vers lui et évalua d'un air qu'elle voulait décidé cette assemblée de gens riches et influents. Son cœur se mit à battre plus fort à l'idée qu'elle pourrait tomber sur un représentant de la société de de Vries et, pourquoi pas, traiter directement avec lui.

Perdue dans ses pensées, elle se heurta à Alex Panopoulos, l'un des clients les plus prestigieux de la société Ambrosi. Richissime P.-D.G. d'un empire australien, il avait, à plusieurs reprises, tenté sa chance auprès d'elle, puis auprès de Carla. Compte tenu de sa réputation de play-boy, le repousser n'avait pas été bien difficile. Beau joueur, il avait pris ces rebuffades avec bonne humeur, mais revenait pourtant régulièrement à la charge.

— Sienna, dit-il en prenant ses deux mains dans les siennes, j'ai appris le décès de ton père, je suis vraiment désolé. J'étais en déplacement jusqu'à cet après-midi, sans quoi j'aurais assisté à ses funérailles, bien sûr. Avez-vous reçu mes fleurs ?

Les fleurs en question étaient un énorme bouquet d'orchidées, qui avaient dû coûter une petite fortune et que Carla s'était empressée d'offrir à une voisine.

— Oui, merci.

Elle bougea l'une de ses mains toujours prisonnières, se demandant quand il allait se décider à les relâcher. Simultanément, elle parcourut la salle du regard, à la recherche d'Harold Northcliff, le représentant de de Vries, un petit homme replet qui avait la réputation d'être insaisissable.

— Et… comment vont les affaires ? s'enquit Panopoulos, en faisant mine d'ignorer les tentatives de Sienna pour dégager sa main.

— Nous n'avons pas à nous plaindre, rétorqua-t-elle évasivement.

— Avec l'efficacité dont tu sais faire preuve, je n'en doute pas. Mais, s'il est bon de s'intéresser de près à ses affaires, il faut savoir se ménager du temps libre et prendre soin de soi.

Durant quelques secondes, Sienna regretta de ne rien éprouver pour Panopoulos, même si elle n'ignorait pas que son numéro de séduction était surtout un jeu. D'ailleurs, lorsqu'il lui offrit son sourire carnassier, elle comprit qu'il allait enfoncer le clou.

— A ce propos, ajouta-t-il, j'espère que tu accepteras de dîner avec moi, la semaine prochaine.

Elle sentit tout son corps se raidir. Elle soupçonnait en effet Panopoulos de les poursuivre, Carla et elle, de ses assiduités, dans le seul but de pouvoir mettre la main sur la société Ambrosi au cas où celle-ci se trouverait en difficulté financière.

— Ne t'inquiète pas pour notre société, lui dit-elle dans un sourire qu'elle voulait désinvolte. Elle se porte à merveille et continuera encore longtemps d'honorer tes commandes.

Il l'épingla d'un regard insistant qui disait clairement qu'il n'était pas dupe.

— Je n'en doute pas une seconde. Mais c'était de l'avenir dont je voulais discuter.

Pour conclure, il lui fit un baisemain dans un geste aussi courtois que désuet.

— Panopoulos.

La voix de Constantine sembla doucher sa belle assurance. Il laissa retomber brusquement la main de Sienna, comme un enfant pris sur le fait.

— Atraeus.

Constantine fixa Sienna quelques secondes, avant de jauger ostensiblement Panopoulos.

— J'ai entendu dire que vous alliez vous rendre à Médinos pour l'ouverture de notre tout nouveau complexe hôtelier, lâcha-t-il avec raideur.

Panopoulos afficha un visage impassible.

— J'ai en effet l'opportunité d'ouvrir un point de vente, sur place. Les hôtels de luxe ne sont pas légion, à Médinos.

— Il paraît que vous avez fait une offre substantielle pour obtenir un espace dans la seconde tranche de la construction.

— J'en ai touché deux mots à Lucas, qui prévoit en effet une réunion préliminaire en ce sens.

— Dans ce cas, nous nous reverrons la semaine prochaine, trancha Constantine. Et maintenant, si vous voulez bien m'excuser, Mlle Ambrosi et moi-même devons nous entretenir d'une affaire importante.

Le regard de Panopoulos s'étrécit. Constantine venait de l'évincer de manière à peine déguisée.

— Bien sûr, parvint-il à dire d'un ton néanmoins affable.

Constantine entoura alors la taille de Sienna d'un geste possessif et l'entraîna loin de la salle de réception, dans un patio déserté. Avec ses murs où grimpait une végétation luxuriante et les fleurs de gardénias qui embaumaient, l'endroit avait des allures de jardin tropical.

Contrariée par la façon impérieuse et désobligeante dont Constantine s'était débarrassé de Panopoulos,

Sienna se libéra de son étreinte pour mettre de la distance entre eux.

— Tu n'aurais pas dû agir ainsi, dit-elle. Je te rappelle qu'Alex est l'un de mes plus gros clients.

— Que voulait-il ?

— Cela ne te regarde pas.

— Si Panopoulos voulait discuter avec toi de la société Ambrosi, cela me regarde.

Ce rappel du pouvoir qu'il avait désormais sur l'entreprise familiale et, par voie de conséquence, sur elle, lui fit comprendre que la situation lui plaisait assez.

— Nous évoquions des sujets personnels, rétorqua-t-elle avec hauteur. Il venait de m'inviter à dîner.

— Et tu as décliné l'invitation.

Cette assertion, énoncée avec autant d'assurance que d'autorité, la hérissa.

— Non.

Ce qui était la stricte vérité, puisque Constantine était intervenu avant qu'elle ne donne sa réponse à Alex.

— Tu es consciente que ce que veut Panopoulos, c'est mettre la main sur la société Ambrosi ?

Elle sentit monter en elle un mélange de colère et d'angoisse qu'elle eut la plus grande peine à réprimer.

— Oui. Et, maintenant, si tu veux bien m'excuser…

— Pas encore.

Cette prière énoncée d'une voix grave et ferme la cloua sur place. La lumière qui baignait le visage de Constantine laissa voir la colère contenue qui l'animait.

Elle ne l'avait vu qu'une seule fois véritablement

furieux. C'était le jour où ils avaient rompu. Mais, même dans ces circonstances extrêmes, il avait su garder un calme apparent où elle seule avait décelé les tempêtes cachées.

Elle eut le sentiment que tous deux se trouvaient à présent au bord d'un précipice et que, pour la première fois, elle allait voir le vrai Constantine : l'homme, et non le magnat autoritaire et implacable qui avait une caisse enregistreuse à la place du cœur.

Soudain, le tonnerre se mit à gronder au-dessus de leurs têtes, et des éclairs zébrèrent le ciel. L'air devint lourd et moite.

— Il t'a demandée en mariage ?

Elle laissa échapper un soupir de lassitude. Si elle ne le connaissait pas autant, elle aurait pu jurer qu'il était jaloux.

— Pas encore.

— Et s'il le fait ?

— S'il le fait…

Elle chercha désespérément quelque chose à dire, qui soit susceptible de cacher sa vulnérabilité.

— Il faudra que j'y réfléchisse sérieusement. Mais avec une famille et une entreprise sous ma responsabilité, je n'aurai pas vraiment le choix.

— Lorsque Panopoulos saura ce que doit la société Ambrosi, il y a de fortes chances pour qu'il soit refroidi.

Le cœur de Sienna se mit à battre la chamade lorsque Constantine se rapprocha d'elle. Et ses battements redoublèrent encore, quand elle comprit qu'il allait l'embrasser.

- 6 -

Sienna fit un pas en arrière, ce qui s'avéra une grossière erreur, car elle se retrouvait à la merci de Constantine, coincée dans un angle du patio.

— Je trouve cette remarque extrêmement désobligeante, dit-elle d'une voix faussement neutre.

— Elle l'aurait été si tu avais couché avec Panopoulos, lui renvoya-t-il. Mais je ne pense pas que ce soit le cas.

Elle serra les dents, regrettant d'avoir planté Panopoulos comme elle l'avait fait.

— Comment peux-tu en être aussi sûr ?

— Je suis en ville depuis quatre jours. Comme je n'arrivais pas à te joindre, j'ai mené ma petite enquête et j'avoue qu'il ne m'a pas été très difficile d'obtenir certaines informations.

Son estomac se noua de nouveau. Avec les moyens dont il disposait, cela avait dû être un jeu d'enfant de tout savoir sur elle, y compris que sa vie sentimentale était aussi aride et monotone qu'un désert. Elle avait si peu de temps pour les rendez-vous galants !

— Tu n'as aucun droit de fouiller dans ma vie privée ! s'offusqua-t-elle.

— En fait, j'aurais préféré occuper mon temps libre autrement, mais il se trouve que, même si cela te déplaît, tout ce qui concerne la société Ambrosi me regarde. A ce propos, as-tu eu le temps de discuter de l'emprunt avec votre comptable ?

Le brusque changement de ton la déstabilisa un peu plus.

— Je lui ai faxé les documents cet après-midi, répondit-elle. Il a été sous le choc, comme nous tous.

— Brian Chin est toujours votre conseiller financier ?

— Oui, et, depuis dix ans qu'il travaille pour le groupe, nous n'avons jamais eu à nous plaindre de lui.

— Il est quand même regrettable qu'il n'ait pas mieux contrôlé les faits et gestes de ton père.

— Personne ne le pouvait.

Même si elle avait l'impression, en disant cela, de trahir son père, elle ressentit un vif soulagement de pouvoir enfin prononcer des mots jusque-là interdits.

— Pourquoi as-tu essayé, alors ? s'enquit-il avec une pointe d'impatience.

— Il fallait bien que quelqu'un le fasse. Ni maman ni Carla n'ont vraiment le sens des affaires et, si je n'étais pas intervenue, il y a bien longtemps que nous ne posséderions plus rien.

— J'aurais pu t'aider, moi, dit-il.

— Je t'ai laissé une chance de le faire, siffla-t-elle entre ses dents.

— Je ne pouvais pas accepter tes conditions.

— Si tu t'étais vraiment intéressé à moi, tu aurais compris à quel point cette entreprise familiale comptait à mes yeux.

— Je ne le savais que trop. C'est justement la raison pour laquelle je t'ai quittée.

Elle encaissa le choc sans broncher. Dans cet instant de lucidité, elle se vit telle qu'elle était, il y avait deux ans de cela comme il y avait deux secondes : obsédée et passionnée.

Elle comprenait enfin pourquoi Constantine avait rompu de façon aussi brusque et définitive. Si elle savait qu'il était dur et intransigeant en affaires, elle ne s'était pas rendu compte jusque-là qu'il appliquait cette même intransigeance à sa vie privée. En fait, il n'avait pas supporté de passer après la société Ambrosi, ni après Roberto et ses problèmes d'addiction au jeu.

— Finalement, tu viens de comprendre…

Et soudain, il fut près d'elle. Trop près.

Elle sentit le contraste du mur froid contre sa peau brûlante, tandis que les éclairs se succédaient à un rythme effréné et que le tonnerre grondait de plus belle.

Si la raison lui dictait de fuir, pour échapper à cette emprise, elle resta pourtant immobile, incapable d'esquisser le moindre geste. Il lui suffisait de passer un coup de fil depuis son portable et, cinq minutes plus tard, un taxi l'emmènerait loin de lui, dans un endroit où elle serait en sécurité. Quant à la discussion qu'ils devaient poursuivre, elle pourrait toujours avoir lieu par téléphone ou en présence de leurs avocats respectifs.

Il posa sa main contre le mur, derrière elle, lui ôtant ainsi toute possibilité de lui échapper.

— Pourquoi ne m'as-tu rien dit, il y a deux ans ?

— Parce que je savais que, lorsque tu connaîtrais

la vérité, tu n'hésiterais pas à me quitter. D'ailleurs, c'est bien ce qui s'est produit, non ?

— Je te l'ai déjà dit. Je t'aurais aidée.

L'espace de quelques secondes elle ne sut trop quoi penser. Jusque-là, elle n'avait pas vraiment pris conscience du fait qu'elle était en colère contre Constantine. Elle lui en voulait terriblement de l'avoir quittée, d'avoir refusé de comprendre la situation à un moment où elle avait désespérément besoin de lui.

— Et puis ? Tu m'aurais quittée quand même.

— Tu aurais pu accepter, quand il ne s'agissait que de sortir ton père du pétrin où il se trouvait et de remettre vos affaires à flot.

— Papa n'aurait jamais accepté.

Il se tut un bref instant, durant lequel il dessina le contour de sa mâchoire du bout des doigts. Elle se sentit prisonnière d'émotions contradictoires qui fusionnaient en elle et qu'elle ne voulait pas ressentir : colère, frustration et, toujours, ce désir aussi intense qu'omniprésent. Elle réalisa alors qu'elle n'avait jamais cessé d'attendre, sans se l'avouer, qu'il revienne vers elle.

Il marmonna quelque chose dans sa langue natale, qu'il traduisit aussitôt.

— Pourquoi es-tu donc si têtue ?

— Ce doit être mon principal trait de caractère, lui renvoya-t-elle.

Rappeler à Constantine qu'après la Seconde Guerre mondiale, les Ambrosi avaient quitté leur patrie pour s'installer à Sydney était une bien piètre tentative de justification. Mais, à ce moment précis, elle se serait raccrochée à tout ce qui pouvait la séparer de lui.

Avec un peu de volonté, elle pourrait s'esquiver, lui échapper.

Mais, au lieu de cela, elle resta immobile et le regarda approcher son visage du sien, avec l'intention manifeste de l'embrasser. Elle se rendit alors à l'évidence : Constantine la désirait autant qu'elle le désirait. Elle eut alors l'impression d'étouffer. L'air avait déserté ses poumons.

Lorsque les lèvres de Constantine effleurèrent doucement les siennes, elle frissonna de manière incontrôlée. Comme elle s'en voulait de ressentir de nouveau l'effet de ses baisers et de ses caresses, alors qu'il lui avait fallu deux ans pour se sevrer de son désir pour lui.

— Constantine, ce n'est pas loyal, dit-elle dans un souffle.

— Ce n'est pas vraiment le but, riposta-t-il en enserrant sa taille de ses deux mains.

Le moment était venu de lui signifier qu'ils allaient en rester là, que leur relation ne dépasserait pas le cadre professionnel.

Pourtant, elle n'en fit rien. Comme dépourvue de volonté propre, elle se hissa sur la pointe des pieds, prit son visage de ses mains et lui rendit son baiser.

Une vague de chaleur la submergea, à laquelle elle ne chercha plus à échapper. Consentante, le souffle court, elle laissa Constantine lui caresser les seins à travers la soie fine de sa robe… jusqu'à ce qu'une voix masculine s'élève, la libérant de la douce étreinte à laquelle elle s'était abandonnée.

Tomas ayant reçu l'ordre de ne déranger son patron sous aucun prétexte, l'affaire devait être urgente. Se plaçant de façon à dissimuler Sienna des regards curieux des quelques invités venus prendre l'air, Constantine saisit le téléphone que lui tendait son assistant et répondit à l'appel.

La communication avec son directeur financier fut brève et concise. Le marché passé entre son père et Roberto Ambrosi venait de prendre une tournure inattendue. En effet, Lorenzo avait également renoncé à ses droits à l'eau, indispensables pour construire la marina qu'il prévoyait d'implanter sur l'île d'Ambrus. Ce renoncement signifiait que le projet dans lequel il avait déjà investi des millions allait rester bloqué.

Il raccrocha et rendit le téléphone à Tomas qui s'éclipsa prestement. Il s'était attendu à ce que, durant ce bref intermède, Sienna en profite pour s'esquiver mais non, elle était toujours là. Elle avait soigneusement noué ses cheveux en un chignon élégant, bas sur la nuque, et elle affichait à présent un air distant qui l'irrita au plus haut point. Immobile, elle parcourait le patio du regard, à la recherche, sans doute, de prospects susceptibles de lui rapporter quelques marchés bien juteux.

Il pensa avec amertume qu'il aurait peut-être plus de succès avec elle s'il avait eu en main un bon de commande signé par ses soins.

Il lui barra le chemin alors qu'elle s'apprêtait à rejoindre un groupe de clients potentiels, venus là pour admirer le spectacle grandiose qu'offrait le ciel en fureur.

— Nous n'avons pas terminé notre discussion, décréta-t-il sèchement.

Il lui indiqua la terrasse de bois faiblement éclairée, qui ceinturait la maison.

— Nous pourrions la poursuivre dans mon bureau.

Sienna fut sur le point de décliner l'invitation, le danger que représentait un tête-à-tête avec Constantine lui paraissant beaucoup plus important que la menace financière qui planait déjà sur elle.

Elle finit néanmoins par acquiescer et gravit les quelques marches qui menaient à la véranda où elle serait à l'abri des regards indiscrets.

— Je suppose que ce n'était pas une bonne nouvelle ? s'enquit-elle.

La froideur de Constantine, en total contraste avec l'ardeur de ses baisers, ne pouvait la tromper.

— Rien qui ne puisse être réglé rapidement, éluda-t-il.

Elle soupira, soulagée. Un retour aux hostilités lui ferait reprendre ses esprits, d'autant plus que Constantine avait en tête de l'entraîner dans son lit, cela ne faisait pas le moindre doute.

Elle n'aurait jamais dû répondre à ses baisers, mais le repousser au lieu de se jeter à sa tête, comme elle l'avait fait. En agissant ainsi, elle lui avait redonné un pouvoir qu'elle s'était pourtant juré de ne jamais plus lui accorder.

Comme pour souligner le danger qui la guettait, un formidable coup de tonnerre éclata. Elle vacilla et perdit l'équilibre. L'un de ses talons alla se ficher dans une fente du plancher au moment où une panne de courant plongeait la terrasse dans une obscurité totale.

Instantanément, le bras de Constantine s'enroula

autour de sa taille. Elle se retrouva plaquée contre lui, les seins écrasés contre son torse. Feignant d'ignorer le désir intense qui la submergeait, elle s'agrippa à lui et se pencha pour dégager son pied de sa chaussure. En se redressant, elle heurta violemment le menton de Constantine qui, à son tour, perdit l'équilibre et tomba dans un buisson en contrebas de la terrasse, qui était dépourvue, à cet endroit-là, de la moindre rampe de sécurité.

Prise de panique, elle retira son autre chaussure et avança pieds nus, à tâtons, jusqu'à l'endroit où Constantine était tombé. Un éclair l'illumina au moment où il s'asseyait péniblement.

— Où suis-je ? s'enquit-il, un peu sonné.

— Dans le jardin, répondit-elle en s'accroupissant auprès de lui.

Il frotta sa mâchoire endolorie, tout en scrutant l'obscurité environnante. Elle passa un bras autour de lui pour l'aider à se relever, chancelant un peu sous son poids.

A plusieurs reprises, sa robe s'accrocha à des buissons d'épineux, lacérant impitoyablement la soie fine, mais cela n'avait aucune importance. Constantine fermement agrippé à elle, ils finirent par atteindre, clopin-clopant, une allée bordée de lumières solaires, qui les conduisit de nouveau sur la terrasse obscure.

Compte tenu de la facilité avec laquelle il se déplaça lorsqu'elle le relâcha, elle le soupçonna d'en avoir rajouté un peu, mais elle se garda de tout commentaire.

Le bruit d'un loquet de porte se fit nettement

entendre, par-dessus le roulement du tonnerre, qui commençait à faiblir. Cherchant à se repérer, elle trouva à tâtons la surface lisse d'un chambranle de porte. Encore un pas, et elle se retrouva à l'intérieur. Ses pieds nus s'enfonçaient désormais dans la laine épaisse d'une moquette. La porte claqua derrière elle, étouffant tous les sons extérieurs. L'obscurité était maintenant totale, et l'air chargé d'un mélange de parfum de fleurs et d'une tenace odeur de cuir. En tout cas, rien qui ne rappelle l'atmosphère d'un bureau.

— Où sommes-nous ? s'enquit-elle, un brin méfiante.

— Dans mon appartement privé. Le bureau se trouve juste au bout du couloir.

Il s'adossa à la porte, si bien que la main de Sienna, tâtonnant toujours, se posa sur son torse. Il referma aussitôt les bras autour d'elle, l'étreignant encore une fois contre lui.

Résistant au désir de rester blottie là, à l'abri de ses bras rassurants, elle se dégagea pour s'écarter de Constantine.

— Peut-on trouver des bougies ou une lampe torche quelque part ? demanda-t-elle d'une voix qu'elle voulait détachée.

— Dans ma chambre, répondit-il.

S'il pensait qu'elle allait tomber dans le piège, il se trompait lourdement. L'assurance qu'il affichait commençait à l'agacer un peu.

— Dans ce cas, répliqua-t-elle, reste ici. Je vais chercher de l'aide.

Dès qu'elle aurait trouvé l'un de ses sous-fifres,

elle appellerait un taxi pour rentrer chez elle. A ce moment-là, il n'aurait de toute façon plus besoin d'elle.

Mais Constantine entrelaça ses doigts aux siens, l'empêchant ainsi de s'éloigner.

— Je n'ai pas besoin d'aide, dit-il d'une voix envoûtante qui la fit frissonner.

Un éclair zébra le ciel, laissant voir une ecchymose sur sa pommette.

— Je t'ai fait mal.

— Sans blague ? murmura-t-il en l'attirant contre lui.

Elle sentit alors sa bouche, chaude et étonnamment douce, se poser sur la sienne. Toutes ses bonnes résolutions s'envolèrent alors comme par magie. Elle se hissa sur la pointe des pieds et, les bras noués autour de sa nuque, répondit à son baiser avec passion.

De longues minutes plus tard, Constantine la souleva de terre et l'emporta jusque dans une pièce aussi noire que le reste de la maison, puis il l'allongea délicatement sur un canapé.

Tandis qu'elle défaisait avec fébrilité les boutons de sa chemise, il s'affaira sur la fermeture à glissière de sa robe, puis dégrafa son soutien-gorge.

Après un autre interminable baiser, il la débarrassa de ses vêtements, avant de retirer les siens. D'abord sa cravate, puis sa veste et enfin sa chemise. Torse nu, il s'allongea sur elle, la dévorant de baisers ardents qui lui rappelèrent les après-midi et les nuits blanches qu'ils passaient dans son appartement à faire inlassablement l'amour.

Ses doigts se glissèrent entre l'élastique de sa culotte et la toison douce de son pubis, la firent rouler le long de ses longues jambes fuselées. Elle était nue à présent, à l'exception des perles qu'elle avait toujours aux oreilles et autour du cou.

L'espace de quelques secondes, elle songea qu'elle était sur le point de commettre une erreur colossale, puis elle se dit qu'après deux années de dur labeur, ponctuées de périodes d'angoisse, elle avait bien le droit de s'accorder un peu de plaisir.

Leurs deux corps soudés lui rappelèrent à quel point Constantine lui avait manqué. Lui, ainsi que des moments comme celui-ci. Elle aimait tout en lui : son odeur, le goût de sa peau, la façon dont il lui faisait l'amour.

— Je le savais, lui susurra-t-il à l'oreille. Il n'y a personne dans ta vie.

Elle ne répondit pas, trop attentive à ses lèvres qui se refermaient sur l'un de ses tétons dressés. Une onde de plaisir la submergea, l'obligeant à s'agripper à lui, telle une naufragée à une bouée de sauvetage.

Elle sentit son souffle saccadé sur elle. La tension devint si intense que c'en était presque insupportable. Dans une semi-conscience, elle réalisa qu'il s'était débarrassé de son pantalon et qu'il avait déroulé un préservatif sur son sexe en érection.

Dieu merci, il avait gardé les idées claires et pensé à les protéger, alors qu'elle se perdait égoïstement dans un tourbillon de volupté. Pour songer, la seconde d'après, qu'un homme qui se munissait ainsi de préservatifs avait prémédité de faire l'amour.

Mais ce n'était vraiment pas le moment de s'attarder

sur une pensée aussi déprimante, mieux valait profiter pleinement de l'instant. Lorsqu'il commença à aller et venir en elle, le plaisir qu'elle ressentait s'amplifia au point de lui couper le souffle. A chacun de ses coups de reins, elle avait l'impression de s'éloigner un peu plus de la réalité. L'orgasme l'emporta par vagues successives loin, si loin, qu'elle eut à peine conscience du fait que Constantine l'avait rejointe dans le plaisir.

Soudain rétabli, le courant lui permit de voir son regard rivé au sien. La satisfaction manifeste, au fond de ses prunelles claires, lui confirma que, quels qu'aient été les événements qui avaient précipité cet instant, il avait *prévu* de faire l'amour avec elle.

Dire qu'elle aurait tant aimé croire que, comme elle, il avait agi sur une impulsion !

Mortifiée, elle plaqua les deux mains sur les épaules de Constantine, et le repoussa, pour le faire rouler sur le côté.

Soudain embarrassée par sa nudité, elle se mit en quête de sa robe et l'enfila prestement, négligeant de passer ses sous-vêtements, qu'elle alla récupérer sur l'élégante table basse où ils se trouvaient.

Sans un mot, elle fila dans la salle de bains et contempla son reflet dans le miroir, consternée par la faiblesse dont elle avait fait preuve. De quoi avait-elle l'air, avec ses cheveux emmêlés, ses joues en feu, sa bouche rouge et gonflée ?

Constantine avait beau avoir prémédité la chose, il n'en restait pas moins qu'elle s'était pratiquement jetée à sa tête. Nul doute qu'il devait jubiler d'avoir pu profiter si facilement de la situation !

Quelques minutes plus tard, rafraîchie et vaguement recoiffée, elle retourna dans le salon où Constantine faisait les cent pas, son téléphone portable plaqué contre l'oreille.

Il avait revêtu une chemise propre, qu'il avait laissée ouverte sur son torse musculeux, lui rappelant ainsi l'intimité qu'ils venaient de partager.

Les traits tendus, il mit fin à la conversation et glissa son téléphone dans la poche arrière de son pantalon.

— Il y a un problème ? demanda-t-elle, anxieuse à présent de quitter les lieux.

Constantine lui jeta un regard acéré.

— Des complications avec le nouveau complexe hôtelier, répliqua-t-il évasivement.

— C'est la raison pour laquelle tu repars ce soir, non ?

Il ne répondit pas tout de suite, laissant planer entre eux un silence pesant.

— Tu pourrais m'accompagner, finit-il par dire.

Durant un bref instant, et malgré toutes ses désillusions, elle fut tentée d'accepter.

— A Médinos ?

— Mon avion décolle dans trois heures, dit-il après avoir consulté sa montre. Tu es la bienvenue à bord. D'ailleurs… nous n'avons pas eu le temps de régler notre problème. Nous pourrions reprendre la conversation là où nous nous l'avions laissée.

« Dans ton lit, bien sûr », songea-t-elle, luttant intérieurement contre l'envie de le suivre jusqu'au bout du monde. Elle n'aurait su dire pourquoi, mais elle éprouvait le besoin presque viscéral de se plonger de nouveau dans une relation qu'elle savait vouée à l'échec.

Alors que la raison lui soufflait de refuser, de s'en tenir au plan strictement professionnel, elle posa machinalement la main sur son rang de perles. Après quelques secondes de réflexion, elle parvint à la conclusion qu'elle ne devait au contraire pas en faire une affaire personnelle.

L'ouverture d'un complexe hôtelier de luxe appartenant au groupe Atraeus était un événement considérable, auquel n'assisteraient que des invités triés sur le volet. La presse ainsi que des professionnels de l'industrie et les plus grands distributeurs du secteur du luxe seraient présents, de Vries y compris.

Aussi, en dépit de ce qui venait de se passer sur ce canapé, elle ne pouvait se payer le luxe de décliner cette invitation qui ne pourrait que lui être profitable.

Jamais une telle opportunité de prospecter de nouveaux clients ne se représenterait et, si elle parvenait à faire signer à de Vries un contrat d'un an, elle pourrait rembourser Constantine et redeviendrait libre.

— D'accord, s'entendit-elle dire.

Un éclair de surprise fugace passa dans le regard de Constantine.

— Tomas va te raccompagner chez toi pour que tu puisses faire tes bagages, dit-il d'un ton égal.

Elle se mit à réfléchir à toute allure. Primo, elle ne souhaitait pas voyager seule en compagnie de Constantine, mais, secundo, il s'agissait là d'un déplacement professionnel. Il lui faudrait donc le préparer soigneusement. A savoir, réunir des échantillons qu'il lui fallait passer prendre dans le coffre de son bureau et prévoir des rendez-vous avec les représentants de de Vries, qui ne manqueraient pas d'assister à un événement aussi prestigieux.

— Je ne peux pas partir ce soir, déclara-t-elle alors fermement. J'ai besoin de deux jours.

Le ton crispé sur lequel Sienna avait parlé contrastait tant avec ses joues en feu et ses cheveux emmêlés qu'il ne put s'empêcher de la regarder avec étonnement.

Une fois encore, elle tripotait nerveusement les perles qui ornaient son cou. Ces perles dont elle ne s'était pas séparée une seconde. Elles lui rappelaient qu'il avait fait l'amour avec la femme qu'il désirait, mais également avec la P.-D.G. de la société Ambrosi.

Elle avait repris ses distances, semblant vouloir nier que, tout comme lui, elle le désirait toujours. Pourtant, elle avait accepté de l'accompagner.

L'idée avait germé dans son esprit lorsqu'elle avait envisagé la perspective d'épouser Panopoulos. Il s'était alors rendu compte qu'il ne pourrait supporter de la voir appartenir à un autre homme, elle qui était vierge lorsqu'elle s'était donnée à lui.

— Dans ce cas, indique-moi ta date de départ et je ferai mettre l'un de nos avions à ta disposition.

Elle releva fièrement le menton, ses yeux lançant des éclairs. Visiblement, elle n'appréciait pas l'idée.

— Merci, mais je préfère emprunter une ligne régulière, répliqua-t-elle sèchement.

— Nous savons tous les deux que tu ne peux pas t'offrir un billet de ce prix-là, lui renvoya-t-il.

Elle rougit violemment, sous le coup de l'humiliation.

— J'ai un peu d'argent de côté.

— Comme tu voudras. Mais laisse au moins Tomas te raccompagner chez toi.

Sans lui permettre d'objecter quoi que ce soit, il composa le numéro de son assistant, puis la reconduisit jusque sous la véranda, où il récupéra sa chaussure, toujours coincée dans la fente du plancher.

Elle la lui prit des mains d'un geste brusque et se rechaussa, acceptant de s'agripper au bras qu'il lui présentait pour ne pas perdre l'équilibre.

Il la regarda faire avec un brin de satisfaction. Si elle lui avait été indifférente, il aurait expédié les formalités administratives pour regagner son pays le plus vite possible. Mais il savait désormais que l'alchimie opérait toujours entre eux, prête à se ranimer au premier contact physique.

Certes, être jaloux de Panopoulos ne l'enchantait guère ; et puis il avait du mal à accepter le fait de désirer toujours cette femme comme un fou, alors qu'elle avait trahi sa confiance, deux ans plus tôt.

Il ne trouvait aucune logique à cet imbroglio d'émotions, et cela le dérangeait profondément.

L'arrivée de Tomas rompit le fil de ses pensées. Sienna lui adressa un sourire qui se voulait professionnel, tout en se gardant bien de croiser son regard.

Puis, comme si sa présence lui était devenue insupportable, elle lui tourna le dos et s'empressa de suivre Tomas.

Une fois seul, il tâta avec précaution la bosse qui s'était formée sur son crâne.

En contrebas, la plate-bande de fleurs était écrasée. Comment diable avait-il pu être la cause d'un tel dégât ?

- 7 -

Deux jours plus tard, Sienna débarquait dans la chaleur moite de Médinos. La robe pourtant légère qu'elle portait lui collait déjà à la peau, tandis qu'elle déambulait dans le terminal d'arrivée.

Sa déception fut vive lorsqu'elle vit Tomas venir à sa rencontre. Mais qu'espérait-elle ? Que Constantine se serait déplacé en personne pour venir la chercher ? Quelle prétention ! L'homme d'affaires qu'il était devait être bien trop occupé pour avoir même pu songer à un pareil détail.

Quelques minutes plus tard, ses bagages étaient placés dans le coffre, et elle chaussait ses lunettes de soleil. Confortablement installée dans une grosse berline noire, elle regarda défiler le paysage ponctué de maisons en pierres calcaires. Partout, la mer se profilait sous un ciel d'un bleu si pur qu'il en était presque éblouissant.

Elle n'était pas déçue : Médinos était bien telle qu'elle se l'était imaginée. A la fois sauvage et fascinante. Tandis qu'ils roulaient sur une corniche panoramique, elle discerna au loin un chapelet de petites îles qui semblaient flotter paresseusement sur l'eau. Les recherches qu'elle avait effectuées sur internet lui permirent de les nommer toutes :

Nycea, Thais, Pythea et, la plus proche, Ambrus. Ces noms évocateurs étaient un mélange de mystère et de magie.

Elle entendit vaguement vibrer le téléphone portable de Tomas. Le timbre de sa voix lorsqu'il répondit dans la langue locale lui rappela l'intermède explosif qu'elle avait vécu avec Constantine.

Elle se revit quitter le taxi et rentrer chez elle où, comme promis, sa sœur Carla l'attendait. Evidemment, celle-ci avait été horrifiée d'apprendre que Sienna avait décidé d'aller à Médinos.

— Je t'en prie. Dis-moi que tu ne pars pas avec lui.

— Ne t'inquiète pas. Nous ne prendrons pas le même vol et, si je me rends là-bas, c'est uniquement pour des raisons professionnelles.

Elle avait laissé tomber sa pochette sur la table basse du salon et mis de l'eau à chauffer dans la bouilloire. Son reflet dans la vitre de la cuisine l'avait horrifiée. Avec ses cheveux emmêlés, sa bouche encore gonflée des baisers de Constantine et son rang de perles, elle ressemblait plus à une courtisane qu'à la très honorable dirigeante de la société Ambrosi.

Elle l'avait laissé faire l'amour avec elle.

Une onde de culpabilité la submergea au souvenir de leurs bouches scellées par leurs baisers, de leurs corps unis dans la même passion.

Pieds nus, les bras croisés, Carla l'avait dévisagée d'un air dur.

— Je le savais. Il cherche encore à te séduire.

— Non.

Elle avait avalé deux comprimés antalgiques avec

un verre d'eau, avant de s'emparer des tasses et des sachets d'infusion qu'elle avait placés sur la table.

— Enfin, ni plus ni moins qu'une autre femme, avait-elle ajouté d'un air las.

— Pourquoi veut-il que tu ailles à Médinos, alors ?

— Je ne sais pas vraiment, mais, rassure-toi, ce n'est pas pour renouer avec moi.

Tout en versant de l'eau bouillante sur les sachets de camomille, elle se dit qu'il ne s'agissait entre eux que d'une relation sexuelle, qui plus est préméditée. Constantine n'avait même pas fait semblant d'y mettre les formes, et pourtant elle avait été incapable de lui résister !

— Je me rends à Médinos parce qu'un représentant de chez de Vries doit assister à l'ouverture du nouveau complexe hôtelier du groupe Atraeus, avait-elle expliqué. Avec un peu de chance, je pourrai faire patienter Constantine jusqu'à ce que j'obtienne un contrat.

Un éclair d'espoir passa dans le regard de Carla. Tout comme Sienna, elle savait que si elles signaient avec de Vries, elles pourraient rembourser à Constantine l'emprunt contracté par leur père. Elles ne perdraient donc pas la société Ambrosi.

— Alléluia, murmura Carla. Nous allons peut-être enfin voir le bout du tunnel. Je regrette juste que tu sois obligée d'aller sur cette île perdue pour cela. Je ne fais aucune confiance aux frères Atraeus, et encore moins à Constantine. Promets-moi que tu ne te laisseras pas prendre de nouveau dans ses filets. Car rien ne mériterait une chose pareille. Rien, tu m'entends, pas même le groupe Ambrosi !

— Je te promets que notre relation restera sur un plan strictement professionnel.

— Très bien. C'est juste ce que je voulais t'entendre dire. Tu seras prudente, n'est-ce pas ?

Elle avait acquiescé d'un signe de tête.

Elle interrompit le fil de ses pensées et reporta son attention sur la mer scintillante. Tomas pointa du doigt une forteresse perchée en haut d'un promontoire et surplombant la ville de Médinos, qu'il venait de traverser.

Le Castello, autrefois propriété d'une famille aristocratique, avait été partiellement détruit pendant la guerre et racheté par Constantine, qui s'était appliqué à le faire reconstruire à l'identique.

Quelques minutes plus tard, Tomas garait la berline sur le parking d'un palace dont la construction venait tout juste de s'achever.

Elle sortit de la voiture et, sac en bandoulière, pénétra d'un pas ferme dans le lobby.

Son cœur se mit à battre la chamade, lorsqu'elle aperçut la silhouette familière de Constantine. Dans ce décor exotique, un peu à son image, sa séduction naturelle était exacerbée.

Un peu prise de court, vu qu'elle ne s'attendait pas à tomber sur lui à la réception, elle s'appliqua à signer le registre et à prendre la clé qu'on lui tendait.

Après avoir échangé deux mots avec Tomas, Constantine lui proposa de l'accompagner jusqu'à sa porte.

La suite qu'il lui avait réservée était pourvue d'une immense baie vitrée offrant une vue imprenable sur l'île d'Ambrus. Constantine déverrouilla les portes qui donnaient sur un patio privé surplombant la mer. De là, elle pouvait admirer les falaises qui plongeaient à pic dans l'eau. Les taches blanches disséminées çà et là devaient être des chèvres.

Elle se sentait encore liée à cette île, même si la vie qu'elle avait vécue ici avec sa famille faisait partie de l'histoire ancienne.

— Ambrus semble déserte, dit-elle.

Lorsqu'il fixa sur elle ses yeux de braise, le souvenir de leur brève étreinte refit surface. Elle revit avec acuité le sentiment de possession qu'elle avait lu dans son regard.

— La compagnie minière se trouve de l'autre côté de l'île, expliqua-t-il. Nous sommes en train d'étudier la possibilité de construire un autre complexe hôtelier, pourvu, celui-là, d'une marina. En attendant, l'île est le paradis des chèvres sauvages. La ferme perlière de ta famille se trouvait au nord-ouest.

Elle contempla les hautes falaises, remarqua l'absence de plages qui auraient pu apporter une note de douceur à ce paysage aussi aride qu'escarpé.

Un coup discret frappé à la porte la tira de sa contemplation. Elle traversa un élégant boudoir et ouvrit au bagagiste, soulagée de voir, parmi ses valises, la précieuse mallette cadenassée à double tour, qu'elle avait pris soin d'emporter. Constantine l'ignorait encore, mais tout l'avenir de la société Ambrosi se trouvait là, dans cette petite valise.

Il lui tendit deux cartes en relief. La première était une invitation à l'ouverture officielle du palace, qui aurait lieu le soir même ; la seconde, une invitation à un déjeuner, le lendemain, pour célébrer le lancement d'une nouvelle collection de bijoux.

— Nous n'aurons pas le temps d'aborder le sujet qui nous préoccupe dans la journée, dit-il. Cela devra attendre ce soir.

Au dos des cartes, écrites à la main, figuraient des précisions quant au code vestimentaire.

Elle les glissa dans son sac.

— Merci.

Il passa devant elle et se retourna avant de franchir le seuil.

— Je suis certain que tu n'auras pas manqué de remarquer avec quelle facilité tu peux circuler d'une suite à l'autre, dit-il, d'un ton lourd de sous-entendus.

Songeuse, elle referma la porte derrière lui, sans rien répondre.

Constantine n'était plus l'homme qu'elle avait connu deux ans plus tôt. La façon dont il avait provoqué leur étreinte en était le parfait exemple. Il avait profité de sa chute et de la coupure de courant pour la manipuler et la pousser à faire l'amour avec lui.

Le fait qu'elle lui ait cédé n'était pas un problème en soi. Ce qui la dérangeait, en revanche, c'était la dureté, la domination dont il avait fait preuve.

Et elle était presque certaine qu'il savait exactement jusqu'où elle était prête à aller, maintenant qu'elle se trouvait à Médinos, sur son propre territoire.

- 8 -

Constantine suivit Sienna des yeux alors qu'elle se frayait un chemin à travers la foule qui peuplait déjà la salle de réception. Même s'il n'avait pas été informé de son arrivée, il lui aurait été facile de la repérer aux nombreuses têtes qui se tournaient sur son passage.

Il posa son verre sur une table et prit tout son temps pour la contempler, dans la tenue aussi sexy qu'élégante qu'elle avait choisie. Instantanément, le feu se mit à couler dans ses veines.

Ses cheveux, relevés en un élégant chignon, accentuaient la perfection de sa robe, belle à damner un saint. Faussement simple, d'une couleur champagne qui s'accordait parfaitement à son teint, elle donnait l'impression que Sienna était nue.

Derrière lui, Lucas émit l'un de ses sifflements admiratifs habituels.

— Continue, murmura calmement Constantine, et je t'arrache les yeux.

Lorsqu'il fréquentait Sienna, ils avaient pris l'habitude de ne jamais sortir ensemble en soirée, afin d'éviter d'alerter la presse. Et lorsqu'il était à Sydney, ils se retrouvaient le plus discrètement possible soit chez lui, soit chez elle. Les vêtements qu'elle portait alors étaient d'une élégance si discrète qu'il les remarquait à peine. Rien à voir avec la robe diabolique qu'elle avait revêtue ce soir-là.

Zane, qui était venu tout spécialement des Etats-Unis pour assister à l'événement, fut, lui aussi, incapable de cacher l'admiration que lui inspirait la jeune femme.

— Elle semble être venue sans son directeur financier.

« Ni avec personne d'autre, d'ailleurs », se dit Constantine avec satisfaction.

— Pas d'attaché-case non plus, nota à son tour Lucas.

— Elle n'a pas l'air très heureuse d'être ici, ajouta Lucas d'un ton brusque. Tu n'as pas besoin de tout ça.

Le visage de Constantine resta impassible. Mais, s'il n'avait pas touché un mot à son frère de ce qui s'était passé à Sydney, il ne doutait pas que celui-ci savait parfaitement que Sienna Ambrosi occupait toutes ses pensées.

Il aurait pu laisser l'affaire aux mains de ses avocats, qui n'auraient fait d'elle qu'une bouchée. Car les choses étaient on ne peut plus simples : à moins qu'elle ne produise un chèque réglant toutes ses dettes, la société Ambrosi lui appartenait. Mais il avait changé d'avis, à la seconde où il l'avait revue au cimetière.

Désormais, ce n'était plus une simple question d'argent.

Il l'observa encore, alors qu'elle s'était arrêtée pour discuter avec un couple de Japonais. Le contraste entre la femme pleine d'aisance et d'assurance qu'il avait devant lui et celle, débordant de passion, qu'il avait tenue entre ses bras, était saisissant.

S'il l'avait fait venir, c'était pour une raison simple : hormis le fait qu'il avait envie de refaire l'amour avec elle, il avait également besoin de savoir jusqu'où elle était capable d'aller pour effacer sa dette.

Si l'idée qu'elle pouvait ne coucher avec lui que par intérêt lui était désagréable, il devait néanmoins l'envisager. Après tout, elle n'avait pas hésité à sacrifier leur relation à son travail. Et elle lui avait cédé si facilement que cela semblait corroborer cette hypothèse.

— Le problème que nous rencontrons avec la question des droits d'utilisation de l'eau complique un peu les choses, finit-il par expliquer.

— Le seul problème que je vois se trouve à quelques mètres d'ici et se dirige vers nous, lui renvoya Lucas en secouant la tête.

— Salut, frérot, dit à son tour Zane. Et fais gaffe, ménage tes arrières.

Constantine fronça les sourcils en voyant Panopoulos fondre sur Sienna et l'empêcher de progresser vers lui. Lorsqu'elle se tourna pour saluer l'importun, il se rendit compte que le devant de sa robe, pourtant osé, n'était rien en comparaison du dos, dénudé jusqu'au creux de ses reins.

— En fait, ce ne sont pas *mes* arrières, le problème.

Sienna prétexta un coup de fil à donner pour se débarrasser de l'encombrant Panopoulos. Elle fit halte dans une alcôve tranquille, décorée de statues en marbre et de palmiers en pot, pour plier le voile fin qui lui servait d'étole et le ranger dans sa pochette.

De retour dans la salle de réception, elle chercha Northcliff, le représentant de chez de Vries, du regard. Elle avait prévu de le rencontrer au cours de cette soirée.

Mais lorsqu'elle vit Constantine, élégamment vêtu d'un smoking sombre, occupé à parler au téléphone, son cœur se mit à battre la chamade. Au comble de l'émotion et de la nervosité, elle inspira un grand coup et s'exhorta au calme.

Elle s'arrêta devant une vitrine pour contempler une série de pièces de joaillerie, prélude au lancement de la collection, prévu pour le lendemain. L'ensemble était si beau qu'elle en oublia momentanément ses soucis et la raison pour laquelle elle se trouvait là.

Elle admirait d'autant plus ce travail d'orfèvre qu'elle-même ne se sentait pas l'âme d'un designer. Ce qui la passionnait, c'étaient les affaires. Son père avait l'habitude de la taquiner en proclamant à qui voulait l'entendre qu'elle avait la passion du commerce chevillée au corps. Et il était vrai qu'elle n'était jamais aussi heureuse qu'après la signature d'un contrat.

Une main lui effleura la nuque. Aussitôt elle se raidit, tandis que les battements de son cœur redoublaient.

— Sienna, je suis content que tu aies pu venir.

Ce n'était pas Constantine, mais Lucas, son plus jeune frère. Lui non plus ne manquait pas de séduction, avec ses traits taillés à la serpe et ses airs de mauvais garçon. Par le passé, il avait tenté sa chance auprès de Carla, mais trop tard, malheureusement, car avec la rupture de Constantine et Sienna, elle n'avait plus voulu entendre parler de lui. Carla avait quitté Lucas afin de soutenir sa sœur comme elle l'entendait.

— Tu me connais, Lucas, dit-elle en cherchant Constantine du regard. L'or, les bijoux, les objets d'art. Je n'ai pas pu résister.

— Toi-même, tu es aussi belle que l'un de ces chefs-d'œuvre, la complimenta-t-il, avec un accent de sincérité qui ne trompait pas.

— Si tu veux marquer des points, Lucas, il va falloir faire mieux que cela, le taquina-t-elle. En plus, cette robe n'est pas à moi, je l'ai empruntée à Carla.

Lucas esquissa un sourire amusé.

— En fait, ce sont tes bijoux qui ont attiré mon attention en premier, avoua-t-il humblement.

— J'ignorais que tu t'intéressais à la joaillerie.

En effet, Lucas était plutôt connu comme « l'homme de main », au sein du groupe Atraeus. Il avait la réputation de s'intéresser au rachat d'entreprises en difficulté, et non à la création artistique.

— Lorsque je t'ai vue, j'ai cru que tu portais la parure nuptiale traditionnelle de chez nous. Imagine un peu la publicité, compte tenu du fait que tu as été fiancée à Constantine.

Troublée par cette remarque, Sienna porta machinalement une main aux perles qui ornaient son cou. C'était une parure qui avait été exécutée d'après des esquisses originales de son grand-père Sébastien. Ornée de motifs médiniens, elle consistait en quatre rangs de perles à l'orient parfait, incrustées au centre d'un saphir en forme de goutte d'eau. Les boucles d'oreilles et le bracelet assortis possédaient les mêmes caractéristiques.

— En parlant du diable, le voici, murmura Lucas après avoir jeté un coup d'œil par-dessus son épaule.

Un frisson la parcourut tout entière. Elle eut l'impression d'étouffer.

— Il faut que nous parlions, décréta Constantine sans ambages.

La déception fut si vive qu'elle eut envie de croiser les bras, pour montrer sa désapprobation. Soudain, sa robe lui parut ridiculement trop suggestive, trop transparente et elle regretta amèrement de s'être affublée d'une tenue aussi sexy.

— C'est bien pour cela que je suis ici, répondit-elle sèchement.

Elle vit, à la veine qui pulsait dans son cou, qu'il était en colère.

— Allons-y. Tout de suite.

Cette réplique, prononcée d'une voix qui n'entendait pas être discutée, lui fit l'effet d'un coup de fouet.

— Il n'en est pas question, répliqua-t-elle d'un ton tout aussi ferme.

La main de Constantine lui enserra alors le bras, donnant à penser qu'ils avaient engagé une conversation intime.

Devant sa résistance, il s'approcha un peu plus d'elle et pencha son visage vers le sien. Il était si près qu'elle pouvait sentir son souffle tiède sur son visage. Frissonnante de désir, elle resta clouée sur place, incapable de bouger. Pire, elle ne le souhaitait même pas.

— Allons-y immédiatement, répéta-t-il à voix basse. Et, si tu refuses, je te promets de te faire sortir quand même, par tous les moyens.

— Tu ne ferais pas une chose pareille.

— Je vais me gêner !

Elle voulut chercher de l'aide auprès de Lucas, mais celui-ci avait disparu, comme par magie.

— Ce que tu fais porte un nom, se rebiffa-t-elle. Cela s'appelle une agression.

La remarque le fit rire. Instinctivement, Sienna résistait alors qu'elle n'aurait pas hésité à lui céder, et au moment même où il se montrait sous un mauvais jour. Cela l'enchanta. Il avait retrouvé la Sienna qui l'avait conquis au premier regard.

— Je vais appeler la police, prévint-elle d'une voix qu'elle voulait menaçante.

— Avant ou après notre petite réunion d'affaires ?

— Cela aussi, ça porte un nom. Ça s'appelle du chantage.

Il resserra son étreinte et l'entraîna sans ménagement vers la sortie.

— Mon chou, bienvenue dans le monde des affaires.

- 9 -

Sienna continua de protester, tandis qu'ils pénétraient dans une galerie déserte, percée, d'un côté, par des fenêtres en ogive, et décorée de l'autre avec des œuvres d'art exquises.

— Je n'irai pas plus loin, déclara-t-elle. Je trouve déjà curieux que nous ayons quitté la réception, alors que tu es le maître des lieux. Et au moins ici, si je crie, on pourra m'entendre.

— Calme-toi, je n'ai pas l'intention de te faire du mal.

Il voulut passer outre ses protestations pour la prendre dans ses bras, mais elle le repoussa vivement. Constantine s'éloigna de quelques pas, avant de revenir et de pointer son tour de cou du doigt.

— Il fait partie de ta campagne de promotion ?

Elle sentit ses joues s'empourprer violemment, en même temps qu'un vertige s'emparait d'elle.

— Que sais-tu de cela ? siffla-t-elle entre ses dents, prise d'une rage incontrôlée.

— Je te rappelle que je figure encore dans la liste de tes clients et que j'ai accès à toutes tes brochures. Lorsque tu as déambulé dans la salle de réception, en arborant cette somptueuse parure médinienne, tu as créé ton petit effet, dit-il d'un ton mauvais. Etait-ce volontaire ?

Elle suivit la direction de son regard et vit une peinture à l'huile, représentant une mariée posant avec la réplique du bijou qu'elle portait.

— J'ignorais que c'était un bijou traditionnel, dit-elle en toute sincérité.

— La presse, elle, ne l'ignore pas, et elle va s'empresser de faire le rapprochement et d'en tirer des conclusions erronées. Sienna, nous ne sommes pas en train de jouer à un jeu, là.

Elle rougit encore une fois. La seule chose dont elle se sentait coupable, c'était de tenter de sauver l'entreprise familiale, et elle ne s'excuserait pas pour cela.

— Crois-moi, je ne joue pas. Pas plus d'ailleurs que je n'essaie de faire un coup de pub sur ton dos.

Constantine riva sur elle un regard courroucé et croisa les bras.

— Prouve-le.

Elle n'avait pas à se justifier, après tout. Elle pouvait très bien prendre son sac et le planter là, mais la situation était délicate. Mieux valait obtempérer.

— Très bien. Viens dans ma suite. Je vais te montrer quelque chose.

Elle ouvrit la porte de sa chambre et une fois à l'intérieur appuya sur l'interrupteur qui commandait l'éclairage. La douce lumière souligna le marbre du sol et la blancheur immaculée du mobilier.

Elle déposa sa pochette sur une table basse, flanquée de part et d'autre de canapés en cuir, puis elle alla composer le code secret de son coffre, pour en sortir l'ordinateur portable qui se trouvait à l'intérieur.

Quelques clics plus tard, elle ouvrait un dossier contenant les clichés des bijoux dessinés par son grand-père. Elle trouva la page scannée qui l'intéressait, puis retira son collier qu'elle disposa soigneusement à côté de l'ordinateur.

— Ces bijoux sont des prototypes, expliqua-t-elle. Ils ne sont pas destinés à la production…

— Jusqu'à ce que tu repères un acheteur, acheva Constantine.

Elle laissa échapper un profond soupir. Il ne fallait surtout pas qu'elle perde son calme.

— Jusqu'à ce qu'un acheteur potentiel manifeste son intérêt, rectifia-t-elle.

— Autrement dit, jusqu'à ce que tu aies reçu une proposition d'achat. Ou, pour m'exprimer plus clairement, un « bon de commande ».

— Les modèles Ambrosi ne sont pas les répliques exactes des esquisses faites par mon grand-père, rétorqua-t-elle, les mâchoires serrées. Nous ne savions donc pas qu'il s'agissait de bijoux destinés à une cérémonie nuptiale.

Constantine resta immobile sous la lumière tamisée d'une lampe toute proche qui adoucissait ses traits tendus.

— Il semble que je te doive des excuses, finit-il par dire après quelques secondes de silence.

— Pas du tout, riposta-t-elle en se dirigeant de nouveau vers le coffre, suivie de près par Constantine qui avait recouvré toute sa gentillesse. Laisse-moi faire, proposa-t-il en s'emparant de la mallette qu'elle avait sortie du coffre, pour pouvoir y glisser d'abord son ordinateur.

Le cœur battant, elle remit le tout en sécurité dans le coffre. Si Constantine découvrait qu'elle était venue ici dans le but de passer un marché avec de Vries, il risquerait de mal le prendre.

Un léger cliquetis attira son attention. Constantine s'était emparé de la parure qui sembla encore plus délicate, dans le creux de sa main puissante. Lorsqu'il caressa l'une des perles, elle frissonna, s'imaginant cette même caresse sur sa peau nue.

— Si ce n'est pas pour moi que tu portais cette parure, c'était pour qui alors ? s'enquit-il en la fixant intensément.

— Je ne vois pas ce que tu veux dire, éluda-t-elle, embarrassée.

Cherchant désespérément une échappatoire, elle se rendit dans la kitchenette adjacente, ouvrit un placard et prit deux verres. Après les avoir remplis d'eau fraîche, elle en tendit un à Constantine, tout en évitant soigneusement d'avoir le moindre contact physique avec lui.

Sans la quitter des yeux, il vida son verre d'un trait. Consciente de son regard fixé sur elle, elle rassembla ses bijoux d'une main fébrile. Plus vite ils seraient hors de sa vue, mieux elle se sentirait.

Une fois dans sa chambre, elle enveloppa la parure dans une écharpe de soie et plaça le tout dans le tiroir d'une commode, se promettant de les ranger dans la mallette aussitôt que Constantine serait parti.

Lorsqu'elle regagna le salon, il faisait les cent pas,

s'arrêtant de temps à autre pour s'emparer machinalement d'un bibelot qu'il s'empressait de remettre aussitôt à sa place. Elle le connaissait suffisamment pour savoir que ces gestes trahissaient une profonde nervosité.

— As-tu mangé ? s'enquit-il après avoir consulté sa montre.

— Pas depuis le vol, répondit-elle, surprise par le changement de tactique qu'il avait adopté.

— Je vais appeler la réception pour nous faire monter un repas.

La perspective de se retrouver seule avec lui ainsi que ce que sous-tendait cette proposition lui firent regretter ses paroles.

— Inutile, je n'ai pas faim.

— Tu as besoin de manger et, par ma faute, tu as raté l'heure du dîner. Si tu ne veux pas que nous mangions ici, nous pouvons aller quelque part, dans un endroit plus fréquenté, souligna-t-il avec un brin d'ironie.

Elle envisagea les options qui se présentaient à elle. Constantine venait de lui faire clairement comprendre qu'il avait envie d'elle et que c'était elle qui allait décider de la tournure que prendraient les événements. Malgré ses bonnes résolutions, elle se surprit à considérer l'éventualité de passer la nuit avec lui.

Elle devait repousser cette idée de toutes ses forces ! Il ne devait pas être question de sexe entre eux, mais d'une relation strictement professionnelle. Elle était ici pour tenter de sauver les meubles, et elle ne devait pas perdre de vue la promesse qu'elle s'était faite.

— Je préfère dîner dehors en effet, répondit-elle après avoir verrouillé le coffre.

Choisir cette solution lui permettrait de reporter la discussion qu'elle redoutait tant au lendemain et lui laisserait une chance supplémentaire de conclure une vente avec de Vries.

— Cela me va aussi, renchérit Constantine.

Il avait parlé d'une voix douce qui la surprit. Elle crut même y discerner une pointe de soulagement, mais cela n'avait aucun sens.

Troublée, elle alla dans sa chambre chercher une étole de soie qui couvrirait ses épaules et sa gorge bien mieux que ne l'avait fait la soie fine qu'elle avait portée en début de soirée.

Lorsqu'elle regagna le salon, Constantine reposait le téléphone sur son socle.

— J'ai réservé une table dans un petit restaurant du port, annonça-t-il.

— Cela me semble parfait, lança-t-elle d'un ton désinvolte.

A cette période de l'année, qui correspondait à la haute saison touristique, les restaurants en bord de mer devaient être bondés. Ils auraient la plus grande difficulté à avoir une discussion sérieuse, ce qui l'arrangeait bien.

Elle alla prendre son sac et ses clés, et précéda Constantine vers la sortie. Tandis qu'ils passaient devant l'immense miroir qui décorait l'un des murs du corridor, elle ne put s'empêcher de jeter un coup d'œil à leurs reflets. Elle ressentit une impression de déjà-vu, teintée d'un mélange d'émotions contradictoires qu'elle croyait pourtant à jamais enfouies au plus profond d'elle-même.

Ils avaient l'air d'un couple d'amants.

La panique s'empara d'elle à l'idée que c'était exactement ce qu'ils étaient et qu'elle n'avait qu'un mot à dire pour que Constantine l'entraîne dans son lit.

Comme Sienna l'avait supposé, le restaurant, minuscule, grouillait de monde, mais son soulagement fut de courte durée. A peine avaient-ils pénétré à l'intérieur que le propriétaire les conduisait dans une alcôve à l'écart.

Se préparant mentalement à l'épreuve qui l'attendait, elle prit avec appréhension le siège que Constantine lui présentait.

Pourtant, contre toute attente, au lieu de se lancer dans des sujets sérieux, il n'aborda que des thèmes légers, plaisantant volontiers avec elle. Il paraissait même si détendu qu'à son tour, elle se décontracta et profita pleinement du moment présent.

Une heure plus tard, alors qu'ils s'étaient régalés d'un plateau de fromages accompagné de figues et de la spécialité de la maison — un poisson grillé épicé —, la tension remonta d'un cran, à l'instant où ils furent dans les jardins clos du complexe hôtelier.

Elle observa avec curiosité un mur qu'elle n'avait pas remarqué avant et qui dissimulait à demi une piscine.

— Où sommes-nous ? demanda-t-elle.

— Dans mes quartiers privés. Je pensais te proposer un dernier verre.

Une immense déception s'abattit sur elle.

— Si tu es en train de me faire des avances, dit-elle avec une certaine raideur, crois-moi, le sexe est vraiment la dernière chose…

— Que dirais-tu si j'effaçais ta dette ?

Ces mots lui firent l'effet d'un uppercut. Elle se revit deux ans en arrière, lorsque Constantine l'avait accusée de vouloir l'épouser dans le seul but de garantir la santé financière de la société Ambrosi. Il lui avait fallu plusieurs mois pour oublier cette humiliation cuisante et décider que s'il ne savait pas ce qui comptait vraiment à ses yeux, c'était son problème à lui, et non le sien.

Comme elle avait été naïve de s'imaginer qu'il était tombé amoureux d'elle, parce qu'ils avaient passé six semaines à faire l'amour inlassablement !

Non, ils ne faisaient pas l'amour, ils prenaient du bon temps ensemble. Exactement comme ils l'avaient fait sur son canapé, trois nuits plus tôt, à Sydney.

Constantine n'avait pas esquissé le moindre geste. Immobile, parfaitement calme, les bras croisés, il se contentait de la regarder.

Elle comprit alors qu'il tentait une nouvelle fois de la manipuler et qu'en fait, il espérait un refus de sa part. Pourquoi lui proposer de coucher avec elle pour de l'argent aujourd'hui, et d'une manière aussi offensante, si ce n'était parce qu'il s'était enfin rendu compte qu'il s'était trompé sur elle, deux ans auparavant ?

— D'après ce que je sais, répondit-elle tout aussi

calmement, tu n'as aucune difficulté à décrocher des rendez-vous galants.

— J'imagine que je dois prendre cela pour un refus.

— Un refus ferme et définitif.

— La réponse aurait-elle été différente, si je t'avais proposé de m'épouser ?

Touchée en plein cœur, elle jugea la question encore plus blessante que la précédente. Elle scruta le jardin afin de trouver le chemin le plus court pour regagner sa chambre.

— Cette conversation est parfaitement stérile, mais si cela t'intéresse de le savoir…

Elle s'interrompit pour se diriger vers quelque chose qui ressemblait à une porte.

— … si je me marie un jour, reprit-elle, ce sera parce que celui qui deviendra mon mari aura accepté ce qui est important dans ma vie.

— La société Ambrosi, si je comprends bien ?

Un frisson d'excitation lui parcourut l'échine, lorsqu'elle comprit que Constantine l'avait talonnée de si près qu'il lui donnait l'impression d'être un prédateur prêt à fondre sur sa proie.

— Plus pour longtemps, puisque tu as l'intention de me soulager de ce fardeau.

Parvenue à la porte, elle chercha un moyen de l'ouvrir. Mais l'entreprise paraissait aussi compliquée que sa propre vie, avec tous les problèmes qu'elle avait à résoudre.

— Le fait que tu aies employé le mot « fardeau » est assez intéressant, souligna-t-il. Et significatif. Il sous-entend que, d'une certaine manière, tu regrettes ta liberté.

— Ah, la liberté ! déclama-t-elle d'un ton théâtral teinté d'ironie. Les grands mots sont lâchés !

Pourtant, cette perspective lui parut soudain grisante, même si cela supposait la perte de sa société. Un fort sentiment de culpabilité l'étreignit, tandis qu'elle poussait vainement la porte qui restait obstinément fermée.

— S'il te plaît, aide-moi.

Il s'approcha et fit glisser un petit verrou qu'elle n'avait pas remarqué dans l'obscurité. Encore quelques secondes, et le chapitre serait clos. Mais, alors qu'elle passait devant Constantine, elle effleura délibérément le revers de sa veste.

Le geste était intime, un brin provocateur : c'était une façon dangereuse de lui faire payer l'aplomb qu'il affichait sans aucun scrupule.

— Si ton hypothétique mari doit avoir un compte en banque bien garni et un certain flair pour les affaires financières, je peux être l'homme qu'il te faut, suggéra-t-il. Nous aurions tous deux à y gagner.

Tandis que Sienna remontait l'allée qui conduisait à la réception du palace, Constantine tenta de refouler le désir intense qu'elle lui inspirait. Mais la tâche n'était pas aisée, avec cette robe outrageusement sexy qui lui donnait l'impression qu'elle était nue.

A cette vision enchanteresse se superposa bientôt l'image de Sienna arborant la parure nuptiale des

Médiniens. Songeur, il attendit qu'elle soit hors de sa vue pour refermer la petite porte de bois derrière lui.

Cela lui avait coûté de la laisser partir, alors que tout son corps la réclamait. Mais il savait qu'elle avait besoin de temps. S'il continuait à vouloir brûler les étapes, elle s'obstinerait à faire de lui un amoureux éconduit.

Il s'en voulait de l'avoir blessée, mais elle l'avait poussé à bout, avec ses bijoux et sa robe diaboliquement sexy. Il avait eu besoin de savoir et il savait.

Elle avait refusé de coucher avec lui pour sauver sa société.

Ce qu'il n'avait pas prévu, en revanche, c'était la tournure qu'avaient prise les choses. A la seconde où leurs regards s'étaient croisés aux funérailles de Roberto, il s'était retrouvé pris à son propre piège. Il avait recouvré, intact, le désir qu'il éprouvait pour elle, et peu lui importait, au fond, qu'elle soit coupable ou innocente.

Il avait ensuite étudié de près tout le dossier Ambrosi et n'avait trouvé aucun lien tangible entre Sienna et l'argent que Roberto avait escroqué à son père.

Deux ans auparavant, il avait commis une grossière erreur. Il était bien déterminé à ne pas la commettre une seconde fois.

- 10 -

L'aube enflammait l'horizon de flammèches dorées, mauves et roses, au moment où Sienna se dirigeait vers l'une des nombreuses piscines qu'offraient les jardins.

Frissonnant légèrement sous l'effet d'une petite brise, elle retirait ses sandales lorsqu'un infime mouvement attira son regard.

Le garde du corps qui l'avait suivie la nuit précédente se tenait immobile près d'un des palmiers, sans même chercher à lui dissimuler sa présence. Contrariée, mais bien décidée à l'ignorer aussi longtemps qu'il garderait ses distances, elle entra dans l'eau.

Après avoir nagé quelques minutes, elle commença à se sentir plus détendue. Elle se laissa envahir par un bien-être d'autant plus appréciable qu'elle avait passé une nuit blanche.

Constantine lui avait offert d'effacer la dette de la société Ambrosi si elle acceptait de coucher avec lui !

Elle prit une profonde inspiration avant de se lancer dans une succession de longueurs destinées à l'épuiser.

A bien y réfléchir, cette proposition n'était pas pire que ce qu'il lui avait fait vivre deux ans plus tôt. Mais le fait qu'il la percevait toujours comme une opportuniste, après tout ce temps, était exaspérant. Si l'argent avait été sa motivation première, il y aurait belle lurette qu'elle serait mariée à un riche homme d'affaires. Pourtant, depuis sa rupture avec Constantine, elle repoussait tous les hommes qui se pressaient autour d'elle.

Pour des raisons qui n'appartenaient qu'à lui, Constantine cherchait à la déstabiliser. Elle ne pouvait croire que la société Ambrosi l'intéressait à ce point quand, en termes d'argent et de pouvoir, il avait tout.

Devait-elle voir un moyen de se venger d'elle, dans cet acharnement à s'approprier son entreprise ? C'était peu probable. Il l'aurait fait deux ans plus tôt, quand il n'aurait eu qu'à livrer les méfaits de son père à la presse. Pourtant, il avait choisi de s'en abstenir, lui épargnant cette dernière humiliation.

Elle effectua une dernière longueur avant de sortir, ruisselante d'eau. Elle remarqua alors la présence de Panopoulos venu s'installer sur la chaise longue qui jouxtait la sienne. Il se leva et alla à sa rencontre, une serviette de plage à la main.

— Tu as l'habitude de nager seule ?

Sienna lui adressa un sourire froid tout en s'appliquant à éviter son regard.

— Je nage pour faire de l'exercice, pas pour rechercher de la compagnie.

Nullement découragé par ce que sous-entendait cette remarque, il lui tendit la serviette, sans pour cela la lâcher. Ce jeu puéril lui déplut au plus haut point, d'autant plus qu'elle était en maillot alors qu'il était habillé.

— Ecoute, Alex, si tu ne me donnes pas cette serviette, je m'en passerai pour regagner ma suite.

Il la lui tendit de nouveau, la lui abandonnant cette fois.

— J'espérais que tu accepterais mon invitation à déjeuner.

— Désolé, mais j'ai déjà un rendez-vous.

Elle se sécha rapidement, puis s'enveloppa de son paréo, écoutant d'une oreille distraite les arguments qu'il continuait à développer.

A cet instant précis, un mouvement furtif attira son attention. C'était Constantine, vêtu d'un survêtement, qui se dirigeait vers elle d'un pas vif. Son garde du corps avait évidemment dû l'informer qu'elle avait de la compagnie.

Il salua négligemment Panopoulos, avant de fixer sur elle un regard impénétrable.

— Es-tu prête à y aller ? demanda-t-il en rassemblant ses affaires éparses.

Elle roula en boule sa serviette trempée.

— Tu es en retard, improvisa-t-elle. Que s'est-il passé ?

En guise de réponse, il posa la main sur son coude et l'entraîna au loin. Dès qu'ils se furent éloignés de quelques mètres, elle dégagea son bras.

— Merci d'être venu à mon aide, mais ce n'était pas la peine d'en faire autant.

— Qu'est-ce qu'il voulait ? s'enquit-il, feignant d'ignorer sa remarque.

— Cela ne te regarde pas.

— S'il t'importune, j'en ferai mon affaire.

— De la même façon que tu te débarrasses des journalistes ?

Une lueur d'amusement passa dans son regard.

— Non.

Elle ressentit une émotion qu'elle refoula vivement : elle se faisait l'impression d'avoir été une femme défendue par son homme.

Son homme.

Ces mots, murmurés pour elle seule, lui firent battre le cœur. Elle devait avoir perdu la tête car, au lieu d'en vouloir à Constantine, elle fondait littéralement devant lui.

Une question soudaine lui vint à l'esprit, qui la força à s'arrêter brusquement.

— Pourquoi me fais-tu surveiller ?

— Je ne te fais pas surveiller, je veille sur toi, c'est différent. Il se trouve que quelques tabloïds ont publié des articles nous concernant et que Panopoulos n'est pas vraiment du genre discret.

— Je peux me débrouiller avec Panopoulos.

— Vraiment ? Comme tu viens juste de le faire ? la railla-t-il, le regard ironique.

Une porte claqua. Des voix et des éclats de rire s'élevèrent dans la quiétude du matin. Ils croisèrent deux enfants, excités à l'idée d'aller se baigner, suivis de leurs parents. Sienna s'écarta légèrement pour leur permettre de passer, décidant qu'il était temps de reprendre le contrôle des opérations. Elle tendit la main.

— Sandales et clés, s'il te plaît, intima-t-elle à Constantine d'un ton ferme.

Bien qu'ennuyé, il s'exécuta sans broncher.

Elle chaussa ses sandales, regrettant de ne pas avoir pris ses lunettes de soleil qui auraient créé la distance dont elle avait désespérément besoin.

— Sois prudente, lui conseilla-t-il après avoir constaté qu'elle avait failli déraper. Ces pavés sont traîtres.

— Tout va bien, lui assura-t-elle juste au moment où elle glissait sur quelques centimètres.

Instinctivement la main de Constantine se referma sur son bras, l'empêchant de chuter.

— Pourquoi n'écoutes-tu donc jamais ce qu'on te dit ?

Elle dégagea son bras d'un geste brusque et parcourut le reste du chemin d'un air furieux.

— Je t'écoute lorsque tu as quelque chose d'intéressant à dire, finit-elle par rétorquer d'une voix cassante. Tu sais quoi, Constantine ? ajouta-t-elle alors qu'elle ouvrait la porte de sa suite. Tu devrais cesser de t'inquiéter pour moi et t'occuper un peu plus de ta vie.

— Qu'est-ce qui te fait penser que je n'ai pas exactement ce que j'attends de la vie ?

L'inflexion basse et sensuelle de sa voix la cloua sur place.

« Ne te laisse pas prendre à son jeu, s'exhorta-t-elle. Entre et referme poliment la porte, sans l'autoriser à te suivre. »

Voilà ce qu'elle devait faire. Mais elle ne connaissait que trop bien le regard qu'il gardait rivé sur elle et qui l'avait séduite à la seconde où elle l'avait rencontré.

Ce regard disait qu'il était capable de lui faire

faire tout ce qu'il voulait et, pour des raisons qui lui échappaient, cela la faisait chavirer. Lorsqu'elle l'avait vu se débarrasser de Panopoulos sans le moindre effort, elle n'avait pu s'empêcher d'être impressionnée. De l'admirer bêtement comme une femme amoureuse.

— Si je suis venu ce matin, reprit-il, c'était pour te présenter mes excuses. Je suis vraiment désolé de t'avoir mise dans une position aussi humiliante, mais j'avais besoin de savoir. Je voulais aussi m'excuser pour ce qui s'est passé, il y a deux ans.

Elle cligna des yeux. Avait-elle bien entendu ? Même dans ses rêves les plus fous, elle n'aurait jamais osé imaginer que Constantine s'excuserait d'avoir rompu.

— Qu'est-ce qui t'a fait changer d'avis ?

— J'ai effectué quelques recherches…

— Tu veux dire que tu as fait mener une enquête sur moi.

— Appelle cela comme tu veux, répliqua-t-il platement. L'important, c'est ce que j'ai appris. A savoir que les affaires que tu as menées sont irréprochables. Roberto était le seul coupable, dans cette histoire. Et puis tu ne m'as jamais recontacté pour me demander de l'argent, après notre rupture, et cela aussi, ça m'a conforté dans l'idée que tu n'avais rien à voir avec cette escroquerie.

Le cheminement tortueux de la pensée de Constantine l'agaça au plus haut point.

— Voyons un peu si j'ai bien compris. D'après toi, c'est parce que je ne t'ai pas demandé d'argent après notre rupture que je serais irréprochable ?

— C'est monnaie courante de vérifier la moralité de nos associés en affaires, expliqua-t-il, un brin irrité.

— Mais, dis-moi, tu avais fait faire ta petite enquête sur moi, avant de te décider à me fréquenter ?

— Eh, du calme ! Je suis venu enterrer la hache de guerre.

Offusquée, elle composa d'une main fébrile les premiers chiffres du code qui verrouillait sa porte, mais Constantine ne la laissa pas achever. Il retira la clé magnétique et la glissa dans sa poche.

— Voilà le macho qui nous refait son petit numéro, lança-t-elle d'un air mauvais.

— Que veux-tu dire par là ?

Elle commença à énumérer, comptant sur ses doigts :

— Un : les menaces sur la tombe de mon père, deux : l'obligation de rester dans ta voiture contre mon gré, trois : toutes tes manigances pour m'amener à te retrouver la nuit, juste après les funérailles…

— Je ne t'ai jamais retenue contre ton gré, protesta-t-il. Et, si tu ne m'avais pas évité pendant quatre jours, les réunions auraient été menées dans un endroit plus conventionnel.

— Je n'avais aucune raison de vouloir te rencontrer. Je te rappelle que notre dernière conversation n'était pas des plus plaisantes.

— C'est bien pour cela que je te présente mes excuses aujourd'hui.

— Avec deux ans de retard ! Sans compter que ce sont les pires excuses que j'aie jamais entendues.

— Tu vas quand même écouter ce que j'ai à

te dire. Les versements de l'emprunt ont tous été déposés sur les comptes personnels de ton père, et pas sur les comptes de la société.

— C'est exact. C'est la raison pour laquelle je n'étais pas absolument sûre qu'il ne s'agissait pas de gains remportés aux tables de jeu. Mais, dis-moi, si tu savais tout cela, pourquoi m'as-tu demandé si je coucherais avec toi pour de l'argent ?

— Tu n'étais peut-être pas complice de ton père, mais cela ne signifiait pas pour autant que tu ignorais tout de son escroquerie.

— Alors tu m'as mise à l'épreuve.

Elle commit la redoutable erreur de plonger dans son regard. Car ce regard, invariablement, annihilait toute volonté en elle.

— J'accepte tes excuses, mais nous en resterons au plan strictement professionnel, parvint-elle cependant à dire au prix d'un terrible effort. Et, pour en revenir à nos affaires, à quelle heure as-tu fixé notre réunion d'aujourd'hui ?

— Je suis déjà très pris ce matin, mais j'ai réussi à caser notre petite réunion après le déjeuner.

— Parfait. Parce que j'ai réservé mon vol de retour pour ce soir.

Elle se garda bien d'ajouter que cela lui laisserait le temps dont elle avait besoin pour rencontrer Northcliff et conclure avec lui la vente tant espérée.

— Je n'ai jamais cru que tu courais après l'argent, dit-il à brûle-pourpoint. Mais je ne supportais pas que tu fasses passer ton père et ta société avant moi.

— Et, moi, je craignais que tu ne rompes nos fiançailles si tu découvrais la vérité sur le vice de mon père, et c'est bien ce qui s'est passé. Nous sommes donc tous les deux responsables de l'échec de notre relation.

Sans qu'elle s'y attende, il passa les doigts dans ses cheveux encore mouillés.

— Il y a deux ans, murmura-t-il d'une voix rauque, je manquais de discernement.

Son ventre se creusa au contact de ses mains sur elle.

— Es-tu en train de me dire que tu t'es trompé ?

— Je suis en train de te dire que je n'aurais jamais dû te laisser partir.

Cet aveu, qu'elle avait tant attendu, n'eut pas la portée escomptée, tant il était assourdi par la vague de désir qui déferla sur elle.

- 11 -

Sienna appelait de tout son corps, de toute son âme ce qui allait se produire lorsque les lèvres de Constantine se posèrent sur les siennes.

Elle plaqua les mains sur son torse, se grisant de l'odeur virile qui émanait de lui, déclenchant une tornade de souvenirs érotiques. Elle revit son corps tout en muscles contre le sien, ses mains sur ses hanches, le plaisir intense que lui prodiguait la moindre de ses caresses.

Elle se hissa sur la pointe des pieds pour mieux répondre à son baiser, tandis qu'il la serrait un peu plus étroitement contre lui.

Ivre d'une volupté naissante, elle resta sourde à la petite voix qui lui soufflait de ne pas céder à un homme qu'elle s'était appliquée à fuir pour toutes sortes de raisons, aussi valables les unes que les autres. En s'abandonnant ainsi, elle agissait en dépit du bon sens et renonçait à toute fierté. Mais une partie d'elle-même, avide et tourmentée, échappait à la logique et refusait de se rendre à la raison.

Elle referma ses bras autour de sa nuque, excitée par le sexe dur qu'il pressait contre son bas-ventre. Deux ans s'étaient écoulés, et elle retrouvait la même exaltation, la même passion à son contact.

Les rares hommes avec lesquels elle avait accepté de sortir après Constantine ne lui avaient jamais fait un effet pareil. Etait-ce parce que c'était de lui, entre tous, dont elle était tombée éperdument amoureuse ?

Si elle avait écouté ce que lui dictait la raison, à l'heure qu'il était, elle aurait fait un bon mariage, aurait un foyer, des enfants.

Le problème, c'était qu'elle était exigeante. Elle détestait faire les choses à moitié, de même qu'elle n'aimait pas la tiédeur dans les sentiments.

Bien qu'il soit trop puissant, trop expérimenté, trop dangereux, Constantine lui plaisait à la folie. Elle ne voulait que lui et lui seul.

Elle sentit ses mains lui remonter le long de la taille, puis s'aventurer plus haut, sur ses seins gonflés de désir. Du bout de ses pouces, il se mit à en agacer la pointe dressée, lui arrachant de petits soupirs d'extase.

Puis, comme dans un mauvais rêve, elle reprit brutalement conscience et s'écarta de lui.

Non, pas question.

— Désolée, je ne peux pas, s'excusa-t-elle d'une voix rauque. Rends-moi ma clé, s'il te plaît.

Il la lui tendit sans protester et la regarda pousser sa porte, qu'elle ouvrit en grand.

— Ce baiser était une erreur, enchaîna-t-elle. Je suis ici pour affaires et je ne peux me permettre de l'oublier.

— Ne t'inquiète pas pour la société Ambrosi, rétorqua-t-il d'une voix dangereusement calme. Nous en prendrons bien soin.

— Ce qui veut dire ?

Il se pencha vers elle et l'embrassa de nouveau.

— C'est simple. Je veux que tu me reviennes.

Le cœur battant, Sienna referma la porte derrière elle. Elle prit une douche, se sécha les cheveux, se maquilla d'une main encore tremblante et finit par enfiler un pantalon et un chemisier crème, qu'elle égaya d'un simple rang de perles. Son reflet dans le miroir lui renvoya l'image d'une jeune femme chic et décontractée, tout le contraire de ce qu'elle ressentait.

Constantine voulait qu'elle lui revienne !

Il avait dit aussi qu'il prendrait bien soin de la société Ambrosi, ce qui lui parut contradictoire dans la mesure où il lui avait signifié à maintes reprises qu'il ne mélangeait jamais le plaisir et les affaires.

Tout à ses pensées, elle prit sa mallette et se rendit dans la suite de Northcliff. Quelques minutes plus tard, elle avait regagné sa chambre et replacé la mallette dans le coffre. En dépit de l'intérêt qu'il lui avait dit porter à ses productions, il n'avait signé aucun bon de commande.

Sa dernière chance de sauver la société venait de s'envoler. Elle ne pouvait donc que se rendre à l'évidence : la société Ambrosi allait passer dans les mains du groupe Atraeus.

Encore sous le coup de l'échec cuisant qu'elle venait d'essuyer, elle appela Brian Chin, son comptable. Après discussion, ils en conclurent tous deux qu'il n'existait plus aucune solution pour sauver le groupe. Elle demanda alors à parler à Carla.

— Tu as parlé à Constantine ? demanda cette dernière sans préambule.

— Pas encore, mais il a précisé qu'il prendrait soin de la société.

— J'imagine…

Aucune d'elles n'ignorait que Constantine avait le pouvoir de dissoudre le groupe Ambrosi, s'il le souhaitait. Après tout, il avait payé pour ça. Dans le meilleur des cas, il pouvait également conserver la société en l'état et décider de lui laisser poursuivre ses activités, mais sous son contrôle à lui.

Mais, pour l'heure, ce qui inquiétait surtout Sienna, c'étaient les hypothèques qui pesaient sur la maison de Pier Point et sur le petit appartement que possédait leur mère. Après toutes les épreuves que cette dernière avait déjà endurées, Sienna redoutait que la perte des derniers biens qui leur restaient lui soit fatale.

— A-t-il donné des précisions à ce sujet ?

Elle remercia le ciel que sa sœur ne la voie pas rougir.

— Il n'est pas vraiment rentré dans les détails, répondit-elle.

— Ce qui veut dire ?

— Eh bien… à vrai dire, nous nous sommes un peu chamaillés.

Un silence pesant accueillit cette explication.

— Il cherche de nouveau à te séduire, trancha Carla. J'ai bien vu la façon dont il te regardait, aux funérailles de papa. Je me demande bien ce qu'il faisait là, d'ailleurs. Pourquoi n'a-t-il pas envoyé ses conseillers à sa place, tout simplement ?

Sienna prétexta un rendez-vous pour raccrocher précipitamment, mais les mots de Carla se mirent à tourner en boucle dans sa tête. Sa sœur connaissait parfaitement le trouble qui l'habitait.

Depuis l'aveu de Constantine, elle ne cessait de penser à lui. Pourtant, même si elle brûlait de céder à ses avances, elle devait s'en empêcher car, malgré ses excuses, il n'avait toujours pas confiance en elle et cela ne changerait peut-être jamais.

Le téléphone se mit à sonner alors qu'elle s'apprêtait à se changer pour le déjeuner.

C'était Tomas.

— Bonjour, dit-il dans un anglais parfait. Comme Constantine est en réunion jusqu'à midi, il m'a chargé de vous transmettre ses instructions.

— Je vais chercher de quoi noter.

— Inutile. Ces instructions concernent le déjeuner.

— Le déjeuner ?

— Absolument.

Il se lança alors dans l'interminable explication du protocole, des choses à faire et à ne pas faire… On se serait cru sous l'ère victorienne. Mais lorsqu'il aborda les consignes très strictes concernant la tenue qu'elle aurait à porter — longueur de la robe, profondeur du décolleté, bijoux autorisés —, elle eut la plus grande peine à conserver son calme.

Lorsque Tomas eut raccroché, elle resta immobile à écouter sans l'entendre vraiment la tonalité qui résonnait dans le vide.

Inspirant un grand coup, elle se rendit dans le patio d'où elle contempla longuement le paysage grandiose qui s'offrait à sa vue.

Lorsqu'elle se sentit un peu plus calme, elle se rendit dans sa chambre et enfila une robe fourreau blanche qui lui arrivait à mi-cuisses. Avec un sourire en coin, elle compléta sa tenue d'une parure de perles.

Après la déception que lui avait infligée Northcliff, elle n'avait aucune envie de s'étourdir de champagne ni de sourire en prétendant que la société Ambrosi se portait bien. Mais elle n'avait pas non plus envie de suivre les injonctions de Constantine.

Elle contempla son reflet dans le miroir. Sa robe, qui n'avait rien de discret, dévoilait ses longues jambes, tandis que ses cheveux, relevés en un élégant chignon, laissaient la part belle aux perles qui ornaient son cou et ses oreilles.

Elle s'enveloppa d'un nuage de parfum et, sur une impulsion, glissa derrière son oreille la délicate orchidée qu'elle tira de l'un des bouquets qui décoraient son appartement.

Satisfaite du résultat, elle glissa ses pieds dans des sandales lacées, vertigineusement hautes, s'empara d'une pochette blanche, et quitta la pièce.

Constantine ne manquerait pas de capter le message. Plus tôt il réaliserait qu'elle ne lui appartenait pas, mieux ce serait.

- 12 -

Comme Sienna s'y attendait, la réception était très élégante, avec ses tentes blanches dressées sur une pelouse impeccablement entretenue. Sur une estrade, un peu à l'écart, un quartet engagé pour l'occasion jouait des morceaux tirés du répertoire classique.

Tandis qu'elle s'avançait dans l'allée, elle repéra Constantine, très élégant lui aussi dans son costume en lin clair. Feignant de ne pas l'avoir vu, elle sourit dans le vide, l'air vague et lointain.

De nombreux mannequins, reconnaissables à leur allure hors du commun, ponctuaient la foule de leurs tenues éclatantes. Mais elle se raidit tout d'un coup, en reconnaissant deux journalistes, qui sirotaient du champagne. Elle les avait attaqués en diffamation, après sa rupture avec Constantine.

Elle s'arrêta devant une vitrine qui exhibait de magnifiques bijoux en or, sertis de diamants, et surveillés par deux gardes armés. Mais il n'y avait rien d'étonnant à cela : les bijoux exposés là représentaient à eux seuls une véritable petite fortune.

— Sienna ? l'interpella la rédactrice en chef d'un magazine féminin très réputé.

Elle se força à être polie et à entretenir la conversation, feignant d'ignorer la montée d'adrénaline qu'elle ressentit lorsque Constantine se dirigea droit sur elle.

— J'adore la parure que vous portez, dit la rédactrice avant de disparaître dans la foule.

Lorsque la femme se fut éloignée, l'attention de Sienna fut attirée par une jolie femme, vêtue d'un très chic tailleur-pantalon. Celle-ci harponna Constantine au moment où il passait devant elle. Pour l'avoir vue dans un magazine, accrochée au bras de Constantine lors d'un gala de charité, Sienna reconnut en elle Maria Stefano, la fille d'un richissime constructeur automobile européen.

Rongée de jalousie, elle la vit nouer ses bras autour du cou de Constantine et se plaquer contre lui dans une étreinte équivoque. Un sourire indulgent aux lèvres, il semblait s'en amuser beaucoup.

Le cœur serré, Sienna comprit qu'elle n'avait jamais cessé de l'aimer.

Lorsque l'air revint dans ses poumons et qu'elle put respirer de nouveau normalement, elle tenta de se raisonner. Constantine était un célibataire extrêmement séduisant et très riche ; il n'avait que l'embarras du choix pour trouver une remplaçante à sa dernière conquête en date, cela n'avait rien d'étonnant. A ce sujet, elle avait également appris par les journaux qu'il n'avait jusque-là jamais entretenu de relations stables.

Lorsqu'un photographe braqua son appareil dans leur direction, Maria glissa son bras autour de la taille de Constantine et prit la pose. Aussitôt, des dizaines de flashes se mirent à crépiter autour d'eux.

Quelques secondes plus tard, Constantine s'excusait et coupait court à cette séance photos impromptue.

— Tu n'as aucune raison d'être jalouse, l'entendit-elle dire dans son dos.

Elle ne répondit pas et fixa son attention sur la somptueuse bague exposée sous ses yeux. C'était le joyau de la collection, avec ses diamants roses, taillés en baguette, qui étincelaient de mille feux.

— Je ne suis pas jalouse, affirma-t-elle d'une voix qu'elle voulait assurée.

— Alors cesse de te soucier des autres femmes.

L'éclair de passion qui brûla alors au fond des yeux de Constantine dissipa tous ses doutes. Il était clair qu'il voulait qu'elle lui revienne. Mais une autre chose lui parut également évidente : le mariage n'était pas à l'ordre du jour.

En fait, il n'attendait rien d'autre que de faire d'elle sa maîtresse attitrée et de l'utiliser comme bon lui semblait, à sa guise. Cette pensée la rendit si furieuse qu'elle serra les dents et attendit d'avoir recouvré un semblant de calme pour pouvoir lui parler.

— Pourquoi n'irions-nous pas dans ton bureau tout de suite, pour voir un peu où cette histoire d'emprunt va nous mener ?

— Pas encore, décréta-t-il, une pointe de défiance dans le regard. A moins que tu n'aies fait tout ce chemin pour me remettre un chèque.

— Crois bien que si j'avais trouvé une solution à notre problème, je t'en aurais déjà informé par mail.

— C'est bien ce que je pensais. Dans ce cas, nous nous en tiendrons au planning fixé. Nous discuterons affaires après le déjeuner.

Des flashes se mirent à crépiter, l'éblouissant quelques secondes. Les photographes, qui un instant plus tôt s'étaient intéressés au couple que formaient Constantine et Maria, se concentraient maintenant sur elle.

Elle refusa la coupe de champagne que lui offrait un serveur, même si l'idée réjouissante de la renverser sur le plastron de Constantine lui traversa l'esprit à l'instant même. Mais elle avait une meilleure idée en tête.

Elle se tourna à demi pour se replonger dans la contemplation de la vitrine. Trop occupée à lutter contre la domination que Constantine entendait exercer sur elle, elle en avait oublié son propre pouvoir de séduction. Un pouvoir de séduction auquel il avait pourtant succombé, deux ans plus tôt.

Levant les yeux sur lui, elle comprit qu'il s'interrogeait en silence sur ce qu'elle s'apprêtait à faire.

— Cela me convient tout à fait, lâcha-t-elle avec une certaine hauteur. Après tout, je suis dans le commerce des bijoux, et j'aimerais voir de plus près les merveilles exposées dans cette vitrine.

Consciente de ce que sa demande avait de provocateur, elle crut qu'il allait refuser, ayant deviné ce qu'elle avait en tête.

Mais, contre toute attente, il fit signe à l'un des gardes qui, avançant d'un pas, déverrouilla la vitrine.

Grisée par ce qu'elle s'apprêtait à faire, elle n'hésita que quelques secondes avant de s'emparer de la bague aux diamants taillés en baguette.

— Quatre carats ? interrogea-t-elle en soupesant le bijou.

— Je dirais plutôt cinq, répondit-il avec une pointe d'impatience.

— Il est vrai que les bagues de fiançailles, ce n'est pas vraiment ton rayon, n'est-ce pas ?

Selon Margaret Ambrosi et tante Via, qui avaient été outrées de ne voir aucun bijou orner l'annulaire de Sienna, si un homme ne vous offrait pas une bague lorsqu'il vous proposait le mariage, c'était un signe. Ce n'était pas une question d'argent, mais de principe. Un homme réellement amoureux ne pouvait qu'être heureux de montrer son amour au monde entier en glissant, au doigt de l'élue, la bague dont elle rêvait.

A présent, tous les photographes faisaient cercle autour d'eux, rendant plus difficile la tâche du service de sécurité. Un brin tendue, elle plaça la bague dans la paume de Constantine, qui afficha instantanément un mélange d'intérêt et de surprise, dès l'instant où il comprit le message clair qu'il venait de recevoir : elle n'accepterait pas moins que le mariage.

Le métal froid de l'anneau brûla la peau de Constantine, tandis que ses doigts se refermaient sur lui. Toute la contrariété accumulée jusque-là se dissipa d'un coup. Les voix se turent, le silence se fit.

Au lieu de replacer la bague sur son écrin, il saisit le poignet gauche de Sienna et fit glisser le bijou sur son annulaire, accompagnant ce geste d'un commentaire laconique :

— A ta place, j'aurais choisi le diamant blanc.

Il lui enlaça alors la taille et l'attira à lui.

— Il semblerait que le mariage soit en route, lui chuchota-t-il à l'oreille.

La tenant fermement contre lui, il se fraya un passage à travers la foule agglutinée autour d'eux et, grâce à la présence du service de sécurité, se retrouva bientôt à l'abri de tout regard indiscret.

— Pourquoi as-tu fait cela ? demanda-t-elle, tout étourdie de sa hardiesse.

— Le message était évident. Je n'ai fait qu'y répondre.

— Tu n'avais pas besoin d'en rajouter en me passant cette bague au doigt.

— Disons que j'ai agi sur une impulsion.

Au contraire des deux années écoulées, où chaque chose se devait d'être à sa place et où aucune décision n'était prise sous le coup d'une quelconque émotion. Pour le moment, il n'était plus aussi certain d'aimer l'espèce de chaos dans lequel elle l'entraînait.

Lorsque les portes de l'hôtel s'ouvrirent devant eux, elle lui demanda, un brin suspicieuse :

— Où m'emmènes-tu ?

Il aurait aimé répliquer « Dans mon lit », mais il parvint à se maintenir au bord du précipice.

— Dans le bureau du directeur.

Ignorant les regards curieux dont ils étaient l'objet, il l'entraîna dans un couloir ouvrant sur une suite qu'il utilisait comme bureau.

— Cette petite comédie ressemblait à une conférence de presse, lui reprocha-t-elle.

Il s'appuya contre la porte refermée et croisa les bras.

— Tu as voulu jouer, d'accord, rétorqua-t-il. Mais nous allons jouer selon mes règles. La nuit dernière, lorsque tu t'es exhibée à cette réception, avec le collier nuptial médinien, c'était déjà une manière d'annoncer nos fiançailles.

— Je t'ai déjà dit que j'ignorais totalement la signification de ce bijou. Et tu ne t'es pas demandé comment ma famille allait réagir lorsqu'elle lirait demain, dans tous les journaux, que nous sommes fiancés ?

Lorsqu'elle planta son regard dans le sien, il se dit que la vie avait été bien monotone, jusque-là.

— Veux-tu que je fasse prononcer un démenti ?

— Ce ne serait pas la première fois, dit-elle en retirant la bague de son doigt, pour la placer dans la paume de Constantine. En même temps, il est fort possible que, cette fois, tu en sois affecté.

Sur ces mots, elle tourna les talons et se dirigea vers la baie vitrée qui ouvrait sur le patio. Des mouvements furtifs, surpris à travers les voiles légers, l'empêchèrent d'aller plus loin.

Constantine fourra la bague dans sa poche et alla s'installer derrière le grand bureau en acajou qui trônait au milieu de la pièce.

— Je te conseille de ne pas chercher à fuir par là, ironisa-t-il. Il s'agit probablement de photographes à l'affût d'une photo exclusive.

— Le scoop serait de courte durée car, sans mariage à la clé, l'histoire mourra naturellement d'elle-même. Tout comme la dernière fois.

Feignant d'ignorer cette dernière pique, il lui indiqua un siège où s'asseoir. Il s'empara de la serviette qu'il avait déposée là, un peu plus tôt dans la matinée, et en sortit une pile de documents qu'il fit glisser dans sa direction.

Elle fronça les sourcils après avoir parcouru le premier feuillet.

— Je ne comprends pas, dit-elle. Je pensais qu'il s'agissait d'un transfert d'actions pour couvrir les dettes.

Trop tendu pour s'asseoir, il alla se placer devant la baie vitrée, là où elle s'était tenue quelques minutes avant lui, se rendant compte, après coup, qu'il cherchait ainsi à bloquer au moins l'une des sorties.

Il la regarda parcourir la dernière page du dossier, à l'affût de sa réaction lorsqu'elle tomberait sur la clause concernant le mariage.

L'effet escompté ne se fit pas attendre. Elle se redressa d'un bond et, les yeux écarquillés de surprise, laissa retomber les pages sur le bureau.

— Tu me proposes un mariage arrangé. C'est bien cela ?

— Oui. Tout à fait.

Une partie du contrat exigeait qu'elle signe l'ordre de transfert de la société Ambrosi sur Ambrus, ainsi que celui des droits à l'eau sur le groupe Atraeus. En échange, sa famille et elle conserveraient des parts dans la société. Toutes les dettes et hypothèques seraient levées, y compris celles pesant sur la maison de Pier Point et sur l'appartement. Il s'engageait également à réinvestir de l'argent dans la société et à maintenir tous les emplois en place. Avec l'argent que leur rapporteraient les parts de la société, les trois femmes Ambrosi pourraient vivre confortablement, délivrées de leurs dettes.

Incrédule, Sienna secoua la tête.

— Je ne comprends pas. Si c'est d'une épouse dont tu as besoin, tu n'as que l'embarras du choix. Tu pourrais épouser une femme qui a de l'argent…

Le soulagement de Constantine fut d'autant plus profond qu'il s'était attendu à un refus catégorique.

— C'est *toi* que je veux, trancha-t-il.

— Il y a deux ans pourtant, tu as tout envoyé promener à cause d'un emprunt.

— Il y a deux ans, j'ai commis une erreur.

Il revit avec acuité la nuit où ils avaient fait l'amour pour la première fois, les roses, le champagne, la douceur de ce moment, ponctué de leurs rires, tandis qu'il se laissait séduire. L'alchimie avait tout de suite fonctionné entre eux.

Il eut soudain l'impression que durant les deux années passées sans elle, et en dépit de la vie frénétique qu'il avait menée, cela n'avait été qu'une vie entre parenthèses, dans l'attente de ce moment.

— Tu sais, ce que je veux n'est pas très compliqué.

Elle secoua une nouvelle fois la tête, visiblement incrédule, et saisit son sac qui se trouvait sur le bureau.

— Toi, moi, ce mariage… Tout cela n'a aucun sens.

Il couvrit la distance qui les séparait et l'attira contre lui, cherchant à refouler le désir qui le submergeait. Il fallait qu'il reste attentif à ne pas la brusquer, sans quoi elle lui échapperait à jamais.

Il lui reprit son sac pour le replacer sur le bureau

et entremêla ses doigts aux siens. Il ferma les yeux à demi et s'enivra de la douceur fleurie de son parfum, des effluves discrets de l'orchidée piquée dans ses cheveux.

— Il y a deux ans, plaida-t-il, l'idée de nous marier ne te paraissait pas si insensée.

— Certes, mais c'était la conclusion d'une relation normale.

Comme pour essayer de la convaincre, il prit ses lèvres dans un baiser sensuel. Une seconde passa, puis deux. Elle se hissa alors sur la pointe des pieds et noua les bras autour de son cou.

Au moment où il répondait à son étreinte, son téléphone cellulaire se mit à vibrer, mettant un terme à la magie de l'instant. Au comble de la frustration, il s'écarta d'elle pour répondre à son appel.

C'était Tomas.

Il alla jusqu'à la fenêtre et écouta, tout en observant Sienna qui s'était remise à étudier les pages du contrat, le visage impassible.

S'il ne doutait plus de l'amour qu'elle lui portait, rien, en revanche, ne garantissait son accord, et il ne se sentait prêt à aucun compromis. Il avait fait en sorte que le contrat soit bien verrouillé et rédigé en termes clairs, non discutables. Il ne vivrait pas comme l'avait fait son père, en proie à ses désirs. Cette fois, il n'y aurait ni zone de flou ni intentions cachées.

Sienna releva la tête, lorsqu'elle l'entendit refermer son téléphone. Il remarqua que l'orchidée était tombée de son oreille et gisait, écrasée sur le sol.

Elle soutint son regard sans ciller, mais il vit

passer, derrière le calme apparent, un flot d'émotions contradictoires.

— Combien de temps me donnes-tu pour réfléchir à cette proposition ? demanda-t-elle enfin.

— Il me faut ta réponse tout de suite.

- 13 -

Sienna se laissa tomber doucement sur le siège qu'elle avait précédemment occupé, attentive aux frissons que le cuir froid faisait courir sur ses cuisses.

— Et si la réponse est non ?

Constantine posa sur elle un regard impénétrable.

— Dans ce cas, je me verrai dans l'obligation de faire réviser les clauses du contrat.

A n'en pas douter, ce dernier serait celui auquel elle s'était attendue et qui l'aurait dépouillée de tous ses biens. La position de Constantine était donc très claire : il lui proposait un contrat avantageux, contre un mariage de convenance.

Après le baiser qu'ils venaient d'échanger, elle avait eu la folie de croire qu'il prononcerait quelque chose de merveilleux comme « Je t'aime ».

Il fallait croire que le temps du romantisme était définitivement révolu, et mieux valait qu'elle s'y résigne. Après tout, croire à l'amour pouvait se révéler très douloureux.

Et puis, même si Constantine ne l'aimait sans doute plus, il s'était battu pour elle et sa famille, en dépit de la gravité de ce qu'avait fait son père. Au lieu de l'abandonner à une équipe de juristes sans pitié, il avait fait en sorte de la protéger des assauts répétés de la presse et des tracasseries légales et administratives auxquelles elle n'aurait pas échappé. Tout cela ne comptait-il pas plus qu'un amour qu'elle savait illusoire ?

En rangeant les feuillets en une pile nette, elle songea que deux ans auparavant, elle avait laissé les agissements de son père anéantir toutes ses chances d'être heureuse.

Aujourd'hui, à défaut d'amour, Constantine lui offrait la sécurité. Qui sait ? Cette façon contractuelle de la lier à lui était peut-être une forme d'amour, et ce n'était qu'en essayant qu'elle saurait.

Elle prit une profonde inspiration pour se donner du courage.

— Très bien, dit-elle.

Cette fois, il n'essaya pas de l'embrasser et lui tendit simplement un stylo.

Son téléphone se mit à bourdonner, tandis qu'il rangeait les documents signés dans sa serviette.

— Je dois rencontrer les promoteurs dans une heure, lui annonça-t-il après avoir répondu.

Lorsqu'elle se leva pour partir, elle fut prise de vertige. Elle avait besoin de manger, et surtout de se retrouver seule pour réfléchir à l'avenir qui l'attendait. Dire qu'il y avait seulement quelques minutes, une telle éventualité lui paraissait totalement improbable.

— Je vais t'attendre dans ma chambre.

— Certainement pas. Tu viens avec moi, maintenant que nous sommes officiellement fiancés.

***

Alors que l'hélicoptère se posait sur la dalle en béton exclusivement réservée à cet effet, des bouffées d'air caniculaire leur parvinrent par vagues de l'énorme structure en construction qui, comme Constantine l'avait expliqué à Sienna, serait une marina.

Tandis qu'elle sortait de l'appareil, aidée de Constantine, la poussière que soulevaient les pales lui fouetta le visage.

Elle resserra sa précieuse mallette, qu'elle n'avait pas voulu laisser dans sa suite.

Elle avait deux heures devant elle, qu'elle allait mettre à profit pour faire ses comptes et étudier quelques dossiers emportés dans ses bagages. Et, s'il lui restait un peu de temps, elle pourrait toujours aller marcher sur la plage qui bordait cette magnifique baie.

Forte de ses bonnes résolutions, elle chaussa ses lunettes de soleil et se laissa entraîner par Constantine en dehors de la zone d'atterrissage.

Depuis qu'elle avait accepté sa proposition, elle n'avait pas eu une minute à elle, pressée par l'emploi du temps de ministre de son futur mari. A peine avait-elle eu le temps de fourrer quelques affaires dans un sac que, déjà, ils étaient partis vers d'autres horizons.

Une fois hors du périmètre de l'immense dalle de béton, elle sentit ses baskets s'enfoncer dans du sable humide. Après s'être dégagée, elle allongea le pas, mais fut aussitôt rattrapée par Constantine qui entendait bien souligner le fait qu'ils formaient désormais un couple.

— Si c'était notre taxi, comment allons-nous faire pour quitter cette île ? s'enquit-elle une fois que l'hélicoptère eut décollé.

D'après ce qu'elle en savait, ils se trouvaient à une soixantaine de kilomètres de Médinos. Ce n'était pas vraiment loin, mais tout de même assez lorsqu'on se trouvait coincé en pleine mer.

— Ne t'inquiète pas, je m'occupe de tout, répondit-il.

Le regard dissimulé par des lunettes sombres, vêtu d'un jean délavé et chaussé de bottes en cuir souple, il n'avait plus rien de l'homme d'affaires richissime qu'il était. Elle lui trouvait plutôt des airs de guerrier d'autrefois.

— Je dois avoir perdu la raison, pour te faire confiance comme je le fais, ajouta-t-elle lorsque l'hélicoptère ne fut plus qu'un minuscule point dans le ciel.

En effet, il n'y avait ici nul taxi ni aucun autre moyen de locomotion. En outre, selon ce que lui avait appris Constantine, les communications téléphoniques ainsi que l'accès à internet se limitaient à la connexion satellite qui se trouvait dans son bureau.

Lorsque, au bout de quelques minutes, ils y pénétrèrent, l'endroit se révéla moderne, parfaitement équipé et merveilleusement frais.

Tandis que Constantine se plongeait dans une discussion animée avec Jim Kaddy, le chef de chantier, elle s'appropria l'un des bureaux inoccupés. Comme Constantine le lui avait demandé, elle n'avait pas encore téléphoné à sa mère et à sa sœur, mais, le temps pressant, elle se promit de le faire avant qu'elles n'apprennent la nouvelle par la presse

Elle posa sa mallette sur le bureau et retira ses baskets, qu'elle secoua au-dessus d'une corbeille à papier pour en retirer l'excès de sable. Elle se rendit ensuite en chaussettes dans la salle de bains, pour y dérouler quelques feuilles de papier absorbant et se munir d'une serviette de toilette. Lorsqu'elle retourna dans le bureau, Kaddy était parti, et Constantine parlait au téléphone.

Silencieuse, elle s'assit et entreprit de nettoyer ses chaussures sous l'œil amusé de Constantine.

— Tu me le paieras, dit-elle d'un ton qu'elle voulait désinvolte et qui était loin de refléter l'anxiété qu'elle éprouvait à se retrouver de nouveau seule avec lui.

— Je le sais déjà, répliqua-t-il avec une pointe d'humour, teintée d'ironie.

La gorge nouée par l'émotion, elle comprit, à cet échange plein de sous-entendus, que leur relation allait désormais au-delà du sexe. Elle y retrouvait peu à peu les fondements solides d'une vraie relation amoureuse.

Le bruit caractéristique des pales emplit soudain l'air, tandis que l'hélicoptère survolait le bâtiment.

Constantine vérifia sa montre.

— Ce doit être l'ingénieur.

Elle se sentit envahie d'un profond soulagement. Enfin, elle avait la possibilité de rallier Médinos, si elle le souhaitait.

Deux heures plus tard, alors que la réunion de chantier était terminée, Constantine revint dans le bureau.

Sienna garda la tête sur ses comptes. Après toutes ces années de stress financier, se pencher sur ces dossiers avec de nouvelles perspectives en tête et motivée par les perspectives qui s'ouvraient à elle, c'était un moyen agréable de passer le temps.

La chaleur étouffante du dehors l'accabla aussitôt qu'elle eut quitté la fraîcheur bienfaisante du bureau. Elle vit, au loin, l'hélicoptère embarquer à son bord un petit groupe d'hommes en costume cravate.

Constantine s'arrêta près d'un pick-up qui était la copie conforme de celui que Kaddy avait garé un peu plus tôt devant le bureau. Lorsqu'il ouvrit la portière du côté passager, lui indiquant ainsi qu'ils allaient se rendre quelque part, elle éprouva une certaine réticence.

— Je croyais que nous rentrions à Médinos, objecta-t-elle.

— C'est prévu, en effet, mais nous partirons un peu plus tard. Pendant que nous sommes ici, j'aimerais te montrer les installations perlières.

— Mais si nous ne partons pas d'ici tout de suite, je vais rater mon avion de retour, protesta-t-elle de façon plus véhémente.

— La compagnie aérienne de la société se trouve sur notre chemin. Un avion privé sera à ta disposition dès que tu le souhaiteras.

Comme pour faire taire ses dernières réticences, il se pencha vers elle et déposa sur ses lèvres un baiser aussi ardent que passionné.

Dans un premier temps, elle se figea, perturbée par le manque d'égards dont il faisait preuve, autant que par le feu qui s'était mis à couler dans ses veines.

Mais, comme d'habitude, la passion l'emporta. Elle répondit à son baiser avec élan pour ne s'écarter de lui que lorsqu'il posa son front contre le sien.

— Es-tu prête à me suivre ? lui demanda-t-il d'une voix douce.

Elle laissa échapper un soupir de satisfaction. Cette fois, il avait posé la question, et il n'avait pas exigé. Elle eut toutefois conscience qu'en acceptant sa proposition, elle consentait à beaucoup plus qu'un simple tour de l'île.

La panique qu'elle avait ressentie un peu plus tôt dans le bureau l'envahit de nouveau. Elle se sentait nerveuse comme toute jeune femme sur le point de convoler, mais il y avait pourtant une particularité dans sa situation : ils se connaissaient déjà par cœur, avec Constantine.

— Oui, répondit-elle, certaine de son choix.

Tremblante, elle grimpa dans la camionnette et, après avoir placé la mallette à ses pieds, boucla sa ceinture de sécurité.

Le temps passa. Engourdie par la chaleur et bercée par le bruit monotone du moteur, elle avait dû s'endormir car elle se redressa d'un bond. Elle repoussa quelques mèches de cheveux qui lui balayaient la joue et consulta sa montre. Trente minutes s'étaient écoulées. Elle fronça les sourcils à la vue du sentier sur lequel ils se trouvaient et qui longeait une large rivière.

Des poteaux avaient été plantés à intervalles réguliers, indiquant le niveau de l'eau qui se trouvait, par endroits, à un bon mètre au-dessus du niveau de la route. D'après les ravines profondes qui jalonnaient le parcours, il était manifeste qu'une inondation avait jadis fait des ravages dans le coin.

— Sommes-nous encore loin ? demanda-t-elle alors que la route se rétrécissait encore un peu plus.

— Environ huit kilomètres.

Quelques minutes plus tard, après avoir traversé un ravin abrupt, Constantine s'empara de la radio. Après avoir cherché en vain à trouver une fréquence, il reposa le récepteur sur son socle.

— Voilà. Nous sommes injoignables pendant quelques minutes. Je vais en profiter pour te parler.

Il avait recouvré le ton autoritaire de l'homme d'affaires qu'il était, pour lui exposer les grandes lignes de ce qu'il comptait faire de la société Ambrosi.

— Le groupe poursuivra ses activités, annonça-t-il avant de s'interrompre pour quelques secondes — le silence était chargé d'électricité. Mais tu devras démissionner de tes fonctions. Lucas prendra ta place de P.-D.G.

Elle détourna brusquement la tête. Voilà que les mots de Constantine prenaient brusquement toute leur signification.

— Je dois donc comprendre que je ne fais plus du tout partie de la compagnie ?

— C'est exact, et je ne te laisse pas le choix

Elle fixa la ligne d'horizon, sans la voir, cherchant à faire le vide en elle, à prendre un recul qu'elle ne trouvait pas. Elle s'attendait si peu à être remerciée de cette manière !

Elle retira ses lunettes de soleil et frictionna ses tempes douloureuses, sous le regard tendu de Constantine.

— Nous avons signé un accord, selon lequel tu as accepté d'être ma femme.

— Certes, mais je ne me souviens pas avoir signé quoi que ce soit me demandant de renoncer au poste que j'occupe.

Il ne comprenait donc pas ? La société Ambrosi, c'était son bébé, sa vie. Pour cette société, elle avait traversé vents et marées, s'était épuisée au travail, allant jusqu'à perdre le sommeil et à se réjouir de la moindre petite victoire remportée. Elle connaissait chaque aspect de cette entreprise, chacun des employés ainsi que leur famille et, tous ensemble, ils formaient une équipe unie. Elle en était le capitaine et, sans elle, la société Ambrosi courait à sa perte.

— Désormais, trancha-t-il, c'est à moi que tu dois te consacrer, et pas à la société Ambrosi. Nous serons bientôt basés à Médinos, et tu ne pourras pas te rendre assez souvent à Sydney, ce n'est même pas envisageable.

De nouveau, elle se perdit dans la contemplation du ciel d'un bleu intense qui semblait plonger dans la mer.

— Peut-être, mais, toi, tu diriges depuis Médinos un grand nombre d'hôtels et de sociétés basés à l'étranger, objecta-t-elle.

— Chaque complexe est dirigé par un directeur résident. Dans le cas qui nous occupe, ce sera Lucas.

Il avait raison, elle en avait bien conscience, mais cela ne lui rendait pas les choses plus faciles à accepter pour autant. Depuis son enfance, elle avait grandi dans l'idée qu'elle serait un jour à la tête de l'entreprise familiale, que cela lui plaise ou non.

— Je suis compétente, plaida-t-elle encore, je connais cette entreprise et son fonctionnement dans leurs moindres détails.

Il ralentit pour laisser passer un petit troupeau de chèvres qui lui coupait la route.

— Je le sais mieux que personne.

— Je ne suis pas la seule à vouloir à concilier carrière et vie de famille. Un tas de femmes y parviennent sans problème.

— La société Ambrosi ne fait pas partie de l'équation, trancha-t-il.

— Pourquoi ? s'entêta-t-elle.

— Parce que je refuse d'occuper la seconde place dans ta vie.

Elle chaussa de nouveau ses lunettes de soleil, afin de dissimuler la colère qui l'envahissait.

— Tu ne me fais toujours pas confiance, dit-elle.

Elle était furieuse contre lui, mais aussi contre elle, pour s'être laissé embrasser par Constantine comme elle l'avait fait. Une fois de plus, elle eut l'impression désagréable qu'il l'avait manipulée, avec son propre consentement.

— Ce n'est pas qu'une question d'affaires, enchaîna-t-elle. Cette société, c'est ma famille, mon sang.

Le visage fermé, elle chercha du regard un endroit où Constantine pourrait faire demi-tour.

— J'ai changé d'avis. Je veux rentrer.

— Il n'en est pas question. Nous avons signé un contrat.

— C'était avant que tu ne me renvoies de ma propre société.

— De toute façon, il est trop tard. Nous allons

passer la nuit dans une maison en bord de mer, un peu plus loin. Je te ramènerai demain matin.

Elle tourna violemment la tête vers lui, sans plus chercher à dissimuler sa colère.

— Je ne suis pas d'accord. Je ne veux pas, tu entends, je ne veux pas passer la nuit avec toi ! Ramène-moi tout de suite sur le site de la construction. Il doit bien y avoir un service de navette régulier, pour les employés. Et s'il est trop tard pour attraper un bateau ou un hélicoptère, j'utiliserai le téléphone satellite pour demander à quelqu'un de venir me chercher.

— Non, rétorqua-t-il d'une voix étrangement calme. La maison est propre et confortable, et nous y trouverons de quoi nous restaurer.

— Laisse-moi deviner, ironisa-t-elle d'un air mauvais. Je parie qu'il n'y a aucune ligne téléphonique, pas de connexion internet… Juste toi et moi.

— Et aucun photographe pendant environ douze heures, ajouta-t-il avec gravité.

Posément, alors qu'elle tremblait intérieurement de rage, elle ouvrit sa mallette et en tira son téléphone cellulaire. Son ultime espoir s'envolait : les mots « Réseau indisponible » venaient de s'afficher sur l'écran.

— Fais demi-tour, lui ordonna-t-elle. Immédiatement.

Comme il restait sourd à son injonction, elle se mit à étudier les chances qu'elle avait de réussir à arracher la clé du contact.

— Je ne veux pas passer la nuit avec toi, dans quelque maison que ce soit, répéta-t-elle en articulant bien chacun de ses mots. Je ne veux pas faire un kilomètre de plus en ta compagnie, je préférerais encore regagner Médinos à la nage. Et si tu t'imagines que tu vas coucher avec moi, tu te trompes lourdement !

Il lui lança un regard déconcerté, cherchant à deviner dans quelle mesure elle bluffait. N'ayant visiblement pas trouvé de réponses aux questions qu'il se posait, il reporta son attention sur la route, les mâchoires contractées.

— Nous sommes presque arrivés.

Le paysage avait changé pour devenir pratiquement plat, alors qu'ils approchaient de la côte. Mais Constantine négocia un nouveau virage, qui les ramena le long de la rivière.

Sa frustration monta d'un cran : à part piquer un caprice, elle ne voyait aucune option s'offrir à elle. Dans son obstination à vouloir lui échapper, elle élabora mentalement un plan B. Elle trouverait bien un point culminant qui lui permettrait de capter du réseau et d'appeler un hélicoptère. Dans ce paysage quasi désertique, dénué du moindre poteau électrique, l'appareil pourrait se poser à peu près n'importe où, sans trop de difficultés. Si Constantine se pliait à sa volonté, elle renoncerait à alerter la police ou la presse.

Mais, lorsqu'elle lui exposa son scénario, il se contenta de lui rire au nez.

Toujours plus exaspérée, elle agrippa le volant, en même temps qu'elle tentait d'arracher la clé du contact.

Bien sûr, son idée de téléphoner à tout prix était parfaitement farfelue. Tout ce qu'elle voulait, en fait, c'était convaincre Constantine d'arrêter son véhicule et d'écouter ce qu'elle avait à dire.

Il remarqua le danger bien avant elle. Repoussant brutalement sa main, il laissait échapper un juron, avant de braquer brutalement le volant.

Impuissante, emplie d'effroi, elle découvrit l'énorme ravine qui bordait la rivière juste une seconde avant que le pick-up ne s'immobilise à sa lisière.

Si Constantine n'avait pas été déséquilibré par le geste fou de Sienna, il aurait pu éviter la catastrophe. Malheureusement, il eut beau tourner le volant, il ne parvint pas à remettre le véhicule d'aplomb.

Durant quelques secondes qui leur parurent durer une éternité, le 4x4 resta en équilibre sur deux roues, puis, dans un grincement sinistre, il bascula sur le côté.

- 14 -

La distance qui séparait la route de la rivière n'était pas énorme. Pourtant, elle leur parut sans fin.

Sienna, plaquée contre son siège par la ceinture de sécurité, sentait que le 4x4 partait en vrille. Ses lunettes lui glissèrent du nez et une forme noire — sa mallette, sans doute — lui heurta le sommet du crâne.

Soudain, le véhicule cessa de tournoyer pour se retrouver sur le toit, dans l'eau. Ils flottèrent un instant, avant d'être presque entièrement submergés par une eau boueuse

— Tu vas bien ?

Elle tourna la tête vers Constantine. A l'exception d'une marque sur la joue, il paraissait indemne.

Et, mis à part le fait qu'ils étaient dans un sous-marin de fortune et qu'elle sentait un mince filet de sang lui couler sur le front, elle-même semblait ne pas avoir trop souffert de l'impact.

— Explique-moi juste comment nous allons pouvoir sortir de là.

— Toujours le mot pour rire ! trouva-t-il le courage de plaisanter.

Le pick-up s'était immobilisé, le toit reposait donc au fond de la rivière. Le point positif, c'était qu'elle n'était pas si profonde finalement, mais l'eau commençait à s'infiltrer dans le véhicule. Il s'avérait urgent de s'extirper de là.

Un cliquetis métallique lui fit comprendre que Constantine avait défait sa ceinture de sécurité. Se servant du volant comme d'une poignée il s'abaissa sur le toit qui était devenu le plancher et inversa sa position, jusqu'à pouvoir se redresser, dos et épaules calés contre le tableau de bord. Pour effectuer cette manœuvre rendue délicate par la présence du volant et de la boîte de vitesses, il dut se glisser près d'elle, puis l'enjamber pour vérifier l'ouverture de sa portière.

— Le toit s'est enfoncé sous le choc, expliqua-t-il. Pas beaucoup, mais suffisamment pour que les portières soient bloquées. Nous devrons sortir par les vitres.

Il la libéra de sa ceinture et la retint, alors qu'elle allait tomber dans la flaque boueuse qui tapissait le fond de la voiture.

Le nez écrasé contre les cuisses musculeuses de Constantine, elle s'agrippa à la ceinture de son jean et parvint à se redresser à son tour.

— Nous allons devoir nager, annonça-t-il. Mais ce n'est pas un problème, tu es une bonne nageuse.

Devait-elle voir dans cette remarque une pointe de sarcasme ? Dans la position délicate où ils se trouvaient, elle décida que l'heure n'était pas à l'indignation.

Elle s'écarta du mieux qu'elle put pour lui permettre de baisser la vitre qui, heureusement, fonctionnait manuellement. Elle songea, en le regardant faire, que cet accident, aussi traumatisant soit-il, avait sur elle un effet étrange. Lénifiant.

Toute la colère et la tension qu'elle avait accumulées durant ces dernières heures s'étaient dissipées d'un coup et, pour la première fois depuis deux ans, coincée à l'intérieur de ce véhicule, avec Constantine qui menait les opérations de sauvetage avec la maîtrise et le sang-froid qui le caractérisaient, elle se sentit terriblement heureuse.

— Tu sors la première, lui indiqua-t-il d'une voix calme. Je te suis.

— C'est comme si c'était fait.

Maintenant que la boue s'était tassée au fond, elle estima qu'ils se trouvaient à moins d'un mètre de la surface. Le plus dur serait d'attendre que l'habitacle soit rempli d'eau avant de pouvoir s'échapper.

Le plus important était de garder son calme et de retenir sa respiration au moment crucial.

— Je vais abaisser la vitre, dit Constantine. Ne sors pas avant que le pick-up soit rempli d'eau. Tu es prête ?

La tête lui tournait un peu, mais elle se sentait pleine de courage et d'énergie.

— Une seconde, l'arrêta-t-elle, alors qu'elle se laissait glisser le long de son corps pour récupérer sa précieuse mallette. Je ne vais pas laisser ça derrière moi.

— Laisse ça, lui ordonna-t-il.

— Abandonner mon ordinateur ? s'indigna-t-elle. Il n'en est pas question. En plus, je pourrais m'en servir comme d'une bouée de sauvetage.

— Tu n'as pas besoin de bouée, tu es une excellente nageuse.

— Et, moi, je ne vois pas pourquoi je renoncerais à quelque chose auquel je tiens, juste parce que, toi, tu l'as décidé.

Et, avec un peu de chance, sa mallette s'avérerait hermétique, et son ordinateur serait intact.

— Et qui a décidé d'envoyer ce pick-up au fond de l'eau ? lui lança-t-il d'un ton sec.

Comment lui expliquer tout ce que représentait cette mallette, pour elle, maintenant qu'elle avait perdu sa société et, avec elle, sa position de P.-D.G. ? Cette serviette était tout ce qui lui restait de son passé professionnel, et elle y tenait comme à la prunelle de ses yeux.

— Je prends l'entière responsabilité de ce qui nous arrive. En revanche, je ne suis pour rien dans l'état de tes routes qui, reconnais-le, laisse à désirer.

En guise de réponse, il la pressa contre lui et lui donna un baiser aussi bref que fougueux.

Instantanément, son corps s'embrasa d'un désir intense. Elle sentit ses jambes flageoler sous le coup de l'émotion et s'en voulut, une fois encore, de sa faiblesse. Pourtant, cette fois, un élément fondamental s'imposa à elle.

Peu lui importait, finalement, que cet homme se comporte mal avec elle, elle le voulait désespérément. Pas seulement sexuellement, mais de tout son corps, de toute son âme. De lui, elle était prête à tout accepter, même qu'il la manipule au point d'obtenir qu'elle accepte de l'épouser et renonce à un métier qui était jusque-là toute sa vie. Plus grave encore, elle se rendit compte qu'elle lui pardonnerait tout, tant elle l'aimait.

— Quoi ? grommela-t-il une fois qu'il eut lâché ses lèvres.

— Rien, lui renvoya-t-elle sur le même ton. Comme tu peux le constater, je suis prête.

Une seconde plus tard, l'eau s'engouffrait dans l'habitacle. Constantine la maintint fermement contre lui, l'empêchant d'être ballottée par les flots. Elle ferma les yeux et retint sa respiration, comptant jusqu'à huit. Et, alors seulement, elle les rouvrit. Sa mallette serrée contre elle, elle se faufila aussitôt par la vitre.

En moins de deux, elle refit surface. Elle avala une grande goulée d'air et fit du surplace, en cherchant à retrouver ses repères. Le pick-up était complètement submergé avec, pour seule indication de sa présence, un sillon vaseux troublant la surface.

Elle se laissa porter par le courant, constant à cet endroit. En dépit du soleil, l'eau était glaciale, mais elle ne tarda pas à l'oublier, tant elle était inquiète. Elle n'avait toujours pas vu Constantine réapparaître.

Elle prit une profonde inspiration et, se servant de la mallette comme d'un élément de flottaison, elle se dirigea vers la rive en battant des pieds. Elle aurait plus vite fait de remonter la rivière à pied, qu'en nageant à contre-courant.

Glissant sur les rochers, dérapant, elle se fraya un chemin sans quitter la rivière des yeux. Il était fort possible que Constantine ait repris son souffle, puis replongé pour aller rechercher quelque chose, la radio peut-être, dans le 4x4. Ce qui expliquerait pourquoi elle ne le voyait pas.

Une fois parvenue au niveau du pick-up, elle posa sa mallette et se rua vers la berge. Et à ce moment-là, justement, Constantine refit surface, une boîte métallique à la main.

S'aidant de la courroie qui enserrait la boîte, et qu'il lui avait lancée, elle l'aida tant bien que mal à sortir de l'eau. Ils titubèrent quelques secondes, avant de s'écrouler à un endroit de la rive où la terre était meuble. Elle lui arracha alors son paquet des mains et se mit à l'examiner sous toutes les coutures. A son grand soulagement, elle ne découvrit aucune trace de sang sur lui.

Il écarta quelques mèches de cheveux, dégoulinantes d'eau, qui l'empêchaient de bien voir, et désigna la boîte du menton.

— C'est une trousse de secours, expliqua-t-il. Elle contient de quoi manger et de l'eau potable. Et aussi une radio portable. Reste à espérer qu'elle soit encore en état de marche.

Une fois rassurée, elle sentit un mélange de colère et de peur rétroactive l'envahir.

— Cette boîte n'était pas dans la voiture, lui reprocha-t-elle d'un ton accablant.

Ce qui signifiait qu'il était allé la chercher à l'arrière, dans le plateau bâché du pick-up et que l'opération aurait pu mal finir, compte tenu du temps qu'il lui avait fallu pour délacer la bâche et récupérer la boîte en question.

— J'ai cru que tu n'avais pas réussi à te dégager de la voiture, dit-elle d'une voix qui tremblait.

— Tout va bien, mon chou, répliqua-t-il d'un ton qui se voulait rassurant. J'avais un couteau. Donc je ne pouvais pas rester bloqué.

— Ne t'amuse plus jamais à me refaire un truc pareil, dit-elle d'une voix sourde.

Sa réaction était peut-être démesurée, mais l'idée que quelque chose aurait pu arriver à Constantine lui glaçait le sang. Durant les quelques secondes où il avait disparu, elle s'était imaginé devoir vivre sans lui, et cette pensée lui avait été insupportable.

Elle l'aimait, malgré les deux années sombres qu'elle avait traversées, et il y avait fort à parier qu'elle l'aimerait toujours. Elle n'arrivait même pas à envisager que, dans un avenir même lointain, elle puisse se détacher de lui et en aimer un autre.

Elle vit passer dans le regard de Constantine une émotion qui lui fit battre le cœur. Sans la quitter des yeux, il murmura quelque chose dans sa langue natale, avant de l'attirer tout contre lui.

Ses bras se refermèrent sur lui, tandis qu'il posait ses lèvres sur les siennes et qu'elle plongeait avec délice dans un océan de volupté. Durant de longues minutes, elle dériva, portée par ce qu'elle avait lu dans son regard. La vérité, cette vérité qu'il lui avait cachée durant deux ans, éclatait enfin en plein jour.

Lui aussi l'aimait. Et il avait aussi désespérément besoin d'elle qu'elle de lui.

Il s'écarta légèrement pour lui permettre de reprendre son souffle, mais ce n'était pas d'air dont elle avait besoin. Ce qu'elle voulait, c'était vivre leur passion jusqu'au bout, une passion qui la dévorait.

D'une main que l'impatience rendait fébrile, elle

défit les boutons de sa chemise, tandis qu'il faisait glisser son chemisier sur ses épaules, puis dégrafait son soutien-gorge, libérant ses seins tendus de désir.

Alors qu'ils étaient peau contre peau, elle ressentit le bonheur intense d'être dans les bras de l'homme qu'elle aimait. D'être à sa place. Elle se hissa sur la pointe des pieds et lui offrit ses lèvres avides, en même temps qu'elle le débarrassait de son jean.

Consumés de désir, ils se laissèrent tomber sur le tas de vêtements qu'ils avaient rassemblés à la hâte, pour s'en faire un matelas de fortune. Alors que leurs bouches étaient scellées par un baiser passionné, Constantine s'installa entre ses jambes et la pénétra avec douceur. Allant et venant dans une harmonie parfaite, ils prolongèrent leur osmose pendant de longues minutes, jusqu'à ce que, souffles et corps emmêlés, ils soient submergés par une vague de plaisir intense, qui les laissa assouvis et pantelants.

Quelques minutes plus tard, Constantine roula sur le dos et l'attira contre elle. Au comble de l'extase, elle se blottit au creux de son épaule et s'abandonna librement à ces instants de pur bonheur.

Jusqu'au moment où qu'elle songea que, pris dans l'urgence de leur désir ainsi que dans un tourbillon d'émotions vives, ni lui ni elle n'avaient pensé à se protéger. Pourtant, l'idée qu'elle pouvait tomber enceinte ne la contraria pas. Au contraire même, elle caressa cette éventualité avec plaisir.

Emue, elle se pencha vers lui et lui donna un baiser d'une infinie douceur.

— Il faut que nous partions d'ici, dit-il contre sa bouche.

Car, si sa peau tannée n'avait rien à craindre, celle de Sienna, diaphane, pouvait subir les morsures impitoyables du soleil.

A regret, il la laissa quitter le creux de ses bras. Il la regarda avec tendresse étaler leurs vêtements sur des rochers brûlants pour les faire sécher, avant de se diriger vers la rivière. Il comprit alors que leurs pensées se rejoignaient. Ils avaient fait l'amour sans préservatif. Et la conséquence d'un tel acte pouvait être la conception d'un enfant.

Un enfant.

Il s'imagina Sienna enceinte, Sienna nourrissant leur bébé au sein.

Une vague d'émotion le submergea. Jusque-là, il n'avait jamais réalisé à quel point l'amour pouvait se révéler puissant. Il lui parut soudain impératif que Sienna soit la mère de ses enfants.

Deux ans plus tôt, il avait réussi à contrôler ses émotions et à rompre les liens qui l'unissaient à elle. Mais depuis le jour où ils avaient refait l'amour, à Sydney, il avait compris qu'il avait franchi les limites qu'il s'était pourtant juré de ne pas dépasser.

Le changement s'était produit lorsqu'il l'avait vue arriver dans la salle de réception, arborant la parure nuptiale des Médiniens. Il y avait alors vu le signe de la pureté, de la passion et de l'amour éternel.

Tout à ses réflexions, il se leva et suivit Sienna dans l'eau. En dépit du besoin impérieux qu'il ressentait d'aller la prendre dans ses bras, il garda ses distances, craignant de se montrer plus pressant qu'il ne l'avait déjà été.

Il plongea la tête dans l'eau, pour se rincer les

cheveux et, lorsqu'il la releva, il vit Sienna regagner la rive. Lorsqu'il la rejoignit, elle avait déjà enfilé son chemisier, qui était encore mouillé par endroits. Il passa son caleçon et son jean, et laissa sa chemise, de même que ses chaussettes et ses bottes, sécher encore un peu.

Sienna s'était recoiffée tant bien que mal, du bout des doigts, et entreprenait de délacer ses baskets.

— Cela ne se reproduira plus, lâcha-t-elle soudain d'un ton ferme. Faire l'amour sans préservatif, c'était complètement inconscient de notre part.

Il plissa les yeux, lorsqu'il la vit tourner les talons, feignant de l'ignorer, pour aller retourner les vêtements restants avec une précision toute militaire. Toujours silencieuse, elle s'installa sur une roche plate et entreprit de nettoyer ses baskets recouvertes d'un mélange de sable et de boue.

Soulagé, il se rappela soudain qu'il ne devait voir que du perfectionnisme dans ce qu'il avait pensé être de l'indifférence. C'était d'ailleurs l'une des qualités qui l'avait attiré le plus, chez elle, même si, parfois, cela l'irritait au plus haut point, comme en cet instant précis.

Ce devait être aussi sa façon à elle de gérer le stress ou l'inquiétude. Il ne fallait donc y voir qu'une manière de se protéger.

Débordant d'une tendresse contenue, il s'approcha d'elle, lui prit le visage entre ses mains et l'embrassa avec une infinie douceur.

— Je suis désolé d'avoir agi de façon aussi légère, avoua-t-il d'une voix tout aussi douce. Mais les préservatifs se trouvent dans la maison où nous devions nous rendre.

Elle lui lança un regard lourd de reproches.

— Décidément, tu avais pensé à tout.

— A la minute où tu es montée dans le pick-up, tu savais aussi bien que moi ce qui allait se passer, protesta-t-il. Je te l'ai demandé, tu as accepté. Tu n'as rien fait contre ton gré.

Elle détourna la tête, mais il n'avait pas besoin de croiser son regard pour lire dans ses pensées.

Il se leva, le front soucieux. N'importe quelle femme s'inquiéterait d'une grossesse involontaire. Mais, s'il s'avérait que Sienna était bel et bien enceinte, il ne reculerait pas devant ses responsabilités.

Sienna et lui seraient mari et femme dans le mois qui suivrait.

- 15 -

La tête toujours obstinément baissée, Sienna poursuivait en silence le nettoyage de ses chaussures.

Elle s'affairait à en lacer une, lorsque Constantine s'accroupit devant elle et prit l'autre dans ses mains. Dans un geste délicat, il attrapa sa cheville et entreprit de glisser son pied dans la basket.

Des souvenirs refirent alors surface. Elle le revit dans cette même posture, alors qu'ils venaient de se rencontrer. Il lui passait au pied non pas une pantoufle de vair, mais un escarpin noir. Subjuguée, elle avait trouvé ce moment extrêmement romantique.

Cette fois, elle ne le laisserait pas faire. D'un geste brusque, elle lui reprit la chaussure des mains.

Elle inspira profondément, cherchant l'air qui manquait à ses poumons. Elle était peut-être têtue et difficile, il n'en restait pas moins qu'elle ne voulait plus de ces gestes trop ambigus, tant qu'il ne lui aurait pas dit qu'il l'aimait.

— Tu saignes, s'inquiéta Constantine en découvrant la petite traînée de sang séché sur son front. Tu ne m'avais pas dit que tu t'étais blessée.

— Ce n'est rien. C'est juste une écorchure.

Sans un mot, il alla ouvrir la trousse de secours pour en étaler le contenu sur le sol. Elle en profita pour retourner dans l'eau et rincer le sang qui maculait ses cheveux.

Lorsqu'elle revint, il était occupé à bricoler la radio. Détournant le regard, elle finit de s'habiller, s'abstenant de remettre son soutien-gorge, qui était encore humide. Au lieu de cela, elle le plia et le fourra dans la poche de son jean.

Elle fit quelques pas, se grisant de la beauté du paysage. Chaque seconde qui passait lui faisait prendre un peu plus conscience de l'irresponsabilité dont ils avaient fait preuve. D'autant que Constantine ne lui avait absolument pas parlé des sentiments qu'il éprouvait pour elle.

Elle le suivit du regard. Stupéfaite, elle le vit se diriger vers sa mallette pour la dissimuler.

Ivre de colère, elle se rua vers lui et la lui arracha des mains. Visiblement, lui avoir soufflé son entreprise et son emploi ne lui suffisait pas, il fallait aussi qu'il la prive du dernier bien personnel auquel elle tenait !

— Tu n'en as pas besoin, protesta-t-il. En plus, elle pèse une tonne.

— J'en ai besoin, et ce n'est pas ton problème si elle est trop lourde.

— Des bijoux et des bons de commande sont bien les dernières choses dont tu aies besoin ici, insista-t-il.

Elle ne put s'empêcher de rougir, à l'idée qu'il avait sans doute deviné ce que sa mallette contenait, à la seconde où il l'avait vue dans sa suite. Elle fixa sans la voir vraiment une petite marque rouge sur son épaule, trace de leurs étreintes passionnées.

— Pour ta gouverne, sache que ce ne sont pas des bijoux que je transporte. C'est mon ordinateur portable et, avec lui, c'est un peu comme si j'avais tout mon bureau avec moi.

— Je comprends.

L'espace d'un bref instant, elle crut qu'il allait en dire plus, mais il lui tourna bientôt le dos pour retourner à ses occupations. Il avait entrepris de faire l'inventaire des outils dont il disposait pour remettre la radio en état de marche.

Troublée par le fait que Constantine ne semblait pas aussi distant et calme qu'il voulait bien le lui faire croire, elle prit sa mallette, et, assise sur un rocher, l'ouvrit.

L'eau qui s'était infiltrée à l'intérieur avait mouillé ses bons de commande mais, heureusement, son ordinateur avait été épargné, protégé par la housse dans laquelle elle l'avait glissé.

Elle mit les bons de commande à sécher, et vérifia que son ordinateur marchait toujours, avant de l'éteindre. Après quoi, elle rangea méthodiquement ses brochures et ses stylos, remit les bons de commande en place.

Lorsqu'elle eut terminé, elle tenta d'allumer son téléphone cellulaire. Mais, comme elle l'avait deviné, il était bel et bien mort.

Relevant les yeux, elle vit Constantine s'approcher d'elle, sa trousse de secours à la main. Sans un mot, il s'assit sur le rocher qui se trouvait en face d'elle et l'emprisonna de ses cuisses musculeuses. Elle eut soudain une conscience aiguë de la force qui émanait de lui.

Dans un geste infiniment doux, il prit son visage entre ses mains.

— Si tu es enceinte, nous en parlerons, dit-il enfin. Jusque-là, nous utiliserons des moyens de contraception.

— En supposant que nous couchions encore ensemble, laissa-t-elle tomber.

— Quelles chances y a-t-il pour que tu sois enceinte ? s'enquit-il.

Elle inspira profondément, n'arrivant pas à croire à une telle éventualité. Pourtant, il était bien connu que les femmes de la famille Ambrosi n'avaient aucun problème de fertilité.

— Elles sont assez fortes, répondit-elle, après avoir fait un rapide calcul mental.

C'était même très probable.

— Je te laisserai tranquille, si c'est ce que tu veux vraiment, dit-il. Mais, pour l'instant, ne bouge pas que je vois un peu cette écorchure que tu as à la tête.

Elle inclina docilement la tête, afin qu'il puisse l'examiner tranquillement. Il prit tout son temps pour repérer la coupure et la tamponner d'un coton imbibé d'antiseptique.

— Aïe !

— Ne sois pas si douillette.

— C'est facile à dire. Je voudrais bien t'y voir.

— La coupure est toute petite, ta vie n'est pas en danger, la taquina-t-il gentiment.

— Dans ce cas, je ne vois pas pourquoi tu t'acharnes à vouloir me soigner.

En guise de réponse, il étala sur la blessure une

noisette de pommade, qu'il recouvrit d'un pansement adhésif.

Tandis qu'il refermait la trousse, elle observa l'hématome, virant au violet, qu'il avait sur la joue et qui lui donnait un petit air de pirate.

— Et toi, comment t'es-tu fait ça ?

— De la même façon que tu t'es coupée. Avec cette satanée mallette, je suppose.

Elle grommela, puis, dans un geste machinal, rapprocha la mallette.

— La maison n'est pas très loin d'ici, mais nous ferions mieux d'y aller tout de suite, enchaîna-t-il en se redressant. J'ai vérifié la radio, elle marche. Mais, comme nous ne sommes pas dans une zone de transmission, elle ne nous sert à rien. Il nous faudra attendre l'hélicoptère, qui doit venir nous chercher demain matin, à la première heure.

Elle le regarda finir de s'habiller sans faire le moindre commentaire et accepta, toujours sans un mot, la bouteille d'eau qu'il lui tendait.

— Allons-y, dit-il une fois qu'elle se fut désaltérée. Je prends ta mallette.

— Inutile, trancha-t-elle d'un ton qu'elle voulait sans réplique. Je m'en occupe.

Il ne dit rien, mais elle vit, en lui coulant un regard en biais, qu'il esquissait un sourire amusé.

La maison, qui se trouvait à moins de quatre kilomètres de là, n'était pas à proprement parler un cottage. Elle avait plutôt des allures de maison d'architecte. Donnant l'impression d'être taillée dans la roche, elle impressionnait par un jeu de ponts qui s'entrecroisaient ainsi que par la vue grandiose qu'offraient des pans de murs entièrement vitrés.

Constantine lui indiqua l'endroit où se trouvait la ferme perlière, de l'autre côté de la baie, mais elle ne put que distinguer la silhouette d'un bâtiment, qui se détachait dans la nuit tombante.

Epuisée, elle fit un tour rapide de la cuisine, dont l'équipement ultramoderne était dissimulé dans des placards de bois laqué. Une cuisinière dernier cri, assez grande pour qu'on puisse y préparer à manger pour un régiment entier, trônait au milieu de la pièce.

— Cet endroit est fabuleux, dit-elle, sincèrement impressionnée. Pourtant, on dirait qu'il n'y vient jamais personne.

— C'est une maison de famille, mais effectivement, comme nous sommes sans arrêt par monts et par vaux, nous n'en profitons pas beaucoup. Il y a des chambres à l'étage et au rez-de-chaussée, ajouta-t-il.

Il devait lui indiquer ainsi qu'il la laissait libre de choisir.

Il l'entraîna ensuite dans un vaste salon décoré avec goût de canapés en cuir et de meubles de style, puis dans un couloir ouvrant sur différentes pièces.

Après un rapide coup d'œil, elle porta son choix sur une chambre parée de légers voilages de soie.

Constantine lui montra la salle de bains, parfaitement équipée, elle aussi.

— Tu trouveras dans cette armoire tout ce qu'il te faut pour te changer. Prends le temps de te rafraîchir, pendant que je m'occupe du dîner.

Après s'être douchée, elle enfila avec délice des sous-vêtements propres et un peignoir en coton fin qu'elle avait trouvé accroché à une patère, derrière la porte.

Les bras chargés de ses vêtements sales, elle se dirigea vers la cuisine où Constantine s'affairait à faire réchauffer un plat cuisiné, laissé pour eux dans le réfrigérateur.

La bonne odeur du ragoût épicé lui chatouilla délicieusement les narines, tandis qu'il lui indiquait où se trouvait la buanderie. Dès qu'elle eut fourré ses vêtements dans la machine à laver, elle retourna dans la cuisine.

Ils s'attablèrent à l'extérieur pour savourer le plat traditionnel médinien et se régaler de tranches de mangue, juteuses à point.

Le soleil plongeait lentement à l'horizon, créant sur l'océan des ombres mouvantes qui lui conféraient un aspect mystérieux. Lorsque l'astre solaire eut totalement disparu, la température baissa d'un coup. Sienna frissonna.

Elle contempla le ciel incroyablement clair, piqueté d'étoiles scintillantes qui paraissaient tellement proches qu'on avait l'impression de pouvoir les toucher.

Elle proposa de débarrasser la table et de préparer du café, trop heureuse d'échapper à cette scène trop romantique, ainsi qu'à la tension qui commençait à s'installer entre eux. Elle se raidit quand Constantine s'assit à côté d'elle, après avoir glissé un C.D. de musique classique dans le lecteur. Mais, lorsqu'elle le vit croiser les bras et étaler ses longues jambes devant lui, elle finit par se détendre.

Après ce qui s'était passé entre eux dans l'après-midi, elle s'était attendue à ce que Constantine lui propose de nouvelles étreintes passionnées, auxquelles elle n'était pas sûre de savoir résister. Mais, au lieu de cela, il semblait faire exactement ce qu'elle lui avait demandé : il la laissait tranquille et lui donnait un peu de temps.

Ereintée, bercée par la musique, elle ne pouvait cependant s'empêcher de penser qu'elle était peut-être enceinte. Machinalement, elle porta une main à son ventre et vit que Constantine l'observait, nourrissant probablement les mêmes pensées qu'elle.

Elle eut soudain une perception accrue de son corps. Le premier choc passé, l'idée d'avoir un enfant de Constantine prenait racine en elle. Comme s'il avait lu dans ses pensées, il porta une main à son bras et commença à le caresser doucement. C'était un contact agréable, dépourvu de sensualité, comme si Constantine était conscient du trouble qui l'habitait et qu'il voulait la rassurer.

Petit à petit, elle se détendit tout à fait et laissa sa tête aller contre lui. Elle était sur le point de sombrer dans un délicieux sommeil réparateur, lorsqu'elle l'entendit lui murmurer à l'oreille :

— S'il y a la moindre chance que tu sois enceinte, alors je veux que nous nous mariions très vite.

Ces mots eurent pour effet de la réveiller tout à fait. Il ne lui avait pas fait de demande en règle. Bien sûr, strictement parlant, cette formalité avait été couchée sur papier, mais elle aurait tant aimé qu'il y mette un peu les formes !

— D'ici combien de temps ? s'enquit-elle d'un ton faussement dégagé.

— Une semaine. Deux, tout au plus.

— Je veux d'abord en parler à maman, avant de fixer une date définitive.

Ne pas concéder à Constantine cette dernière victoire était peut-être puéril, mais, si elle lui laissait voir ses émotions, elle perdrait toute chance de le voir se battre pour elle et peut-être même de l'entendre lui dire qu'il l'aimait.

La situation était d'autant plus délicate que, cette fois-ci, il ne la quitterait pas. Ils pouvaient bien se retrouver liés l'un à l'autre par un contrat, celui-ci ne lui assurait pas pour autant l'amour de Constantine.

— C'est entendu, acquiesça-t-il. Je m'occuperai de l'organisation du mariage dès notre retour.

Le jour venait à peine de se lever qu'ils entendirent le bruit caractéristique de l'hélicoptère en train de se poser non loin de là. Quinze minutes après avoir embarqué, ils se retrouvèrent à l'aéroport de Médinos et, moins d'une heure plus tard, une voiture, conduite par Tomas, les déposait au Castello.

Constantine s'étant arrangé pour que ses effets personnels soient apportés à la forteresse, Sienna put se changer aussitôt qu'ils arrivèrent.

Après avoir enfilé une robe bleue, qui lui arrivait à mi-cuisses, et une paire de sandales, elle déambula à travers un labyrinthe de couloirs et de pièces voûtées, à la recherche de Constantine.

Guidée par des bruits de voix, elle se dirigea vers une enfilade de salles de réception.

Alors qu'elle approchait, elle remarqua une porte

restée entrouverte. La conversation, portée par l'écho, lui parvint très distinctement. Elle reconnut instantanément l'accent américain de Ben Vitalis, le conseiller juridique de Constantine.

— Beau boulot, félicita-t-il Constantine. Vous avez transféré les droits à l'eau vraiment très vite.

Les doigts de Sienna se figèrent sur la poignée de la porte, tandis que Vitalis poursuivait :

— Si Sienna avait contesté ce bail, le projet de la marina aurait pu piétiner indéfiniment. Sans compter les millions que nous aurions eu à rembourser aux promoteurs.

Il y eut une pause, suivie du craquement d'un siège, comme si Vitalis venait juste de s'asseoir.

— J'avoue que l'idée d'avoir inséré cette clause de mariage est très intelligente. Parce que maintenant, même si elle essaie de contester le transfert de bail, elle tombe sous le coup de la loi médinienne qui est en votre faveur. Au fait, où en êtes-vous avec cette histoire d'emprunt ?

— Le problème est réglé.

Le ton incisif de Constantine lui fit l'effet d'un uppercut dans le ventre.

Des gouttes de sueur perlèrent sur son front, alors qu'elle se sentait prise dans une chape de glace.

Les raisons pour lesquelles Constantine avait élaboré ce contrat, lui proposant un mariage de convenance en même temps qu'il réglait les problèmes de dettes de son père, lui parurent soudain évidentes. D'une certaine façon, Roberto avait contrarié les plans de développement de Constantine, et ce dernier avait tout calculé pour redresser la barre.

Et elle, pauvre idiote, elle n'avait rien deviné de ses manigances. Au contraire, elle avait succombé avec une facilité déconcertante.

La discussion plus que sommaire qui avait mis un terme à leurs fiançailles ainsi que le détachement de Constantine, après leur étreinte de Sydney, quelques jours plus tôt, prirent tout leur sens.

Elle aurait pu lui pardonner beaucoup de choses, et elle l'avait déjà prouvé, mais le machiavélisme de ce calcul dépassait toutes les bornes.

Fallait-il qu'elle ait été aveugle, sourde et muette pour ne pas comprendre qu'elle avait été manipulée d'emblée ? Que Constantine ne l'avait de nouveau approchée que pour servir ses intérêts.

— Très bien, alors…

Elle entendit distinctement le bruit d'une mallette que l'on ouvrait et celui d'un document que l'on faisait glisser sur la surface lisse d'un bureau.

— … jetez un coup d'œil sur la clause concernant la garde des enfants.

Agissant comme un automate, Sienna ouvrit la porte à la volée et pénétra dans la pièce, juste au moment où Vitalis refermait la mallette et se levait de son siège.

Lorsque le regard de Constantine croisa le sien, son cœur se mit à saigner. Que n'aurait-elle donné pour découvrir qu'elle s'était trompée, que cette conversation ne voulait rien dire, parce qu'elle n'en connaissait pas le contexte ! Malheureusement, ce cauchemar ne faisait que refléter une sordide réalité, elle en était absolument certaine.

Les nerfs à vif, elle prit le document qui se trouvait toujours sur le bureau et le parcourut des yeux.

Elle avait bien la confirmation, écrite noir sur blanc, que Constantine l'avait manipulée pour obtenir les transferts de droits à l'eau. Même en sachant cela, en sachant qu'elle faisait partie de son agenda et qu'il la traitait comme n'importe laquelle de ses affaires, elle aurait accepté ce mariage.

Mais jamais elle n'accepterait une clause statuant sur l'avenir des futurs enfants qu'elle aurait avec Constantine. D'instinct, avant même d'être mère, elle ressentait le besoin de protéger ses petits.

La clause que Vitalis avait rajoutée garantissait à Constantine la garde automatique des enfants qui naîtraient de leur union. Si, pour une raison ou pour une autre, elle quittait son mari, la clause ne lui donnait qu'un simple droit de visite.

Constantine avait donc prévu de pouvoir lui enlever ses enfants, aussi froidement et méthodiquement qu'il l'avait dépouillée de sa société et du seul métier qu'elle aimait.

— Tu pensais vraiment que j'allais signer un engagement pareil ? lui demanda-t-elle d'un ton glacial, une fois que Vitalis se fut esquivé par une porte dérobée.

— Ceci n'est qu'une ébauche de contrat. Tu n'étais pas censée le voir en l'état, se défendit-il. J'avais l'intention de discuter avec toi de certaines options à inclure dans le contrat définitif, la semaine prochaine.

Des options.

Il était possible qu'elle soit en partie responsable de la façon dont tournait leur relation — qui ressemblait de plus en plus à une fusion entre deux entreprises —, à cause de ce qui s'était passé deux ans plus tôt.

— Est-ce vraiment ainsi que tu vois les choses ?

— Pas… exactement, admit-il en restant tout de même sur ses gardes.

Ce n'était pas vraiment la réponse qu'elle espérait.

— Quand je pense que j'ai passé deux ans à me ronger de culpabilité, parce que j'avais accepté de t'épouser en sachant que mon père avait passé un contrat financier avec le tien. Tu parles d'un crime !

Elle reposa le document sur le bureau, tiraillée entre la colère et un profond désespoir. Le mariage était quelque chose de si intime, de si personnel.

Lorsqu'elle avait donné son accord à Constantine elle l'avait fait dans l'espoir qu'un jour, il éprouverait quelque chose pour elle. Peut-être que ses sentiments pour elle se transformeraient en amour au fil du temps. En fait, elle se rendit compte que c'était uniquement cet espoir insensé qui l'avait poussée à accepter.

— Je veux une épouse qui s'implique dans son mariage autant que dans sa famille, expliqua-t-il encore.

Elle remarqua qu'il était vêtu du même jean et de la même chemise que le jour où il avait quitté Ambrus. Elle écarta cette pensée de son esprit : ce souvenir des heures qu'ils avaient passées ensemble sur l'île était bien la dernière chose dont elle avait besoin en cet instant.

— Et, pour cela, tu as besoin d'un contrat ?

— Ce n'est pas une si mauvaise idée, après tout. Il y a une bonne entente sexuelle entre nous, et nous avons beaucoup d'affinités, non ?

Le soleil qui entrait à flots par une fenêtre située derrière lui renvoyait son image à contre-jour ; elle ne pouvait donc lire sur le visage de Constantine si cette discussion pénible suscitait en lui une quelconque émotion.

— De mon point de vue, dit-elle d'un air mauvais, la seule chose qui nous lie l'un à l'autre, ce sont les dettes de mon père.

Et soudain, comme par magie, faire partie de la société Ambrosi cessa d'être important à ses yeux. Pendant des années, elle s'était échinée à sauver l'entreprise familiale. Cette bataille, permanente, lui avait pris chaque minute de sa vie, mais, aujourd'hui, savoir ses employés et sa famille à l'abri l'amenait à se résigner.

Constantine prendrait le relais, et il serait certainement aussi apte qu'elle à le faire.

En revanche, elle n'accepterait jamais de se retrouver prisonnière d'une relation régie par un contrat bien verrouillé, si bien verrouillé qu'elle ne pourrait s'en échapper à moins d'y laisser des plumes.

— Quand je pense que j'étais de nouveau tombée amoureuse de toi… !

Et dire qu'elle se pensait aussi certaine du pouvoir qu'elle avait sur lui, certaine de retrouver le Constantine dont elle était tombée amoureuse deux ans auparavant !

Quelque chose changea dans le regard de Constantine, alors qu'il balbutiait :

— Sienna… Je… je ne voulais pas te faire de mal. Je…

— Non, l'interrompit-elle. Tu voulais juste tout contrôler parce que c'est ta façon de faire. Tu voulais me contrôler moi, contrôler nos enfants, contrôler tes émotions. Comme toujours. Tu m'as dit un jour que tu obtenais toujours exactement ce que tu voulais. J'imagine que ce mariage arrangé entre aussi là-dedans, de même que la planification de deux…

Elle s'interrompit pour s'emparer de nouveau du document et le brandir sous son nez, les yeux remplis de larmes.

— … ou ne serait-ce pas plutôt de trois enfants ?

A la seconde où Sienna eut quitté son bureau, Constantine, submergé de panique, appela Tomas et lui hurla ses ordres.

Sienna quittait le Castello et, du même coup, l'île. Il avait beau être aveuglé par son amour pour elle, il comprenait très bien que s'il tentait de la retenir physiquement, il la perdrait à jamais.

Le fait même qu'il ait envisagé de la retenir « prisonnière » au sein de la forteresse — comme elle lui en avait déjà fait le reproche pour la maison de la plage — témoignait bien de l'étendue de son désespoir.

Lorsque Sienna avait lu le contenu de la clause concernant les enfants, il avait compris l'erreur qu'il avait commise : ni l'argent ni une quelconque pression juridique ne lui donneraient la première place dans la vie de Sienna, si telle n'était pas sa volonté. Pas plus que de se l'attacher contractuellement.

Il l'avait retrouvée telle qu'il l'avait connue, portée par la passion et la force, deux traits de caractère qui l'avaient irrésistiblement attiré.

A plusieurs reprises, il avait vu passer dans son regard des éclairs d'une colère qu'il ne pouvait maintenant que trouver légitime. Comme, à Sydney, juste après qu'ils ont eu fait l'amour, lorsqu'elle l'avait accusé de manipulation, ou dans les jardins de l'hôtel, quand il avait tenté de la faire choisir entre la société Ambrosi et lui.

C'était seulement lorsqu'elle lui avait avoué son amour pour lui qu'il avait enfin compris : c'était l'amour, et l'amour seul qui l'avait poussée à signer ce contrat ridicule. Il avait également compris qu'elle l'avait toujours fait passer en priorité et que c'était son approche à lui qui clochait. En fait, il était le seul à s'être focalisé sur les affaires.

Mais tout espoir n'était pas perdu. Pour l'heure, ils étaient toujours fiancés, du moins, sur le papier. Et il n'allait pas rester là, bras croisés, sans rien tenter pour la faire revenir.

Il fourra le contrat dans sa serviette, se précipita dans sa suite et jeta dans un sac les premiers vêtements qui lui tombèrent sous la main.

Pour plus de sûreté, il avait donné l'ordre à Tomas de s'assurer que Sienna ne pourrait embarquer sur aucun vol régulier, quitte pour cela à acheter tous les sièges vides de tous les vols en partance, s'il le fallait.

Tandis qu'il s'affairait, il admit enfin que, s'agissant d'elle, il était prêt à tout, même à franchir des limites qu'il s'était interdites.

A la seconde où il avait posé les yeux sur Sienna, elle l'avait conquis. Il savait qui elle était, il l'avait reconnue instantanément et avait été subjugué par sa personnalité et son pouvoir de séduction.

Pourtant, il n'avait pas voulu croire qu'elle ne s'intéressait qu'à lui. L'argent avait tellement changé la vie de la famille Atraeus ! Il savait bien que lorsqu'une femme le regardait, c'était aussi sa richesse qu'elle voyait à travers lui. Comme cela l'avait été pour son père, l'argent avait été le facteur dominant dans la plupart de ses relations avec les femmes.

Il avait commis l'erreur de penser que Sienna n'était pas différente et qu'aux prises avec des difficultés financières, elle n'avait vu en lui qu'un tiroir-caisse.

Il s'était lourdement trompé.

Aussi fallait-il à présent qu'il répare cette erreur, qu'il la convainque de lui donner encore une chance.

Peu importaient les forces qu'il devrait jeter dans cette bataille, il voulait que Sienna lui revienne.

Tomas rappela pour lui annoncer qu'un de leurs jets privés était prêt à décoller. Il n'y avait plus aucun vol disponible pour quitter l'île et, si Sienna tenait vraiment à partir le jour même, elle devrait emprunter l'un des avions de la compagnie Atraeus.

Le cœur battant d'espoir, Constantine raccrocha et alla chercher les clés de sa Maserati. Sienna n'aimerait pas qu'il cherche à lui forcer la main, c'était certain, mais c'était sa seule chance de pouvoir la retenir. Et chaque seconde qui passait approfondissait un peu plus le gouffre qu'il avait creusé entre eux.

Trente minutes plus tard, il garait son bolide à l'aéroport, remplissait l'autorisation de sortie et se dirigeait vers son hangar privé. Thomas l'avait informé que Sienna était déjà à bord.

Durant le vol, elle ne tint pas compte de lui, choisissant de dormir ou de le feindre.

Il se força à rester calme, songeant pour cela à toutes les erreurs qu'il avait commises.

S'il avait eu le choix, il ne lui aurait jamais proposé ce contrat de mariage. Mais elle était si attachée à la société Ambrosi qu'il s'était senti obligé d'agir en ce sens. Elle y tenait autant qu'une mère à son enfant. Depuis son adolescence, elle en avait eu la responsabilité, se sacrifiant pour tenter de réparer les dommages causés par son père.

Lorsqu'il s'était séparé d'elle, il ne connaissait pas tous les tenants et les aboutissants de l'affaire, de même qu'il ignorait la bataille intérieure qu'elle avait dû livrer. Il l'avait toujours connue si efficace et si organisée qu'il avait occulté un fait de taille : elle n'était qu'une victime des problèmes d'addiction de son père.

A ce moment-là, il avait été en colère contre elle, lui reprochant de lui avoir caché les pertes de la société Ambrosi, ainsi que les emprunts extorqués par Roberto à Lorenzo. Et si, à cette époque, il n'avait pas voulu reconnaître les raisons de sa conduite intransigeante, il n'en allait pas de même aujourd'hui.

Car ce qu'il ressentait pour Sienna était différent de tout ce qu'il avait connu jusque-là.

L'idée qu'elle soit peut-être enceinte, et que,

bientôt, elle puisse donner naissance à leur enfant, avait décuplé l'amour qu'il lui portait.

Son émotion était si forte qu'elle en devint douloureuse. Et, même s'il avait toujours cherché à étouffer ce sentiment, il savait le nommer désormais, et c'était bien pour cela qu'il avait été tellement furieux de ce qu'il avait perçu comme une trahison.

Elle avait raison. Il avait essayé de garder le contrôle sur elle et sur les enfants qu'ils pourraient avoir, de même que sur ses propres émotions. Mais la manière dont il s'y était pris n'avait fait que le desservir.

Par sa seule faute, il était sur le point de perdre ce à quoi il tenait le plus.

- 16 -

Lorsque le jet privé du groupe Atraeus atterrit à l'aéroport de Sydney, il était plus de 20 heures et il pleuvait. Mais après la chaleur étouffante qui régnait sur Médinos, un peu de fraîcheur était la bienvenue.

Sienna s'empressa de refuser la proposition de Constantine qui voulait la raccompagner jusque chez elle.

— Je peux très bien prendre un taxi. J'irai récupérer ma voiture chez maman, et je rentrerai toute seule chez moi, répliqua-t-elle sèchement.

— Laisse-moi au moins te déposer à Pier Pont. Cela n'étonnera personne. A moins que tu ne veuilles venir chez moi…

— Je ne vais pas chez toi, trancha-t-elle fermement.

Malgré la réticence qu'il sentait en elle, il la prit par le bras et l'entraîna vers les chariots à bagages.

— Reste au moins à Pier Point, insista-t-il en lui relâchant le bras.

— Si c'est un ordre…

Il massa les muscles douloureux de sa nuque, trahissant la frustration qu'il éprouvait depuis qu'il était monté à bord de l'avion.

— Ce n'est pas un ordre, c'est juste une… suggestion.

Il pointa le menton en direction de la presse qui attendait impatiemment dans le salon d'arrivée. Comme pour lui donner raison, des dizaines de photographes braquèrent leurs appareils photo dans leur direction, et les questions se mirent à fuser.

— Dont tu comprends maintenant la raison, ajouta-t-il.

Trente minutes plus tard, ils avaient effectué dans un silence pesant le trajet qui conduisait à Pier Point. Il gara son Audi dans l'allée et, après avoir transporté les bagages de Sienna dans la maison, il prit quelques minutes pour discuter avec sa mère et Carla.

Leurs regards se croisèrent brièvement, lorsque Margaret leur adressa des félicitations pour le moins guindées. L'espace de quelques secondes, Sienna crut voir derrière ce regard qui se voulait tout en retenue une émotion qui lui fit battre le cœur.

Juste avant de partir, il lui tendit une enveloppe. Elle en vérifia le contenu : il s'agissait de la clause concernant les enfants, que Vitalis avait fait imprimer en deux exemplaires. Lorsqu'elle leva les yeux, Constantine était déjà parti.

— J'espère que tu ne te sacrifies pas pour l'entreprise, ou pour nous, lâcha sa mère en rivant son regard d'acier sur elle.

Les mains tremblantes, elle rangea l'enveloppe dans son sac à main.

— Ne t'inquiète pas, ce n'est pas le cas. Et maintenant, si cela ne te dérange pas, j'aimerais beaucoup boire une tasse de thé.

Le vol avait été confortable, certes, mais comme

elle avait fait semblant de dormir pendant toute sa durée, cela signifiait qu'elle n'avait rien bu ni mangé depuis des heures.

Brûlant d'impatience, Carla l'entraîna dans la cuisine et la fit asseoir sur l'un des tabourets qui entouraient le comptoir.

— Assieds-toi, et raconte-moi tout, pendant que je prépare le thé.

Sienna s'assit docilement et, entre deux gorgées d'un thé réconfortant, elle s'appliqua à faire le compte rendu factuel de ce qu'elle avait vécu, tout en gardant pour elle les émotions qui avaient ponctué son séjour.

Lorsqu'elle eut terminé son récit, sa mère plaça devant elle un sandwich qu'elle la pria d'avaler.

— Finalement, dit-elle, je commence à bien l'apprécier, ce garçon.

Sienna esquissa un sourire amusé.

« Garçon » n'était pas le terme qu'elle aurait employé pour cet homme mesurant plus d'un mètre quatre-vingt-dix, bâti comme un charpentier et qui l'avait probablement mise enceinte.

— Mais il faut nous dire la vérité, maintenant, insista Margaret. As-tu accepté d'épouser Constantine pour sauver l'entreprise ?

— Non, répondit-elle en avalant avec difficulté une bouchée de son sandwich. Mais c'est plus compliqué que ça.

— Tu l'aimes, constata sa mère. Tu l'as toujours aimé.

Sienna sentit ses joues s'empourprer violemment.

— De quel côté es-tu, exactement ?

— Du tien, bien sûr. Mais, que tu épouses cet homme ou non, cesse de t'inquiéter pour nous. Et si la société, ainsi que cette maison, doivent passer dans d'autres mains, qu'il en soit ainsi. Tu sais bien que les affaires n'ont jamais été ma passion.

Sienna fixa le reste de son sandwich. Le peu d'appétit qu'elle avait s'était à présent complètement envolé. Constantine l'avait blessée, assez profondément pour qu'elle envisage de refuser ce mariage. Elle était d'ailleurs presque certaine qu'il ne la retiendrait pas, et cette perspective la faisait énormément souffrir.

Avec sa clairvoyance coutumière, sa mère était allée droit au but. En effet, les femmes Ambrosi pourraient survivre sans l'argent des Atraeus. Mais le problème était autre, désormais : était-elle capable de survivre sans Constantine ?

Elle lui avait dit de but en blanc, au cours du trajet qui les avait conduits jusqu'ici, qu'elle avait besoin de temps pour réfléchir et remettre un peu d'ordre dans ses idées. Bien que contrarié, il avait accepté et compris son besoin d'espace.

Si elle prenait également en compte le fait qu'il lui avait remis cette enveloppe, la laissant libre d'en disposer à sa guise, elle ne pouvait que constater les progrès qu'il avait accomplis. Elle ignorait encore combien de temps il lui faudrait pour panser ses plaies, mais ces deux éléments étaient le signe de sa bonne volonté.

Elle prit sa décision alors qu'elle terminait son thé.

Elle épouserait Constantine pour une simple et

bonne raison : aussi meurtrie soit-elle, elle ne pouvait envisager sa vie sans lui.

Deux semaines plus tard, la journée prévue pour les noces de Constantine et de Sienna s'annonçait douce et sans nuage.

A en juger par le brouhaha qui avait commencé une demi-heure plus tôt, provoqué par l'arrivée massive de cousins, tantes, coiffeurs et maquilleurs, ce rassemblement ressemblait plus à une émeute qu'à un mariage sur le point d'être célébré.

Margaret Ambrosi avait insisté sur un point : si sa fille se mariait à Médinos, ils auraient besoin d'une maison dans laquelle serait célébrée la cérémonie. Constantine s'était donc débrouillé pour rendre disponible une villa privée. Cette tradition était un peu désuète, mais Sienna ne s'était pas formalisée. Tout ce remue-ménage occupait son esprit et l'empêchait de penser au risque qu'elle prenait.

Aidée de Tomas, sa mère s'était occupée de tout avec une remarquable efficacité, n'hésitant pas à user du nom d'Atraeus pour se faire ouvrir certaines portes. Du choix de la robe jusqu'à l'organisation de la réception au Castello, en passant par le choix des fleurs, de la musique et des chœurs de l'église, elle avait absolument tout orchestré.

Carla passa la tête par la porte et lui tendit une enveloppe.

— Tiens, c'est pour toi, ça vient d'arriver. Il te reste trente minutes, comment te sens-tu ?

Le cœur de Sienna se mit à battre plus fort, tandis

qu'elle prenait l'enveloppe et vérifiait l'heure à sa montre-bracelet.

— Parfaitement bien, mentit-elle.

En réalité, elle se sentait nerveuse et malheureuse, parce qu'elle avait à peine vu Constantine depuis la conversation qu'ils avaient eue, le lendemain de leur arrivée à Sydney et au cours de laquelle elle lui avait annoncé qu'elle acceptait sa proposition.

Depuis, ils n'avaient jamais réussi à se retrouver seuls, en tête à tête, au point qu'elle commençait à se demander si Constantine ne cherchait pas à l'éviter.

La limousine était prévue pour 11 heures. Il lui restait donc encore trente minutes, mais elle était prête, les cheveux coiffés, le maquillage appliqué, les ongles parfaitement manucurés.

Elle avait revêtu sa robe, une robe élégante sans manches, coupée dans une mousseline si légère qu'elle semblait flotter autour d'elle comme de délicats pétales de roses. Pour l'occasion, elle portait une pièce unique, sortie des ateliers Ambrosi, que sa grand-tante lui avait donné comme cadeau de mariage.

Lorsque Carla referma la porte derrière elle, Sienna étudia l'enveloppe de plus près et reconnut immédiatement l'écriture de Constantine.

Elle la décacheta d'une main fébrile et y trouva les trois exemplaires du contrat de mariage qu'elle avait signés, accompagnés d'une note griffonnée de sa main : les actions ne changeraient pas de mains. La société Ambrosi appartenait toujours à sa famille.

En clair, il avait mis le contrat en suspens. Libre à elle d'en faire ce qu'elle voulait.

Les jambes flageolantes, elle alla s'asseoir au bord du lit. En agissant comme il le faisait, non seulement Constantine renonçait à obtenir réparation quant au préjudice causé par Roberto, mais, en plus, il prenait un risque financier quant au développement de son nouveau complexe hôtelier.

Elle aurait dû être soulagée, mais elle se sentit angoissée. Une question la taraudait : cela signifiait-il que le mariage était annulé ?

Pour la deuxième fois, Carla pénétra dans la chambre, avec cette fois un téléphone à la main.

— C'est de Vries, dit-elle à voix basse.

Ce n'était pas Northcliff, comme elle s'y était attendue, mais Hammond de Vries en personne. Il n'y alla pas par quatre chemins et lui annonça qu'il avait changé d'avis : il voulait lui passer commande, et la somme qu'il lui offrait était exorbitante.

Elle venait de raccrocher, lorsque sa mère fit à son tour son apparition dans la chambre. Même si Margaret avait l'air un peu fatiguée, elle était très belle, dans son tailleur couleur lavande.

— Sienna…, commença-t-elle avant de s'interrompre.

La porte de la chambre venait de s'ouvrir à la volée. C'était Constantine, plus séduisant que jamais, dans son costume sombre.

— Si vous voulez bien m'excuser, madame Ambrosi, j'ai besoin de parler à Sienna. En tête à tête. Ça ne prendra pas plus de cinq minutes, lui chuchota-t-il à l'oreille, tandis qu'il la reconduisait à la porte.

Sienna se leva, le cœur battant, parce que

Constantine avait revêtu son costume de mariage et qu'elle savait donc désormais, avec certitude, la seule chose qu'elle avait besoin de savoir.

— Je viens de refuser l'offre de de Vries, annonça-t-elle avec gravité. Je sais très bien que c'est toi qui es derrière cette initiative et je sais aussi pourquoi tu l'as prise.

— Comment as-tu deviné que c'était moi ?

— Hammond de Vries n'appelle jamais lui-même. Il fait toujours appeler l'un de ses acheteurs. Et la coïncidence est trop incroyable. Pourquoi appellerait-il aujourd'hui, alors qu'il a mon numéro de téléphone depuis des mois ? De plus…

Elle s'interrompit pour inspirer profondément.

— … j'ai appris récemment que le groupe Atraeus avait acquis un certain pourcentage des actions de de Vries.

Constantine s'appuya contre la porte et la fixa d'un air sceptique.

— Qui te l'a dit ?

— Un de mes contacts.

— Ta mère, probablement, devina-t-il.

— Justement, elle vient d'avoir une conversation avec Tomas…

— … qui est sous le charme, termina-t-il.

— Tout le monde est sous le charme. Donc, tu me laisses le choix. Mais, toi, Constantine, que veux-tu ?

Elle craignit soudain de paraître ridicule, tant elle irradiait de bonheur.

Les yeux rivés aux siens, il vint vers elle et la saisit par la taille.

— A l'heure qu'il est, tu devrais quand même le

savoir. Je veux t'épouser, mais, cette fois, c'est toi qui décides. La balle est dans ton camp.

Au comble de l'émotion, elle noua les bras autour de son cou et l'embrassa avec une infinie douceur. Quelques secondes plus tard, il s'écarta légèrement d'elle et sortit un écrin noir de la poche de sa veste.

— Il y a autre chose…

L'émotion la submergea lorsqu'il mit un genou à terre et qu'il ouvrit l'écrin. Il en sortit une bague digne d'une princesse, un diamant d'une extrême pureté qui brillait de tous ses feux.

— Sienna Ambrosi, veux-tu m'épouser et m'aimer toute ta vie ?

— Oui, répondit-elle, la gorge serrée et les yeux pleins de larmes.

Alors seulement, Constantine fit glisser la bague à son doigt.

— Tu m'aimes. Je le sais.

Un vertige délicieux s'empara d'elle, alors qu'il se relevait et l'attirait un peu plus contre lui.

— Je t'ai aimée à la seconde où je t'ai vue. Je me souviens même du moment exact où je suis tombé amoureux de toi.

— Avant l'incident de la chaussure ? demanda-t-elle avec un brin de coquetterie.

— Cinq secondes avant. J'avoue que ma tentative pour jouer les princes charmants était plutôt ratée. Il me restait un sacré chemin à faire, ajouta-t-il, un sourire amusé aux lèvres.

Il se tut et pencha la tête vers elle pour effleurer ses lèvres d'un baiser. Le temps suspendit son vol.

Durant quelques secondes, elle eut l'impression de flotter sur un nuage.

Lorsqu'il releva la tête, il lui caressa le dos, la serrant plus étroitement contre lui. Ce contact avait quelque chose de rassurant, car il lui rappela que, si elle était fragile, il l'était tout autant. Mais il lui avait fallu du temps pour le comprendre.

Un petit coup sec frappé à la porte leur annonça que Margaret rentrait dans la pièce. Les cinq minutes qu'elle leur avait accordées étaient écoulées, et elle exigeait de savoir si tout allait bien.

— C'est bon, maman, la rassura Sienna. C'est bientôt l'heure de la cérémonie.

— Très bien. Je vais prévenir le chauffeur.

Les mains tremblantes, Sienna ajusta son voile et prit son bouquet de mariée. Comme à son habitude, Constantine ne manifestait aucune émotion.

Il entremêla ses doigts à ceux de Sienna, et l'embrassa par-dessus son voile.

Elle le repoussa gentiment.

— Tu dois partir, murmura-t-elle. Nous allons être en retard.

— Non, je ne pars pas, dit-il simplement. Désormais, je serai toujours auprès de toi.

Retrouvez la suite de votre série dès le mois prochain dans votre collection Passions !

MICHELLE CELMER

Sur la route de Paradise

Titre original : NO ORDINARY JOE

Traduction française de FLORENCE MOREAU

83-85, boulevard Vincent-Auriol, 75646 PARIS CEDEX 13.
Service Lectrices — Tél. : 01 45 82 47 47

- 1 -

Assise sur la banquette arrière d'une voiture de police de l'Etat du Colorado, Reily Eckardt était en proie au plus grand désarroi. Depuis qu'elle avait quitté le Montana, trois jours plus tôt, les catastrophes s'étaient enchaînées, mais, cette fois, elle avait vraiment l'impression d'avoir touché le fond.

Tout avait commencé par une simple contravention pour excès de vitesse lorsqu'elle avait passé la frontière du Wyoming. Son désir d'aventure exacerbé lui avait fait perdre le sens de la mesure, et elle avait payé son imprudence par une amende salée. Puis les choses s'étaient compliquées. Alors qu'elle avait traversé la moitié de l'Etat, le témoin du réservoir d'eau s'était mis à clignoter sur le tableau de bord, et elle avait dû passer la nuit dans le Wyoming, le temps que le garagiste commande une nouvelle pièce en remplacement de la pièce cassée. Dans le Colorado, ç'avait été un pneu qui avait éclaté, ce qui l'avait encore retardée de quatre heures et avait grevé un peu plus son budget. Elle n'avait pu reprendre le volant qu'à 16 h 30.

Mais elle n'avait encore rien vu ! Vers 20 heures, juste en quittant l'autoroute, elle s'était arrêtée à une station-service pour boire un café. Elle comptait rattraper le temps perdu en conduisant jusqu'à minuit, puis dormir dans un motel. Mauvais calcul.

Apparemment, elle était plus fatiguée qu'elle ne l'avait imaginé, sinon elle n'aurait jamais laissé ses clés sur le contact ! Quand elle était ressortie, un café à la main, sa voiture avait disparu…

A présent, le policier qui avait pris sa déposition venait d'ouvrir la portière et lui faisait signe de sortir du véhicule climatisé. Prenant son sac, elle obtempéra. Le soleil avait glissé derrière les montagnes et une petite brise soufflait de l'air chaud et sec.

— Vous l'avez retrouvée ? demanda-t-elle, d'une voix partagée entre l'espoir et le désespoir.

Il secoua la tête d'un air sombre.

— Nous avons envoyé le numéro de votre plaque d'immatriculation à toutes les patrouilles, mais, pour l'instant, nous n'avons eu aucun retour.

Elle sentit son estomac se nouer un peu plus. Cela faisait une heure qu'on lui avait volé sa voiture. Tout ce qu'elle possédait, y compris l'argent qu'elle avait économisé pendant deux ans pour pouvoir prendre un nouveau départ à Nashville, se trouvait dedans. Ses vêtements, ses photos, la guitare de sa mère… Tout était parti. Envolé ! Tout ce qui lui restait de ses biens en ce bas monde, c'était son sac à main et la monnaie que lui avait remise la caissière sur le billet de cinquante dollars qu'elle avait pris dans sa valise, avant d'entrer dans le libre-service de la station d'essence.

Comment avait-elle pu être aussi négligente ?

— Est-ce que vous pensez qu'il y a des chances pour qu'on la retrouve ? demanda-t-elle alors.

A la mine sévère du policier, elle comprit la réponse.

— Je suppose que vous souhaitez faire une déclaration de vol auprès de votre assurance. Même si nous la retrouvons, je doute qu'elle soit encore entière.

Le problème, c'était que sa voiture était si vieille qu'elle ne l'avait même pas assurée contre le vol.

Elle aspira une grande bouffée d'air et s'efforça de ne pas se laisser submerger par la vague de désespoir et d'impuissance qu'elle sentait monter en elle. Il ne manquait plus qu'elle vomisse sur le parking… La situation semblait désespérée, mais la vie lui avait appris que les choses pouvaient toujours être pires. Et puis elle ne doutait pas de sa force : elle se sortirait de cette épreuve, et retrouverait son équilibre, comme elle l'avait toujours fait.

Elle avait déjà appelé sa cousine dans l'Arkansas pour la prévenir qu'elle ne passerait finalement pas la voir. Luann était adorable et elle lui aurait spontanément offert un toit pour quelques jours. Mais, en tant que divorcée vivant de l'aide sociale avec trois enfants en bas âge sur les bras, elle n'avait ni l'espace ni l'argent pour prendre en charge une invitée sans ressources.

Elle ne pouvait pas non plus demander à sa tante de lui prêter de l'argent pour poursuivre son voyage jusqu'à Nashville dans la mesure où celle-ci vivotait de ses allocations chômage. Et il était exclu qu'elle retourne, tête basse, dans le Montana. En outre, elle avait l'habitude de se prendre en charge. Elle finirait par arriver à Nashville où elle comptait faire une grande carrière dans la chanson. Cela prendrait juste un peu plus de temps que prévu.

— Est-ce que je peux vous déposer quelque part, mademoiselle Eckardt ? demanda le policier.

Elle se tourna vers lui et, pour la première fois, le regarda vraiment. Il avait un visage sympathique et un ventre un peu arrondi, là où quelques années plus tôt encore il ne devait y avoir que des muscles. Sur son badge figuraient son titre et son nom : lieutenant Philip Jeffries. Il avait dû décliner son identité en arrivant sur les lieux du vol, mais elle était alors bien trop perturbée pour s'en souvenir. Elle se rappellerait toute sa vie le moment où elle était ressortie du libre-service pour s'apercevoir que la place où elle avait garé sa voiture était vide. C'était sans doute l'expérience la plus surréaliste qu'elle ait jamais vécue. Même maintenant, elle avait du mal à croire qu'on lui avait vraiment volée. Mais il ne servait à rien de s'apitoyer sur son sort. Elle avait besoin de mettre au point un plan d'action.

Après une profonde inspiration, elle redressa les épaules.

— Je veux bien que vous me déposiez à la ville la plus proche, dit-elle au lieutenant.

— Ce sera donc à Paradise, là où j'habite. C'est à sept kilomètres d'ici.

Elle n'avait pas vraiment le choix. Denver se situait à deux heures dans la direction opposée. En outre, une petite ville serait moins chère qu'une grande, et une bourgade répondant au nom de Paradise ne pouvait qu'être charmante.

— J'imagine qu'à Paradise, il n'y a pas de foyer pour femmes ou de M.J.C. ?

— Non, désolé. En revanche, nous avons le Sunrise

Motel, si vous recherchez un hôtel bon marché. Dites à Roberta, la patronne, que vous venez de ma part et elle vous laissera une chambre à vingt-cinq dollars.

Entre le Sunrise Motel et dormir sur le parking de la station-service, elle n'hésita pas.

Il ouvrit la portière pour qu'elle remonte dans la voiture de police, sur le siège passager cette fois, puis il prit place derrière le volant.

— Vous ne sauriez pas si quelqu'un en ville recrute de la main-d'œuvre, par hasard ? demanda-t-elle alors.

Il lui lança un regard en biais.

— Vous comptez vous installer dans la région ?

— Je n'ai pas d'autre option. Tout ce que je possédais et toutes mes économies se trouvaient dans ma voiture. J'ai sur moi exactement quarante-huit dollars et cinquante-deux centimes. A moins que, par miracle, on retrouve ma voiture, il faut que je gagne de l'argent si je veux aller quelque part ailleurs.

— Vous n'avez pas de famille qui pourrait vous aider et vous envoyer un mandat ? Il y a un Western Union à la poste de Paradise.

Elle secoua la tête, et son ventre se noua un peu plus.

— Je n'ai quasiment personne au monde, répondit-elle.

— Quel genre d'emploi recherchez-vous ? s'enquit-il alors.

— Je suis ouverte à toute proposition, mais j'ai surtout de l'expérience en tant que serveuse de bar et de restaurant. Je sais aussi chanter. Et j'ai d'excellentes références. Vous pouvez vérifier, vous en avez les moyens je suppose. Je n'ai jamais eu de problèmes avec la loi, et jusqu'à il y a encore deux jours, je n'avais même jamais écopé de la moindre contravention.

Il lui lança un sourire en coin.

— Je sais.

Comme elle était naïve ! Il avait déjà pris des renseignements sur elle afin de vérifier qu'elle n'avait pas de casier judiciaire, ni qu'aucun mandat d'arrêt n'avait été délivré contre elle.

Il resta silencieux une petite minute, puis reprit :

— Je ne suis pas un sauveur d'âmes en détresse, mais vous me semblez une brave jeune fille et vous êtes dans un fichu pétrin. Et si je vous emmenais chez Joe ? Il a toujours besoin d'un extra. Et, s'il n'a rien pour vous, on pourra essayer le restaurant qui se trouve à l'autre bout de la ville.

Elle était si soulagée qu'elle en aurait pleuré de joie.

— Vous ne pouvez imaginer combien j'apprécie votre proposition. Je suis tellement désespérée que n'importe quel travail fera l'affaire.

— Attention, je ne vous ai fait aucune promesse.

— Je comprends. Merci, monsieur Jeffries.

— Appelez-moi P.J., comme tout le monde à Paradise. Dans les petites villes, personne ne se préoccupe des titres.

— Moi aussi j'ai grandi dans une petite ville. Et je sais ce que c'est que de ne pas être pris au sérieux.

Depuis l'âge de dix ans, elle avait voulu devenir chanteuse de country, mais personne n'avait pensé qu'elle aurait un jour le cran d'aller à Nashville. Et quand elle eut ressemblé son courage et économisé assez d'argent, même sa meilleure amie lui avait prédit qu'elle reviendrait au bout d'un mois ou deux pour cause d'échec. Ce qui était précisément la raison pour laquelle elle ne pouvait réintégrer sa ville quelques jours seulement après son départ. Tout le monde se gausserait.

P.J. quitta l'autoroute pour s'engager sur une route déserte à deux voies, bordée par des fermes d'un côté et un bois épais de l'autre.

— Est-ce que Paradise est une ville touristique ? demanda-t-elle alors.

— Non… Nous sommes trop loin de l'autoroute et des pistes de ski à la mode. Nous sommes essentiellement une communauté rurale.

En somme, Paradise ressemblait à sa ville natale du Montana : exactement le genre d'endroit auquel elle voulait échapper ! Etait-ce une mauvaise plaisanterie du destin ? Elle s'efforça de se rassurer en se disant que sa situation n'était que provisoire. Et elle eut la sensation qu'elle devrait se le rappeler souvent jusqu'à ce qu'elle reprenne la route pour Nashville.

Ils parcoururent encore quelques kilomètres avant que le Sunrise Motel ne se dessine à l'horizon. C'était un établissement d'aspect vieillot, mais qui semblait propre et bien entretenu. Elle espérait qu'il ne serait pas ruineux pour son budget. Ils prirent un virage, et ce fut alors que Paradise surgit devant eux. La pancarte de bienvenue indiquait fièrement une population de mille six cent trente-deux habitants.

— Nous y sommes, déclara P.J.

Il passa alors devant une rangée de petites maisons soignées avant de s'engager dans la rue principale, qui était d'une longueur fort modeste. Elle n'était pas experte en architecture, mais quelques bâtisses lui semblèrent avoir plus de cent ans. Comme dans la plupart des vieilles villes, certaines étaient rénovées, tandis que d'autres étaient laissées à l'abandon. Mais dans l'ensemble, d'après ce qu'elle pouvait voir dans la lumière déclinante, c'était une charmante petite ville.

Ce n'était évidemment pas Nashville, mais cela ferait l'affaire jusqu'à ce qu'elle ait réuni assez d'argent pour reprendre la route.

Ils longèrent un premier restaurant, Lou's Diner, en face duquel se trouvait Parson's General Store. Puis il y avait une épicerie et une friperie, et en face la poste et une banque. Elle repéra aussi diverses petites boutiques ainsi que des cabinets professionnels.

Quelques voitures étaient garées devant le restaurant, mais, à part cela, la ville était déserte jusqu'à ce qu'ils en atteignent l'autre côté. C'est là que se trouvait Joe's Place, un restaurant construit sur le modèle d'un solide chalet de bois. C'était sans nul doute possible l'endroit phare de Paradise. Dans le parking et la rue où il se trouvait, de nombreux véhicules étaient stationnés, pour la plupart des pick-up ou des vieux modèles de voiture, sans compter quelques Mobylette.

— C'est ici, dit P.J.

— On dirait qu'il y a du monde.

— Joe fait de bonnes recettes. Il a repris le restaurant il y a trois ans, à la mort de son père.

P.J. freina et s'arrêta en double file devant la porte d'entrée.

— Avant, c'était un endroit quelconque, mais quand Joe Junior a touché l'assurance-vie de son père, il a tout refait. Et, si vous voulez savoir, il a eu le nez fin.

Elle perçut immédiatement la musique country qui s'échappait du bar quand elle sortit de la voiture et sentit son cœur se mettre à battre au rythme de la musique tandis qu'elle emboîtait le pas au policier. Il lui ouvrit la porte, et elle eut le souffle coupé par le spectacle qui s'offrait à ses yeux.

C'était tout simplement *superbe*. La décoration toute de bois procurait un sentiment immédiat de chaleur et de convivialité. D'un côté de la salle, des box étaient alignés contre chaque mur, et des tables occupaient l'espace entre les deux rangées. Au fond se trouvaient l'estrade et la piste de danse. A droite, c'était le bar, bien approvisionné et tout en acier chromé, surmonté d'un immense écran plat. Aux murs étaient accrochées toutes sortes d'enseignes vintage et des photos en noir et blanc.

Joe Junior n'avait pas regardé à la dépense, quand il avait restauré l'établissement et, si la nourriture était égale à l'ambiance qui se dégageait de l'endroit, il n'était pas surprenant qu'il soit bondé.

P.J. la conduisit jusqu'au comptoir et échangea deux mots avec la barmaid, une petite brune à l'air énergique, qui lui désigna une porte derrière laquelle il disparut.

Le cœur battant, Reily attendit qu'il revienne, observant les serveuses qui s'affairaient à prendre et à apporter des commandes. S'il y avait tant de monde un jeudi soir, elle n'osait pas imaginer ce que c'était le week-end. Même si elle n'obtenait qu'un travail à mi-temps, les pourboires qu'elle se ferait compenseraient largement le manque à gagner.

P.J. réapparut quelques minutes plus tard, en compagnie d'un homme qui devait probablement être le propriétaire des lieux.

Le policier lui fit signe d'approcher.

— Reily, voici Joe Miller. Joe, je te présente Reily Eckardt, la femme dont je viens de te parler.

Sans savoir pourquoi, elle s'était imaginé Miller plus âgé, entre quarante et cinquante ans. En réalité, il ne devait pas en avoir plus de trente. Il était grand et mince et plutôt beau gosse pour qui aimait le genre ténébreux. Il portait un jean délavé, et un T-shirt noir où était imprimé le logo du bar. Et il fronçait les sourcils.

Elle en déduisit qu'il n'avait pas apprécié d'avoir été dérangé.

A cet instant, P.J. lui prit la main et la lui serra chaleureusement.

— Je dois retourner travailler, annonça-t-il. Ce fut un plaisir de vous rencontrer, mademoiselle Eckardt, et j'espère que tout s'arrangera pour vous. Si tout va bien, nous nous reverrons sans doute par ici. Et bien sûr, si j'ai du nouveau au sujet de votre voiture, je vous appelle.

Ce ne serait pas le cas, et tous les deux le savaient. Le voleur devait être loin à l'heure qu'il était.

Elle lui sourit néanmoins, et répondit :

— Merci, P.J.

Une fois le policier parti, Joe Miller s'appuya au comptoir, et la jaugea avec lenteur. Ses yeux noirs ne reflétaient pas la moindre chaleur ni amabilité. Quand il prit la parole, sa voix était si basse et grave qu'elle dut tendre l'oreille pour comprendre ce qu'il disait par-dessus la musique qui sortait du juke-box.

— P.J. m'a dit que vous aviez eu quelques difficultés et que vous recherchiez un emploi temporaire en ville.

Quelques difficultés ? C'était un euphémisme.

— Pour tout dire, je suis désespérée, monsieur Miller. Si vous aviez n'importe quel job à me proposer, je vous en serais éternellement reconnaissante.

— Quel genre d'expérience avez-vous ? demanda-t-il.

Elle dut se rapprocher de lui pour mieux l'entendre, et perçut alors l'odeur de son after-shave. C'était un parfum épicé, comme celui que portait son père, autrefois. Tout à coup, Joe Miller lui parut un peu moins impressionnant.

— J'ai été serveuse pendant huit ans, dit-elle.

— Vous avez des références ?

— Bien sûr, mais je ne peux rien vous prouver puisque tout m'a été volé avec ma voiture.

Il sortit alors un stylo et un carnet de commandes de derrière le comptoir et le lui tendit.

— Ecrivez-moi le nom et le numéro de téléphone de votre dernier employeur.

Elle hésita. Le bar dans lequel elle avait travaillé depuis l'âge de dix-huit ans était tenu par le meilleur ami de son père, Abe. C'était aussi le plus grand bavard de la ville. Si Joe l'appelait, en cinq minutes, toute la ville serait au courant qu'elle n'était pas arrivée à Nashville.

Mais, encore une fois, avait-elle le choix ?

Elle écrivit donc docilement le nom et le numéro de téléphone d'Abe et redonna le carnet.

— Combien de temps comptez-vous rester à Paradise ? demanda-t-il.

Les événements s'étaient enchaînés à une telle vitesse qu'elle n'avait pas eu le temps de réfléchir à la question.

— Je ne sais pas encore exactement…

— J'ai besoin d'une serveuse pour six semaines. Si vous prévoyez de rester une semaine ou deux, alors vous n'avez rien à faire ici, vous perdez votre temps.

Elle accusa le coup. Pour sûr, l'homme ne mâchait pas ses mots.

— Je dois économiser assez d'argent pour acheter un billet de bus, et disposer d'un ou deux mois de caution pour prendre un appartement à Nashville. Six semaines, c'est un minimum, mais cela dépendra aussi des heures que je ferai.

Il hocha la tête, lèvres serrées, sans doute pour signifier qu'il était satisfait de sa réponse. Il fit alors signe à une autre serveuse de venir.

— Lindy, je te présente Reily. Elle va te donner un coup de main pendant que je passe un appel.

Puis, se tournant vers elle, il ajouta :

— Considérez cela comme un test.

A son air, elle comprit qu'elle ne l'avait pas convaincu. Sans ajouter un mot, il disparut par la porte qui se trouvait derrière le comptoir. Ce n'était pas à proprement parler l'homme le plus chaleureux de la terre, mais elle n'était pas en position de se plaindre, puisqu'il acceptait de lui donner une chance, en dépit de son scepticisme. Chez Lou's Diner, à supposer qu'ils embauchent là-bas, les pourboires devaient être ridicules, comparés à ici.

Lindy lui tendit un tablier.

— Ta tête ne me dit rien. Tu es d'ici ? lui demanda cette dernière.

Elle noua son tablier autour de sa taille.

— Non, je suis de passage. Je cherche un travail temporaire pour pouvoir continuer ma route jusque dans le Tennessee.

— Et tu as choisi ce trou perdu ? Pourquoi pas Denver ?

— Je n'avais pas vraiment prévu de m'arrêter ici, mais on m'a volé ma voiture à une station-service, à quelques kilomètres d'ici. Tout ce que je possédais était dedans. Y compris mon argent.

Lindy poussa un petit cri et posa sa main sur son cœur.

— Oh ! Ma pauvre ! Tu as *tout* perdu ?

— Heureusement que j'avais mon sac à main sur moi ! Il me reste au moins ma carte d'identité et mon téléphone portable. Mais tout le reste a disparu.

— Et tes vêtements ?

Elle baissa les yeux vers son haut, son jean et ses santiags.

— Voici toute ma garde-robe.

— Si tu restes quelque temps par ici, je suis sûre que nous trouverons une personne qui fait la même taille que toi et qui pourra te donner quelques habits.

— Ce serait génial ! C'est terrible d'être complètement démunie.

— J'espère pour toi que Joe va t'embaucher. Notre barman, Mark, s'est démis le poignet, lundi dernier, et depuis il n'y a plus que Rick et moi, mais Rick ne travaille que quelques soirs par semaine… Ce week-end, ça va être un vrai cauchemar, même avec Joe derrière le comptoir. Il est temps qu'il embauche quelqu'un pour remplacer Rick.

Reily en conclut que Joe avait autant besoin de ses services qu'elle de ce poste. Elle croisa mentalement les doigts.

Lindy lui indiqua l'endroit où se trouvait ce dont elle aurait besoin pour assurer le service, puis elles se mirent au travail, prenant les commandes, les préparant — tâches qu'elle connaissait par cœur. Elle discutait avec les clients, n'hésitant pas à recourir, le cas échéant, à un beau sourire. Durant la demi-heure qu'il fallut à Joe pour vérifier ses références, elle avait fait connaissance avec au moins douze habitants de Paradise. Jusque-là, elle devait reconnaître que la bourgade portait bien son nom.

Joe réapparut, et s'avança derrière le comptoir, une expression indéchiffrable aux lèvres. Son cœur fit un petit bond dans sa poitrine. Elle espérait qu'il avait apprécié ce qu'Abe lui avait dit sur elle.

— Alors, comment s'en sort-elle ? demanda-t-il à Lindy.

— On voit qu'elle a du métier, et il semblerait qu'elle a *vraiment* besoin de ce job, répondit cette dernière en adressant un beau sourire à Reily. Et moi j'ai *vraiment* besoin d'aide !

— J'ai vérifié vos références, lui dit Joe avant

d'ajouter sur un ton agacé à peine masqué : Votre ancien chef est un bavard invétéré, non ?

Connaissant Abe, il avait sans doute dû lui raconter toute la vie de son ex-employée.

— Désolée, j'espère qu'il ne vous a pas trop cassé les oreilles.

— C'était limite, mais toujours est-il qu'il m'a dit beaucoup de bien de vous, alors je pense que je vais vous garder.

Elle sentit l'angoisse accumulée durant la journée fondre d'un coup et une vague de pur soulagement balaya tout son être.

— Merci beaucoup, monsieur Miller ! Vous ne pouvez pas savoir à quel point je vous suis reconnaissante.

— Mon nom, c'est Joe, fit-il d'un ton impassible.

Et elle n'aurait su dire s'il éprouvait la moindre satisfaction personnelle de lui avoir en quelque sorte sauvé la vie.

— Vous pourrez commencer dès demain, ajouta-t-il. Nous ouvrons à 11 heures, pour le déjeuner, mais, comme vous devrez remplir votre dossier administratif, venez à 10 heures.

— Entendu.

— Nous sommes ouverts du lundi au jeudi de 11 heures à 22 heures, le vendredi et le samedi jusqu'à 2 heures du matin. Nous sommes fermés le dimanche.

— Je suis totalement disponible. Plus je ferai d'heures, le mieux ce sera.

Il se contenta de hocher la tête, puis tourna les talons, s'éclipsant de nouveau derrière la porte.

— Je crois savoir ce que tu penses, commença Lindy, mais je t'assure que c'est vraiment un type bien quand on le connaît.

— Est-ce que toi et lui… ?

Lindy se mit à rire.

— Non, nous ne sortons pas ensemble. Nous sommes juste de bons amis. Je connais Joe depuis toujours. Et, même si j'étais intéressée, il est indisponible sur le plan émotionnel, si tu vois ce que je veux dire.

— Je vois *tout à fait* ce que tu veux dire.

Elle était déjà sortie avec des hommes comme lui. Ils ne valaient pas les peines de cœur qu'ils provoquaient inévitablement.

Retirant son tablier, elle le rendit à Lindy.

— Merci d'avoir plaidé en ma faveur auprès de Joe.

— Tiens, dit alors Lindy en prenant deux billets de dix dollars de la boîte des pourboires qu'elle lui glissa dans la main.

— Non, ce n'est pas la peine, fit Reily en faisant mine de lui rendre.

Mais Lindy secoua la tête.

— Garde-les. Tu les as mérités.

Ravalant sa fierté, elle mit les billets dans la poche de son jean.

— Merci, dit-elle.

— Demain, nous nous occuperons de ta garde-robe. Tu fais un trente-huit, non ?

— Comment le sais-tu ?

— J'ai travaillé dans un grand magasin à Denver, quand j'étais en fac. Chez J.C. Penney. Je vais demander autour de moi et peut-être aussi à la friperie de Paradise.

— Merci. Tu sais, je ne suis pas une assistée, d'habitude, mais étant donné les circonstances, toute aide est la bienvenue.

Si la moitié de Paradise était aussi prévenante que Lindy, alors ce détour temporaire ne serait pas aussi terrible que ça. Néanmoins, elle émettait des réserves concernant son nouveau patron. Elle n'avait jamais travaillé avec une personne aussi bougonne. Mais peut-être devait-elle apprendre à connaître cet attirant beau gosse, même si elle ne comptait pas du tout séduire qui que ce soit durant son court séjour dans cette ville. Son seul but était de réunir l'argent nécessaire pour arriver à Nashville.

- 2 -

Une tasse de café à la main, Joe était assis dans un box devant son ordinateur portable. Du coin de l'œil, il observait sa nouvelle employée. Juchée sur un tabouret du bar, elle lui tournait le dos, tête penchée tandis qu'elle remplissait les formulaires administratifs nécessaires à son embauche. Normalement, il n'employait pas de totales inconnues, mais P.J. l'avait chaudement recommandée et, en général, il se fiait à son jugement.

Elle portait les mêmes vêtements que la veille, et il en déduisit qu'elle ne devait rien avoir d'autre à se mettre. Elle avait attaché ses cheveux en une queue-de-cheval qui se balançait dans son dos au gré de ses mouvements. C'était une jeune femme pleine de cran et d'esprit qui avait vécu une bonne partie de sa vie sur la corde raide, selon son dernier employeur. Celui-ci lui avait aussi affirmé que Reily, qui avait été élevée par sa tante à la mort prématurée de ses parents, avait été la meilleure amie de sa fille depuis la maternelle ; sa femme et lui l'avaient toujours considérée comme leur propre fille.

C'étaient là des précisions qu'il n'avait nul besoin de connaître. Il se fichait pas mal d'où elle venait et de la façon dont elle avait été élevée, dès l'instant où elle travaillait sérieusement. Faire du social, ce n'était pas son genre. N'avait-il pas appris à ses propres dépens combien l'entreprise était périlleuse ? Il se trouvait qu'elle était tombée au bon moment au bon endroit. Elle avait besoin d'un emploi, et lui avait absolument besoin d'un ou une intérimaire pour remplacer son barman. C'était aussi simple que cela. Si elle n'avait pas débarqué la veille en ville, il aurait collé une petite annonce sur sa porte.

— Qui c'est cette fille, au comptoir ?

Il détourna les yeux pour découvrir Jill, l'une de ses serveuses, qui se tenait près de sa table. Etant donné qu'elle était toujours en retard de dix minutes, il était surpris de la voir si tôt sur son lieu de travail, aujourd'hui.

— Elle s'appelle Reily, je l'ai embauchée hier soir. Elle va remplacer Mark pendant son arrêt maladie.

Sans y être invitée, Jill se glissa sur la banquette en face de lui.

— Son visage ne me dit rien, dit-elle.

— Elle n'est pas de la région, se contenta-t-il de répondre.

Si Reily souhaitait que les autres connaissent sa vie, elle la leur raconterait elle-même.

— Si tu cherchais quelqu'un, tu aurais pu appeler Ed ! Il n'a plus de travail depuis qu'il a perdu son emploi au Dairy Bar.

Si son dernier petit ami en date n'était pas fichu de préparer des copeaux de chocolat pour des glaces à la menthe, il ne voyait pas comment il aurait pu tenir le rythme dans un établissement comme le sien. En outre, il avait entendu dire qu'il se servait dans la caisse. Et puis il ne devait aucune explication à Jill, c'était *son* bar-restaurant, c'était lui qui décidait. Aussi, pour toute réponse, se contenta-t-il de baisser de nouveau les yeux vers son écran.

— Je pensais emmener Hunter au lac, dimanche, poursuivit-elle, et je me suis dit que toi et Lily Ann pourriez nous accompagner. Pour une fois, les enfants joueraient ensemble.

Le problème, c'était que Lily Ann avait peur du fils de Jill, qui était âgé de six ans. Ils avaient passé un seul après-midi ensemble, et elle était revenue couverte de bleus en raison des jeux un peu trop brutaux de Hunter.

— J'ai des choses à faire à la maison, éluda-t-il.

Se penchant sur la table, elle lui prit le bras, et le lui serra légèrement, ce qui eut le don de l'agacer. Elle avait la réputation de jeter son dévolu sur les hommes célibataires susceptibles de supporter son fils. Elle n'était pas sans attrait, mais elle n'était pas non plus d'une beauté extraordinaire, et sa mine désespérée lui collait à la peau comme l'odeur des cigarettes qu'elle fumait à la chaîne durant ses pauses. Même si elle effectuait correctement son travail, ils ne se fréquentaient pas en dehors du bar. *Et ce ne serait jamais le cas.* Ce n'était pourtant pas faute d'avoir essayé de la part de Jill. Il ne doutait pas une seconde que s'il lui demandait de sortir avec lui, elle laisserait tomber sur-le-champ son looser d'Ed.

— Je sais que tu as connu des moments difficiles, Joe, mais il faut que tu arrêtes de couver Lily Ann. La vie continue ! La garce que tu as épousée ne vaut pas la peine que tu oublies de vivre à cause d'elle.

Il serra les dents, et dégagea son bras de l'étreinte moite de Jill. La « garce » qu'elle venait d'évoquer avait été l'amour de sa vie. Sa vie personnelle — et la façon dont il élevait sa fille — ne la regardait absolument pas.

Elle avait dû comprendre qu'elle venait de faire une gaffe car elle baissa les yeux. Puis, sans chercher à insister, elle se leva et ajouta d'un ton enjoué bien peu naturel :

— Bon, je vais me préparer. Si tu changes d'avis pour dimanche, dis-le-moi.

Il n'y avait pas de risque !

A 10 h 50, Lindy pénétra dans le bar par la porte arrière. Elle se servit un café derrière le comptoir et échangea quelques paroles avec Reily. Il ne comprit pas ce qu'elles se disaient à cause de Randy Travis, dont la voix de crooner résonnait dans le juke-box, mais il vit le visage de Reily s'illuminer d'un large sourire. Puis Lindy s'avança vers son box et s'assit en face de lui.

— Bonjour, patron. Je vois que ta nouvelle employée est à l'heure.

Cette observation le surprit, car Lindy était une optimiste-née.

— Cela t'étonne ?

— Non, mais je pense que toi tu avais des doutes.

Il ne pouvait nier qu'il n'avait pas été certain à cent pour cent de la voir, ce matin. Dans une certaine mesure, il avait presque souhaité sa défection. Sa vie était assez compliquée sans qu'il n'ajoute au tout une inconnue en détresse.

Lindy prit un sachet de sucre dans le distributeur

qui se trouvait sur la table, l'ouvrit et en versa le contenu dans son café.

— Tu as fait un beau geste en acceptant de l'embaucher, hier soir, ajouta-t-elle.

Il fronça les sourcils.

— Je ne l'ai pas embauchée par gentillesse, tu sais. C'est toi qui n'arrêtais pas de me harceler pour que je remplace Mark.

— J'ai vu le nouvel emploi du temps. Tu lui as donné quarante heures de travail par semaine, c'est bien !

Il haussa les épaules.

— Normal, puisqu'elle va occuper le poste de Mark.

— Mais tu ne confies jamais un temps plein à un débutant.

— Elle a de bonnes références.

Elle leva les yeux au ciel.

— Pourquoi est-ce que tu ne veux pas tout simplement admettre que tu as fait une bonne action ?

— Parce que ce n'est pas le cas.

— Dans ces conditions, tu ne vas pas apprécier mon idée.

— Alors pourquoi me la soumettre ?

Elle lui lança un regard irrité.

— Elle a dormi au Sunrise, la nuit dernière.

— Cela me semble tout à fait raisonnable. Le motel n'est pas cher et il est à deux pas.

— Mais enfin, elle ne peut pas rester indéfiniment là-bas. Pas pour six semaines.

— Pourquoi pas ?

— Pour commencer, même si c'est bon marché,

elle va dépenser un argent fou, et puis les chambres n'ont même pas de four à micro-ondes. Elle devra prendre tous ses repas à l'extérieur, tu images le coût ?

— Qu'est-ce que ça peut te faire à toi, la façon dont elle dépense son argent ?

— Elle a l'air de quelqu'un de bien et elle traverse une sale période ! insista Lindy.

Les paroles d'Abe, l'ancien patron de Reily, lui revinrent à la mémoire. D'après lui, le sort s'était toujours acharné sur Reily Eckardt. Ce qu'elle vivait aujourd'hui, c'était en réalité son pain quotidien.

— Je lui ai donné un travail, ça ne suffit pas ?

— Pour tout te dire, Joe, je pensais à l'appartement au-dessus de ton garage…

— C'est hors de question !

Lui donner un emploi, c'était une chose, lui offrir un logement, c'était exclu.

— Pourquoi ? Il est vide depuis…

Elle se mordit la langue avant de prononcer des paroles qu'elle aurait forcément regrettées. Elle avait beau être l'une de ses meilleures amies, certains sujets étaient si tabous que même elle ne pouvait les aborder.

— Depuis un bon bout de temps, se rattrapa-t-elle. Et, pour Reily, ce serait l'idéal.

— Si tu t'inquiètes tellement pour elle, tu n'as qu'à l'inviter à séjourner chez toi.

— Dans mon minuscule studio ? Ecoute, je ne te demande pas de l'héberger chez toi. Si tu réfléchis juste une minute à la question, je suis certaine que tu en concluras que ce serait un geste très charitable de ta part.

Devant son mutisme, elle changea de stratégie et ajouta :

— Tu ne la connais pas depuis assez longtemps pour avoir quelque chose contre elle, donc j'en déduis que le problème, c'est son apparence.

— Son apparence ?

— Tu vis peut-être comme un moine, mais tu n'en es pas un. Et je suis sûre qu'il ne t'a pas échappé que Reily est vraiment très belle.

Bien sûr qu'il l'avait remarqué ! Cela faisait bien deux ans qu'il était célibataire, mais il n'en était pas moins homme. Il avait tout de suite été frappé par Reily quand elle était entrée dans son bar, et son air traumatisé et désespéré avait remué quelque chose au plus profond de son être. Il y avait si longtemps qu'il n'avait plus ressenti la moindre sensation à la vue d'une femme, qu'il pensait en être désormais incapable, et que cette partie de lui-même était morte. Visiblement, elle était juste endormie.

Et c'était précisément une raison supplémentaire pour garder ses distances avec elle !

— Ce n'est pas mon type, éluda-t-il.

Elle lui sourit.

— Dans ces conditions, cela ne devrait pas te poser de problème qu'elle séjourne dans ton appartement.

Deux ans auparavant, il n'aurait pas hésité une seconde à lui offrir l'appartement. Il se serait mis en quatre pour l'aider parce qu'il était dans sa nature de secourir son prochain. Cette conversation lui fit toucher du doigt combien il avait changé. Parfois, il aurait donné cher pour redevenir celui qu'il avait été, mais c'était un risque qu'il ne pouvait prendre.

Pour le bien-être de Lily Ann, il devait garder la tête froide. Ils avaient suffisamment souffert, tous les deux.

Cependant, en aidant Reily, il montrerait à sa fille qu'il était capable d'une bonne action, calcula-t-il. En outre, il sentait bien que Lindy n'allait pas laisser tomber la question. Elle le harcèlerait jusqu'à ce qu'il cède.

Marmonnant un juron, il secoua la tête.

— Et je suppose que tu attends que je l'héberge à titre gracieux.

— Pas du tout ! D'ailleurs, je suis sûre que ce n'est pas le genre de personne à accepter un logement gratuit et qu'elle s'acquittera volontiers d'un loyer raisonnable.

Nul doute qu'elle avait raison. Reily n'avait pas le profil d'une profiteuse. Son ex-employeur lui avait d'ailleurs assuré que c'était une jeune femme travailleuse et consciencieuse comme il en existait peu.

— Et qu'est-ce que tu entends au juste par « loyer raisonnable » ? demanda-t-il. Le dernier locataire payait quatre-vingt dollars la semaine, mais c'était il y a longtemps.

— Je ne sais pas moi… Soixante ?

Il fronça les sourcils.

— On ne peut pas dire que tu sois dans le besoin, insista Lindy. Elle, en revanche…

Encore une fois, Lindy avait raison. La location de l'appartement avait représenté un apport de revenus nécessaire quand il rénovait Joe's Place parce qu'il n'avait pas de rentrées d'argent, mais, aujourd'hui, ses affaires étaient prospères. Soixante dollars par semaine couvriraient largement les charges.

Il retint un grognement. Il n'arrivait pas à croire qu'il prenait le temps de réfléchir à la question. Toutefois, il avait les moyens d'aider Reily, aussi ne devait-il pas le faire, s'il était un homme convenable ?

C'était ce que son père aurait fait à sa place, sans d'ailleurs la moindre contrepartie pour les charges.

A cet instant, Reily sauta du tabouret et vint dans sa direction. Il ne put s'empêcher de remarquer le mouvement ondoyant de ses cheveux dans son dos.

— J'ai fini ! annonça-t-elle en lui tendant les formulaires.

Prenant sa tasse de café, Lindy se leva.

— Je vous laisse, je suis certaine que vous avez des choses à vous dire, déclara-t-elle en jetant un regard appuyé à Joe.

Puis elle ajouta à l'adresse de Reily :

— Quand vous aurez terminé, nous commencerons le briefing.

Reily prit la place de Lindy, en face de lui, et attendit patiemment qu'il lise les formulaires qu'elle avait remplis. Son plus haut diplôme, c'était le bac, ce à quoi il s'était attendu, étant donné les circonstances. Lui-même, sans l'héritage que ses grands-parents maternels lui avaient légué, n'aurait pas pu s'inscrire à l'université. Leur argent n'avait pas suffi à effacer la douleur qu'il ressentait depuis que sa mère l'avait abandonné, mais il avait allégé la mauvaise conscience de ses grands-parents.

— Tout semble en ordre, dit-il, en reposant les papiers à côté de son ordinateur.

— Je suis curieuse de ce qu'Abe a bien pu vous raconter, déclara-t-elle en dardant sur lui un regard aussi bleu que prudent.

— J'ai l'impression qu'il n'y a pas grand-chose qu'il ne m'ait pas dit, répondit-il sans ambages.

Elle soupira.

— Je m'en doutais. Il a la langue un peu trop pendue à mon goût.

— Si cela peut te consoler, il semble vraiment t'apprécier. A propos, ici, tout le monde se tutoie.

— O.K... Je sais qu'Abe m'aime beaucoup, reprit-elle. Sa femme et lui ont été des vrais parents pour moi, à la mort des miens.

— Pourquoi ne leur demandes-tu pas de t'aider ? demanda-t-il tout à trac.

Et il manqua sursauter en entendant sa propre question : cela ne le regardait absolument pas. Il ne voulait savoir que le strict nécessaire à son sujet.

— Je dois m'en sortir par moi-même, dit-elle.

Elle hésita une seconde avant d'ajouter :

— Vous... Tu ne lui as pas précisé pourquoi j'avais besoin d'un job, n'est-ce pas ?

— Non, je me suis contenté de l'écouter. Et quand il s'est mis à parler du temps qu'il faisait à Nashville, je ne l'ai pas corrigé.

Il lut une expression de soulagement sur son visage.

— Merci, j'apprécie. Je ferai croire à tout le monde que je suis bien arrivée dans le Tennessee.

— A sa façon de parler, j'ai bien compris qu'il pensait que tu reviendrais bientôt dans le Montana.

— Oui, c'est ce que tout le monde croit, dans ma ville natale. Ils parient sur mon échec.

A ces mots, elle releva le menton et lui adressa un regard déterminé.

— J'ai bien l'intention de leur prouver qu'ils ont tort.

Abe ne lui avait pas expliqué pourquoi elle était obsédée par Nashville, mais il se doutait que cela était lié à la musique.

— Lindy m'a dit que tu avais pris une chambre au Sunrise, observa-t-il.

— Je n'ai pas vraiment d'autre choix.

— Bon, commença-t-il sans être certain d'avoir raison, j'ai un petit appartement au-dessus de mon garage. Il n'est pas grand, mais il est meublé et équipé d'une cuisine. Il n'est pas très loin d'ici. Tu peux t'y installer, si tu veux.

— Le loyer est de combien ?

— Soixante dollars par semaine.

— Ce n'est pas cher.

Pourtant, au lieu de paraître reconnaissante, elle fronça les sourcils et se mordit la lèvre.

Et voilà de quelle manière il était récompensé pour avoir aidé une inconnue dans le besoin ! se dit-il, un peu vexé. C'était d'autant plus ridicule qu'il lui avait proposé l'appartement sous l'influence de Lindy, et quasiment contre son gré.

— Je peux te le louer plus cher, si le prix te pose un problème.

Elle lui jeta un regard suspicieux.

— Je me demandai juste ce que tu attends en échange.

— Rien. C'est Lindy qui m'a suggéré de te faire cette proposition.

Elle se détendit un peu.

— Ah ! C'est une idée de Lindy ?

Pensait-elle donc qu'il était incapable d'une bonne action ? De toute façon, qu'est-ce que cela pouvait bien lui faire, ce qu'elle pensait ?

— Que l'idée vienne de Lindy ou de moi, quelle importance ? fit-il d'un ton plus dur qu'il n'aurait voulu. Tu veux cet appartement, oui ou non ?

Son ton ne parut pas la décontenancer.

Se penchant en avant, elle plongea ses yeux dans les siens.

— Mets-toi à ma place, Joe. Je suis une fille seule, dans une ville inconnue, avec vingt dollars en poche, et un homme que je connais depuis à peine vingt minutes m'offre pour trois fois rien son appartement au-dessus de son garage. Avoue qu'il y a de quoi être sur ses gardes !

Exprimé de cette façon, il ne pouvait qu'approuver. Il comprenait son point de vue. En tant que jeune fille plongée dans un monde inconnu, et dépendant du bon vouloir des autres pour survivre, elle devait impérativement se méfier.

Soudain, cela lui rappela Beth et les nuits qu'il avait passées éveillé, à se demander si elle allait bien, si elle avait trouvé un endroit décent pour vivre, des amis sur qui elle pouvait compter. Il espérait qu'elle avait été aussi prudente que Reily…

Celle-ci avait tout à fait raison de le questionner sur sa motivation. Elle en avait même le droit. Et il était vrai qu'il devait lui apparaître comme un homme au cœur bien froid…

Mais, insensible, l'était-il réellement ?

Au fond, Lindy avait peut-être raison. Il n'était pas exclu que son attitude envers Reily relève d'un mécanisme d'autodéfense, car il aurait fallu être aveugle pour ne pas remarquer à quel point cette dernière était séduisante. Et elle n'y était pour rien si les femmes l'avaient déçu.

— Je comprends, dit-il.

— C'est pourquoi cela me rassure de savoir que c'était une idée de Lindy. Je ne voulais pas être insolente ou désobligeante. J'apprécie vraiment ton offre.

— Je n'avais pas réfléchi à tout ce qu'elle implique. Je ne te reproche pas ta prudence, mais, si cela peut te rassurer, il y a un verrou intérieur sur la porte, et ma tante Sue habite juste à côté. Je peux lui laisser le double des clés. En outre, tout le monde en ville peut se porter garant de mon honnêteté. Cela dit, si tu ne prends pas l'appartement, je ne t'en voudrais pas.

— Est-ce que tu peux me donner la journée pour réfléchir à ta proposition ?

— Bien sûr, dit-il. Prends tout ton temps.

Il songea alors que le vieux Joe n'avait peut-être pas complètement disparu en lui et il espéra que quelqu'un avait fait la même chose pour Beth.

— Merci.

Elle lui sourit et le fixa pendant quelques secondes. Il sentit les battements de son cœur s'accélérer. Elle n'était pas aussi forte qu'elle voulait le montrer. Sous la méfiance et l'impression de force qui se dégageaient d'elle couvaient la vulnérabilité et l'appréhension… Il eut la folle envie de la prendre dans ses bras, de la serrer très fort contre lui et de lui murmurer que tout allait bien se passer…

Son regard bleu vif était si séduisant, si captivant. Ce fut elle qui finalement baissa les yeux et rompit le charme.

— Bien, je vais rejoindre Lindy pour qu'elle me forme.

Elle se leva de la banquette et il se surprit en train de la suivre du regard, admirant la façon dont elle se mouvait dans son jean moulant et délavé. Elle n'était pas très épaisse, mais elle n'avait pas non plus une silhouette d'anorexique hollywoodienne. Elle était fort bien proportionnée pour sa taille. L'espace d'un instant, il se demanda quel effet cela ferait de la toucher, de glisser ses doigts dans sa chevelure brillante, de caresser ses lèvres avec les siennes…

Se rendant compte que ces pensées l'excitaient, il détourna vivement les yeux.

Cela faisait deux ans qu'il avait remisé sa libido au placard. Durant tout ce temps, aucune femme ne l'avait attiré, et voilà qu'une inconnue débarquait à Paradise et lui inspirait un désir aussi violent qu'inattendu…

Il eut le sentiment angoissant que, durant les six semaines à venir, cette femme allait être synonyme d'ennuis.

- 3 -

Reily s'avança derrière le bar et se servit un grand verre d'eau glacée dans l'espoir d'éteindre les flammes qui brûlaient son être. Le regard que Joe lui avait lancé était chargé d'un désir sexuel à l'état brut et l'avait profondément déstabilisée. Pour un homme « indisponible sur le plan émotionnel », il avait plutôt du mal à masquer ses sentiments ! En toute franchise, elle préférait quand il la regardait comme si elle représentait pour lui un fâcheux désagrément. Là, elle savait se défendre ; or, ce qu'elle ressentait actuellement la rendait très vulnérable.

Elle avait déjà connu de tels émois sexuels, mais jamais de cet ordre-là. Jamais son cœur n'avait battu aussi vite, et jamais elle n'avait eu envie d'attraper un homme par le col, de l'attirer à elle et de lui donner un baiser torride… Et il n'était même pas son genre ! Elle préférait les hommes faciles à vivre et qui aimaient s'amuser. Quelqu'un qui pourrait rire avec elle. Joe ne paraissait même pas capable de sourire.

Elle se remplit un nouveau verre d'eau et en but une longue gorgée. En réalité, ce qu'elle aurait aimé faire, c'était se verser l'eau glacée sur la tête. Etait-il possible qu'elle vienne de découvrir qui était le véritable Joe ? Sous le vernis froid et maussade, se cachait-il un homme chaleureux, sensible et sexy ? Et quand bien même cela aurait été le cas, elle ne devait pas oublier qu'elle n'était là que pour six semaines. Elle n'avait absolument pas de temps à consacrer à une relation compliquée sur le plan émotionnel.

Lindy la rejoignit soudain derrière le comptoir.

— Alors, prête à…

Elle s'interrompit et fronça les sourcils quand son regard tomba sur Reily.

— Tout va bien ? demanda-t-elle à la place.

— Bien sûr, répondit cette dernière en vidant le reste de son verre dans l'évier. Pourquoi ça n'irait pas ?

— Tu es rouge comme une tomate.

Elle pressa aussitôt ses paumes contre ses joues. Elles étaient brûlantes.

— J'ai un peu chaud, j'imagine, fit-elle.

— Tu as de la fièvre ?

Elle se sentait effectivement fiévreuse, mais pas comme si elle venait de contracter un virus.

— C'est une réaction nerveuse suite aux événements de ces deux derniers jours…

Après tout ce qu'elle avait vécu, qui ne se serait pas senti un peu chamboulé ? D'ailleurs, peut-être que l'attirance irrationnelle qu'elle ressentait pour Joe n'était qu'une conséquence de la situation extrêmement stressante qu'elle venait de vivre.

Lindy émit un petit rire sympathique.

— Ma pauvre chérie ! Bon, si cela peut te consoler, je viens d'avoir mon amie Zoey au téléphone. Elle fait exactement la même taille que toi et elle a deux sacs de vêtements qu'elle comptait porter à la friperie de Paradise. Finalement, c'est à toi qu'elle va les donner. Elle les déposera au bar, dans l'après-midi. Le père de Zoey n'est pas simplement le maire de la ville, c'est aussi l'homme d'affaires le plus fortuné de Paradise, et il a tendance à gâter sa fille. De son côté, elle met un point d'honneur à toujours paraître sous son meilleur jour et renouvelle sa garde-robe en entier à chaque saison. Je suis sûre que tu trouveras ton bonheur dans ses sacs.

— Je ne sais pas comment te remercier, balbutia Reily.

Lindy haussa les épaules comme si c'était peu de chose.

— Je crois au karma, dit-elle. Ce que l'on donne nous revient toujours, d'une façon ou d'une autre.

Si c'était le cas, alors il allait arriver quelque chose de merveilleux à Lindy.

— Joe m'a dit que tu lui avais suggéré de me proposer son appartement au-dessus du garage.

— Ce sera mieux que de passer six semaines au Sunrise. Et bien moins cher.

Sur ces mots, Lindy lui tendit un tablier et s'en noua un autour de la taille.

— Je n'en suis pas aussi sûre, marmonna alors Reily.

Son amie lui lança un regard surpris.

— Pourquoi ?

— Si tu te retrouvais dans une ville où tu ne connaissais personne, est-ce que tu t'installerais dans le meublé d'un homme que tu viens juste de rencontrer ?

Linda fronça les sourcils.

— Je n'avais pas envisagé la situation sous cet angle-là, avoua-t-elle. Mais, si cela peut te rassurer, je connais Joe depuis toujours, c'est l'un de mes meilleurs amis. Il peut sembler un peu revêche au premier abord, mais c'est un homme bien et digne de confiance. Il ne ferait pas de mal à une mouche. Et personne à Paradise ne te dira le contraire.

Le meublé était une proposition intéressante, elle en avait bien conscience, mais, après ce qui s'était passé dans le box, ce n'était peut-être pas une aussi bonne idée que cela en avait l'air. Non qu'elle se sente menacée par Joe. C'était plutôt d'elle-même qu'elle se méfiait. Voilà pourquoi elle ne pouvait s'empêcher de penser qu'elle ferait peut-être mieux de se tenir aussi loin que possible de lui. Toutefois, plus elle ferait d'économies, plus vite elle pourrait reprendre la route pour le Tennessee. Six semaines, ce n'était pas beaucoup pour réunir la somme dont elle avait besoin et un loyer bon marché l'aiderait forcément.

A mesure que la journée progressait, elle se rendit compte que la présence de Joe n'était pas un problème en soi. Il passait beaucoup de temps en cuisine ou dans son bureau. Et quand il venait derrière le comptoir, il ne faisait pas attention à elle. Au point qu'elle commençait même à se demander si ce qui s'était produit dans le box, le matin même, n'était pas le fruit de son imagination.

A 2 heures, après le rush du déjeuner, elle avait pris

sa décision concernant l'offre de Joe. Laissant Lindy s'occuper des habitués qui, assis au bar, regardaient l'immense écran de télévision, elle alla frapper au bureau de Joe. De l'intérieur, il lui ordonna d'entrer.

— Tu as une minute à me consacrer ? demanda-t-elle.

Il recula son siège de sa table et croisa les bras, comme s'il était légèrement contrarié.

— J'ai réfléchi, commença-t-elle. Si ta proposition tient toujours, je veux bien louer ton meublé.

Il hocha la tête.

— Entendu.

— Si tu veux que je signe un bail…

— Ce ne sera pas nécessaire.

Elle sortit l'argent qui lui restait après qu'elle eut réglé sa chambre d'hôtel et acheté quelques articles indispensables à Parson's General Store, le matin même, avant d'aller travailler.

— Je pourrai te donner le solde quand nous nous serons distribué les pourboires, tout à l'heure, précisa-t-elle

Il regarda l'argent, étalé sur le bureau, puis leva les yeux vers elle.

— C'est tout ce que tu possèdes, n'est-ce pas ? questionna-t-il.

— Oui, mais ce n'est pas grave. Les pourboires me suffiront pour tenir jusqu'à ma première paie.

— Garde ça, marmonna-t-il alors.

— Mais…

— Il n'est pas question que tu n'aies pas un seul dollar en poche, fit-il d'un ton sec. Je déduirai ton loyer de ta première paie.

Joe Miller était capable de belles actions, mais il

les faisait comme à contrecœur. Elle se demanda où était passé l'homme compréhensif, presque compatissant avec qui elle s'était entretenue le matin même. Au fond, elle n'avait peut-être vu que ce qu'elle avait envie de voir.

— Tu es certain que cela ne te dérange pas ?

— Certain.

— Dans ce cas, merci.

Lindy entra à cet instant dans le bureau de Joe, avec deux sacs en plastique noir bien remplis.

— Zoey vient de déposer ça pour toi, annonça-t-elle.

Elle lui prit les sacs des mains et les trouva bien lourds.

— Est-ce qu'elle est encore là ?

— Non, elle a dû retourner travailler. Elle essaiera de passer ce soir. Mais ne t'inquiète pas, je l'ai déjà remerciée de ta part.

Elle aurait aimé la rencontrer et la remercier personnellement de sa générosité. Mais elle était certaine que d'ici son départ, dans une si petite ville, les occasions ne manqueraient pas de le faire.

Une fois que Lindy fut ressortie du bureau, Joe regarda tour à tour les sacs et Reily, manifestement curieux de ce qu'ils contenaient.

— Ce sont des vêtements, lui apprit-elle. Tout ce que je possédais se trouvait dans ma voiture volée. Zoey, une amie de Lindy, m'a fait passer des habits qu'elle comptait donner à la friperie de Paradise. Cela ne te dérange pas si je les laisse dans ton bureau jusqu'à ce soir ? Ils ne rentreront pas dans mon casier.

— Je dois justement faire un saut chez moi, répondit Joe. Tu peux m'accompagner, si tu veux, je te montrerai le meublé et tu déposeras tes sacs. Sauf si tu estimes que tu as besoin de t'entraîner encore un peu avant d'affronter le rush du dîner.

— Ce n'est pas vraiment nécessaire.

Etant donné son expérience de huit ans en tant que serveuse, ce métier était une seconde nature pour elle.

— Je vais prévenir Lindy que je m'absente, ajouta-t-elle.

Se levant, Joe désigna du menton les sacs qu'elle tenait encore à la main.

— Je vais les prendre.

— Ce n'est pas la peine, je peux…

Il lui décocha alors un regard noir, lui signifiant clairement qu'il était préférable qu'elle n'insiste pas. Peu désireuse d'engager un bras de fer avec lui, elle lui tendit les sacs.

— Je suis garé derrière, précisa-t-il.

Ce qui voulait apparemment dire qu'il l'y attendait, mais il lui en aurait sans doute trop coûté de prononcer les mots. Exaspérée, elle secoua la tête et se précipita vers le bar pour prévenir Lindy.

— Ce sera très calme jusqu'à 16 h 30, lui dit cette dernière. Prends ton temps pour t'installer.

Puis elle lui tendit une liasse de billets.

— Ce sont les pourboires du déjeuner.

Reily les fourra dans la poche de son jean.

— Merci. Ils sont bienvenus.

Elle alla chercher les quelques achats qu'elle avait mis dans son casier, dit au revoir aux cuisiniers de service à midi, Ray et Al, puis sortit par les cuisines. Elle se retrouva alors sous le beau soleil de l'après-midi.

Jill, l'une des serveuses, était en train de fumer une cigarette juste à côté de la porte. Elle n'avait pas encore eu le temps de faire vraiment sa connaissance, mais, à première vue, elle lui paraissait sympathique.

— Tu as déjà fini ? lui demanda Jill.

Puis elle aspira une longue bouffée de nicotine qu'elle souffla en un épais nuage de fumée dans l'air chaud et sec de l'après-midi.

— Je fais une petite pause, mais je vais revenir.

Jill lui lança un regard suspicieux.

— Joe est au courant ?

Elle avait à peine fini de poser sa question quand le pick-up bleu marine et flambant neuf de Joe pointa le bout de son nez.

— Tout à fait, répondit-elle. A plus tard.

Elle eut juste le temps d'apercevoir le regard stupéfait de Jill avant de s'engouffrer dans le pick-up, où elle s'empressa de boucler sa ceinture de sécurité. Qu'est-ce que cela pouvait bien lui faire qu'elle parte avec Joe ?

Sans même lui jeter un coup d'œil, ce dernier démarra.

Il se dirigea vers le centre-ville qui fourmillait de voitures et de piétons, puis il tourna dans Third Street, vers un quartier résidentiel. Les maisons y étaient plus anciennes mais extrêmement bien entretenues, avec de minuscules jardins et des pelouses fort soignées. Cela lui rappela l'endroit où elle habitait du vivant de ses parents. Après, elle avait emménagé dans le minuscule mobile home de sa tante, où elle dormait sur le canapé-lit, puisqu'il n'y avait qu'une chambre. Elle n'avait pas d'endroit à elle, mais occupait un petit angle du salon.

Joe bifurqua pour s'engager dans High Street. Les jardins devinrent alors plus grands et les maisons plus espacées. Au bout de la rue, il prit une allée qui menait à une maison entourée d'une clôture faite de piquets blancs, au milieu d'un nid de verdure. Sa façade arborait une large terrasse flanquée de piliers blancs et effilés. L'ensemble était aussi chaleureux et charmant qu'un tableau de Norman Rockwell, pas du tout le genre de maison où elle aurait imaginé voir vivre un célibataire.

Il se gara en face d'un garage surmonté d'un étage, et la première chose qu'elle remarqua en descendant de voiture, ce fut le vélo violet d'une petite fille appuyé contre le mur du garage. Dans la cour, qui devait faire cent mètres de large sur deux cents de long, il y avait une balançoire, et une maison d'enfant qui ressemblait en version miniature à la vraie. Elle aperçut aussi un bac à sable, une voiture en plastique et quelques jouets disséminés sur la pelouse.

Joe avait donc des enfants ?

Elle ne tarda pas à avoir la réponse à cette question puisque, à cet instant, une porte latérale s'ouvrit et une petite fille surgit dans l'allée comme une tornade, ses cheveux bouclés et blonds volant au vent, vêtue d'un T-shirt blanc immaculé et de tongs violettes aux pieds.

— Papa ! s'écria-t-elle en se jetant dans ses bras grands ouverts. Elle est tombée, elle est tombée.

Puis elle ouvrit grand la bouche pour lui montrer la dent qui manquait sur le devant. Joe sourit à sa fille — un sourire sincère et bienveillant — dont l'effet fut ravageur… Même quand il arborait un air sombre, il était beau, mais quand il souriait… Il était beau à couper le souffle !

Lindy ne lui avait pas dit que Joe était marié. Evidemment, elle s'en fichait, mais elle avait du mal à l'imaginer en marié radieux conduisant sa fiancée jusqu'à l'autel.

— Tu l'as donnée à tante Sue pour qu'elle la mette sous ton oreiller, cette nuit ? demanda-t-il.

La fillette hocha la tête avec enthousiasme, puis se rendit compte de la présence de Reily. Aussitôt, elle fronça les sourcils, et la ressemblance avec Joe fut frappante.

— Qui tu es, toi ? demanda-t-elle.

Il n'y avait pas une once de timidité chez cet enfant, pensa alors Reily.

— Lily Ann, où sont passées tes bonnes manières ? s'insurgea son père. Je te présente Mlle Eckardt. Elle travaille au bar-restaurant et elle va s'installer pendant quelque temps dans l'appartement au-dessus du garage.

— Je suis ravie de faire ta connaissance, Lily Ann, renchérit Reily. Quel âge as-tu ?

— Cinq ans, répondit l'enfant en levant les cinq doigts de sa main gauche. Tu as de beaux cheveux, moi aussi je voudrais les avoir longs, mais papa dit que, comme ils sont bouclés, ils s'emmêleraient.

— Eh bien moi, tu vois, j'ai toujours rêvé d'avoir

les cheveux bouclés, comme toi, répondit Reily en souriant. Les miens sont bien trop raides.

Joe fit la bise à sa fille, la reposa par terre, puis lui donna une petite tape sur les fesses.

— Va m'attendre à l'intérieur. Je n'en ai pas pour longtemps, je vais juste montrer l'appartement à Mlle Eckardt.

Sans plus attendre, la petite fonça vers la maison et disparut à l'intérieur.

— Elle est adorable, dit Reily quand la porte d'entrée claqua bruyamment.

— Et elle le sait, précisa Joe.

Prenant les sacs du coffre, il lui désigna un escalier de bois accolé au garage.

— C'est par ici, dit-il.

Elle le suivit dans l'escalier étroit, s'efforçant de ne pas fixer son regard sur ses fesses parfaitement moulées dans un jean noir. Et il fallait en plus qu'il ait une petite fille irrésistible ! Elle sentit d'un coup que la situation se compliquait.

Une fois qu'ils furent sur le palier, il sortit un trousseau de clés de sa poche et ouvrit la porte. Posant les sacs par terre, il se dirigea vers la fenêtre à guillotine qui donnait sur la cour pour tirer les rideaux et l'ouvrir. Du soleil et de l'air frais pénétrèrent d'un même coup dans la pièce. Le salon était douillet et accueillant, avec son canapé à pois, sa table basse de bois clair et deux lampes en cuivre assorties. La cuisine était petite mais fonctionnelle ; elle comportait deux plaques de cuisson et un mini-réfrigérateur.

— C'est mignon, dit-elle.

— Il y a la climatisation dans la chambre, précisa-t-il. Tu trouveras le linge de maison dans le tiroir de la commode.

Elle traversa le salon et alla jeter un coup d'œil à la chambre à coucher. Elle était assez grande pour contenir un lit deux places et une commode. Dans la salle de bains, il y avait juste l'espace nécessaire pour un lavabo, une douche et des toilettes, mais le tout était impeccable. Rien à voir avec le Sunrise Motel où un séjour de six semaines aurait viré au cauchemar.

— La clé est accrochée dans un placard de la cuisine, dit Joe.

Elle se tourna alors vers lui.

Il se tenait dans l'encadrement de la porte, les bras croisés et l'expression sombre.

— Et, comme je te l'ai dit, je peux donner mon double à tante Sue.

— Ce ne sera pas nécessaire.

S'il était un peu revêche, elle ne pensait pas du tout en revanche qu'il était dangereux. Surtout maintenant qu'elle savait qu'il avait une fille, même si elle ne voyait pas vraiment en quoi cela faisait une différence…

— Donc, il n'y a que ta fille et toi qui vivez ici ? demanda-t-elle.

— Mouais.

— La maman de Lily Ann…

— N'habite pas avec nous, coupa-t-il.

Et il était clair qu'il ne voulait pas s'étendre sur le sujet.

— Je repars dans une demi-heure, si tu veux profiter de la voiture…

— Je retournerai à pied, merci.

Comme elle disposait d'un peu d'argent, elle souhaitait passer en ville pour acheter un sèche-cheveux bon marché et peut-être même un fer à friser.

Il haussa les épaules.

— Comme tu voudras, répondit-il.

— En tout cas, merci pour la proposition. Mais, tu sais, je n'attends pas de toi que tu me conduises au travail chaque matin et que tu me ramènes chaque soir.

— Ça tombe bien, ce n'était pas non plus mon intention.

Sur ces paroles, il tourna les talons et se dirigea vers la porte. Une fois sur le seuil, il parut hésiter. Puis il se retourna pour lui faire face.

— Elle nous a quittés il y a deux ans.

Il lui fallut quelques secondes pour comprendre qu'il faisait allusion à la mère de Lily Ann. Il aurait tout aussi bien pu parler du temps qu'il faisait, étant donné le peu d'émotion qu'il avait mis dans ses paroles. C'était sans doute parce qu'il ne voulait pas qu'elle sache que ce départ l'avait profondément blessé. Ce qui expliquait par ailleurs sa froideur…

Elle ne savait trop que répondre, mais ce n'était pas très grave puisqu'il ne lui en laissa pas le temps. Faisant volte-face, il sortit de l'appartement et referma soigneusement la porte derrière lui. Elle écouta le bruit de ses pas dans l'escalier, tout en se demandant ce qui avait bien pu se passer entre lui et la mère de Lily Ann pour provoquer ce départ. Quel mal pouvait bien tourmenter une femme pour qu'elle en abandonne son propre enfant ?

Mais, de toute façon, qu'est-ce que cela pouvait bien lui faire ? Ses propres problèmes lui suffisaient largement. Elle connaissait à peine Joe Miller. Et étant donné la curieuse fascination qu'il semblait exercer sur elle, elle avait tout intérêt à en rester là avec lui.

Joe se dirigea vers la porte latérale de la maison, tout en se demandant ce qui l'avait poussé à parler à Reily de son ex-femme. Sa vie privée ne la regardait nullement. Néanmoins, elle aurait fini par l'apprendre, alors autant que cela soit par lui. C'était l'éternel problème des petites villes : tout le monde se mêlait toujours des affaires des autres. Quand Beth était partie, à peine le nuage qu'avait soulevé sa voiture était-il retombé que tout le monde était déjà au courant.

Il pénétra dans la cuisine. Tante Sue se tenait près des fourneaux, et était en train de remuer le contenu d'une casserole. Elle leva les yeux vers lui et lui sourit.

— J'imagine que Lily Ann t'a dit qu'elle avait perdu sa dent.

— Dès que je suis sorti de la voiture, dit-il en lui faisant la bise.

— Je l'ai mise dans une enveloppe sur sa commode pour qu'elle ne la perde pas.

Il se pencha pour voir ce qu'elle préparait.

— C'est du chili au poulet, ajouta-t-elle alors.

Et c'était aussi l'un de ses plats préférés depuis toujours.

— Comme ça sent bon !

— Lily Ann m'a dit que tu avais fait visiter le meublé. Je ne savais pas que tu voulais le relouer.

S'emparant d'un bout de pain dans la corbeille qui se trouvait sur la table, il mordit dedans. Quelques miettes tombèrent sur son T-shirt.

— Ce n'était pas mon intention.

Elle se tourna vers lui, s'essuyant les mains au tablier qui entourait ses hanches amples.

— Cela a un rapport avec la jeune femme que tu as embauchée ?

— Eh bien, je vois que les nouvelles vont vite !

— Phyllis et Buster ont déjeuné chez toi, aujourd'hui, et, bien sûr, Phyllis m'a raconté qu'il y avait une nouvelle recrue ainsi que la façon dont tu l'avais trouvée. Je suppose qu'elle n'est pas d'ici.

— Elle s'appelle Reily Eckardt. Elle est en route pour le Tennessee.

Il lui rapporta alors ce que P.J. lui avait confié quand il avait débarqué chez lui en compagnie de Reily, la veille.

— La pauvre enfant ! fit tante Sue en posant la main sur son cœur. Comme c'est gentil à toi de l'avoir aidée.

Il s'irrita de ces paroles.

— Je ne l'ai pas embauchée par gentillesse, mais parce que j'avais besoin d'une serveuse. Quant à l'idée de lui louer le meublé, cela vient de Lindy.

Elle lui adressa son fameux regard sévère.

— Cela te rendrait-il vraiment malade d'avouer que tu es un homme compatissant et attentif aux autres ?

— C'est faux, je ne suis pas ainsi.

Cette description ne correspondait plus à l'homme qu'il était devenu.

— Il y a pourtant une petite fille dans cette maison qui le pense ! se récria Sue.

Il ne pouvait imaginer ce que serait sa vie sans Lily Ann. Il traversa la cuisine pour regarder dans le salon. Son enfant était assise en tailleur devant l'écran de télévision, hypnotisée par un dessin animé. L'amour qu'il ressentait pour elle était si fort et si absolu que cette seule pensée suffisait à lui couper le souffle. C'était elle qui lui avait donné la force de continuer après le départ de Beth. Tout ce qu'il faisait, c'était pour elle, afin qu'elle grandisse heureuse et à l'abri du besoin, avec l'assurance d'être aimée, en dépit de la désertion de sa mère. Parce qu'il savait trop bien ce que signifiait le mot abandon : sa propre mère n'avait même pas assisté à son premier anniversaire, ayant quitté la maison avant cette date…

— Combien de temps va rester cette Reily ? reprit tante Sue.

— Six semaines, jusqu'à ce que Mark revienne de son congé maladie.

Et, en ce qui le concernait, cela représentait une éternité !

Après les quelques minutes sexuellement chargées lors de leur échange sur la banquette, il avait passé toute la matinée dans son bureau à s'en remettre, incapable de faire quoi que ce soit en raison des pensées torrides qui n'avaient cessé de le tourmenter. Il avait regretté de lui avoir proposé le meublé et avait espéré qu'elle déclinerait l'offre. Hélas, il n'avait pas eu cette chance ! En général, quand il s'efforçait d'être aimable, cela lui revenait en plein visage comme un boomerang.

— Je vais lui préparer un panier de bienvenue, en guise de crémaillère, déclara tante Sue. Cela lui servira toujours.

— A ta guise, dit-il d'un ton indifférent.

— Phyllis m'a dit que Reily était une très belle femme, précisa Sue, l'œil malicieux. « Un vrai bouton de rose », pour reprendre son expression.

— Je n'ai pas remarqué, marmonna-t-il.

— Joey, reprit Sue qui n'était pas du tout dupe du mensonge, cela fait deux ans, maintenant. Tu ne crois pas qu'il est temps que tu te remettes à vivre ?

— Mais c'est ce que je fais ! J'ai une fille à élever et un bar-restaurant à gérer.

Elle plaqua ses mains sur ses hanches.

— Tu sais très bien de quoi je parle !

Il ne le savait que trop, mais sa vie amoureuse, ou du moins sa vie sans amour, ne regardait personne.

— Je n'ai pas le temps d'avoir une relation avec une femme. Et encore moins avec une inconnue.

— Si elle travaille chez toi, vous aurez le temps de faire connaissance, non ? De toute façon, ce ne sont pas les beaux partis qui manquent, à Paradise. Mais il y a si longtemps que tu ne t'es pas jeté à l'eau. Tu pourrais essayer de te mouiller un peu ! Tu n'en mourras pas.

Ses expériences passées lui avaient prouvé qu'il n'avait rien d'un bon nageur. Avec la chance qu'il avait, il coulerait à coup sûr, s'il retentait le diable.

- 4 -

Zoey, l'amie de Lindy, avait très bon goût en matière d'habits. Reily venait de verser le contenu des deux sacs sur son lit et s'avisa qu'à part des sous-vêtements, elle n'aurait pas à s'acheter le moindre habit. Il y avait des jeans, des shorts, des jupes, des tuniques, des T-shirts avec ou sans manches et quelques pulls. Il y avait même deux maillots de bain et deux luxueuses chemises de nuit de soie. Tout était quasiment neuf et avait été lavé et repassé.

Alors qu'elle rangeait le tout avec soin dans la commode tout en chantonnant pour travailler ses cordes vocales, elle entendit le moteur du pick-up. Elle jeta un coup d'œil par la fenêtre, et vit le véhicule reculer lentement dans l'allée.

Joe était à peine parti qu'elle entendit du bruit derrière elle. Se retournant, elle découvrit Lily Ann dans l'encadrement de la porte.

— Coucou, toi ! dit-elle à la petite fille.

— Tu chantes bien.

— Merci, dit Reily en souriant. C'est ma mère qui m'a appris cette chanson.

Lily Ann hocha la tête, puis déclara tout à trac :

— M. Pete a aussi des sacs noirs comme ceux-là. Et il dort dans le parc. Tante Sue dit qu'il lui manque une case. Moi, je l'aime bien parce qu'il fait des grimaces rigolotes.

En gros, la petite fille venait de la comparer à un S.D.F. handicapé mental. Tant pis ! Elle n'allait pas pour autant lui expliquer pourquoi ses vêtements se trouvaient dans des sacs-poubelle.

— Ma chérie, reprit-elle, est-ce que tu es censée être ici ?

Elle aurait parié que Joe n'aurait guère apprécié que sa fille discute avec une inconnue.

Elle obtint sa réponse de façon indirecte puisqu'une voix féminine appela fermement l'enfant, de l'extérieur.

— Lily Ann Miller, est-ce que tu es là-haut ?

Se mordant la lèvre d'un air coupable, la fillette se précipita vers la porte, puis elle entendit le claquement de ses tongs sur les marches de l'escalier.

Elle se dirigea à son tour vers la porte et regarda la cour. En bas des marches se trouvait une femme assez corpulente, d'une soixante d'années. Ses cheveux poivre et sel étaient rassemblés en un chignon bas. Elle portait une robe à bretelles et des tongs. Elle était aussi petite que ronde, mais son sourire était chaleureux et amical.

— Vous êtes Reily, n'est-ce pas ? demanda-t-elle en mettant sa main en visière. Je suis Sue. Désolée que Lily Ann vous ait dérangée.

— Je vous en prie, elle ne m'a pas dérangée.

— Il doit faire une chaleur épouvantable, là-haut. Vous ne voulez pas venir déguster un verre de limonade maison bien fraîche ?

Même si elle nourrissait d'autres projets — notamment celui de faire quelques emplettes —, il faisait tellement chaud que l'idée d'une bonne limonade bien fraîche était très tentante. Et puis ce serait une manière de faire la connaissance de ses voisins et peut-être aussi d'en apprendre davantage au sujet de son employeur et propriétaire. Les achats attendraient au lendemain.

— Avec grand plaisir, répondit-elle. Le temps de prendre mon sac et de fermer.

Elle trouva la clé, comme indiqué, dans le placard au-dessus des plaques de cuisson, puis, glissant son sac sur son épaule, elle sortit de son nouveau chez-elle en prenant soin de laisser la fenêtre ouverte pour aérer l'appartement. Elle traversa la cour pour aller frapper à la porte latérale.

— Entrez ! lui cria Sue.

La porte vitrée crissa sur ses gonds quand Reily l'ouvrit et une bouffée d'air climatisé l'enveloppa immédiatement lorsqu'elle pénétra dans la cuisine, qui était une pièce spacieuse avec un équipement dernier cri. Avec ses comptoirs en granit, ses placards rouge cerise et ses appareils électroménagers en Inox, elle semblait tout droit sortie d'un magazine d'aménagement intérieur. Sue était en train de remuer le contenu d'une casserole. Elle ignorait ce qu'elle avait cuisiné, mais la préparation sentait divinement bon.

— Asseyez-vous, lui dit-elle.

Obtempérant, elle prit place autour de la table. De la pièce voisine, elle entendit le son d'un dessin animé qui passait à la télévision.

— Est-ce que vous avez faim ? Je suis en train de faire mijoter un chili.

A vrai dire, elle mourait de faim, mais elle ne voulait pas déranger.

— Il faut que je retourne travailler, répondit-elle.

— C'est du chili au poulet, ma spécialité, insista Sue.

Dans ces conditions, elle ne pouvait pas refuser sous peine de blesser l'amour-propre de son hôtesse.

— Bon, alors juste un peu.

Sue lui servit une généreuse louche dans un bol, planta une cuillère dedans et plaça le tout devant elle. Reily y goûta sans attendre.

— Miam ! C'est délicieux, s'exclama-t-elle.

— C'est l'un des plats préférés de Joe, dit Sue en sortant une carafe de limonade du réfrigérateur.

Elle prit deux verres dans un placard qu'elle remplit de limonade. Elle en déposa un devant l'assiette de Reily, avant de prendre place en face d'elle.

— Joe m'a dit que vous aviez accumulé la malchance, ces derniers temps.

C'était un résumé très nuancé de la situation ! Elle renchérit pourtant :

— J'essaie de prendre ce contretemps comme une diversion temporaire, une aventure en somme.

Ce à quoi elle s'efforçait de ne pas penser, c'était à toutes ses économies perdues. Mais elle travaillerait de nouveau très dur, et elle se referait une santé. Elle ne se laisserait pas abattre et, de toute façon, elle pouvait vivre avec peu.

— Nashville sera toujours au même endroit quand

j'aurai remis de l'ordre dans ma vie, continua-t-elle avec philosophie.

— Vous n'auriez pas pu tomber sur une meilleure ville que Paradise, croyez-moi !

— Si je n'avais pas rencontré P.J., Joe et Lindy, je ne sais pas ce que je serais devenue… Je ne pense pas qu'à Denver on aurait spontanément aidé une inconnue.

— P.J. est un homme très honnête. Même si, plus jeune, il faisait les quatre cents coups. J'ai été sa baby-sitter. Je méritais bien l'argent que ses parents me donnaient, ajouta-t-elle en riant.

Reily avala un peu de limonade.

— Vous avez passé toute votre vie à Paradise ? demanda-t-elle alors à Sue.

— Mon arrière-arrière-grand-père était l'un des fondateurs de la ville. Mon père a construit cette maison pour mon frère, Joe senior, et la maison d'à côté pour moi et mon mari, Walter.

— Donc votre mari et vous habitez la porte à côté ?

— Je vis seule, désormais. Mon mari est mort il y a eu quatre ans le mois dernier.

— P.J. m'a dit que Joe a hérité le bar-restaurant de son père, renchérit-elle.

— Exact. Mon frère l'avait acheté il y a vingt ans. C'était un homme adorable, un excellent père, bref, une très bonne personne, mais en affaires il ne savait pas s'y prendre. C'est pour cela que mon neveu, Joey, a fait des études de commerce. Etant donné les problèmes de cœur dont souffrait son père, il savait qu'un jour ou l'autre il devrait reprendre Joe's Place. Son père aurait été si fier de tout ce qu'il a fait… Malheureusement, ce n'était pas assez pour Beth !

— Beth ?

Tante Sue baissa la voix.

— La femme de Joe. Ils se connaissaient depuis les bancs de l'école. Mais, après quelques années de mariage, elle a décrété qu'elle avait besoin de se retrouver, de vivre sa vie, bref, ce genre de sornettes. Alors, elle est partie.

Elle secoua la tête d'un air désapprobateur.

— Elle lui a brisé le cœur, vous savez. Lily Ann ne semble pas vraiment se souvenir d'elle et, si vous voulez mon avis, c'est tant mieux. Mais elle se rend compte que, parmi ses amies, elle est la seule à ne pas avoir de maman. Certaines de ses petites camarades n'ont pas de pères, mais c'est différent. Une petite fille a besoin d'une mère. Bien sûr, j'essaie de faire de mon mieux. Je suis retraitée de l'enseignement, aussi je peux m'occuper d'elle quand Joe travaille, mais ce n'est pas la même chose.

— J'ai aussi été élevée par ma tante, déclara alors Reily.

Sue avait raison. Sa tante Macie avait elle aussi fait de son mieux, étant donné les circonstances, mais ce n'était pas comme avoir un père et une mère.

— Mes parents sont morts quand j'étais enfant, ajouta-t-elle.

— Vous comprenez donc ce que je veux dire.

— Tante Sue, je peux aller jouer dehors ?

Se retournant vivement, Reily aperçut Lily Ann

sur le seuil de la porte. Elle se demanda ce qu'elle avait entendu de leur conversation.

— Oui, à condition que tu restes dans la cour. Et éteins d'abord la télévision, s'il te plaît.

Lily Ann se rua dans le salon et le silence se fit. Puis elle repassa par la cuisine, en faisant claquer ses tongs, pour aller jouer dehors.

Sue soupira et secoua la tête.

— Joe a toujours eu la tête sur les épaules, même petit. Beth, elle, était déjà une enfant agitée, qui rêvait d'ailleurs… Il pensait qu'il pourrait la changer, et qu'une fois mariée et mère, elle serait heureuse de vivre dans une petite ville. Mais ce ne fut pas le cas et, quand elle a décidé de partir, rien n'a pu l'arrêter. Finalement, elle était comme la femme de mon frère.

— La mère de Joe ?

Sue opina du chef.

— Elle a quitté son foyer quand Joe était encore bébé. Je ne sais pas ce qu'ont les hommes de la famille Miller, mais ils sont fascinés par les femmes qui ne tiennent pas en place.

— Je comprends que l'on puisse être malheureuse dans son foyer, mais comment une femme peut-elle abandonner son enfant ? fit Reily.

— Je me suis posé cette question des millions de fois. J'étais si déprimée quand mes jumeaux ont quitté la maison pour poursuivre leurs études dans un autre Etat. Parfois, les gens commettent des actes inexplicables.

— Il faut croire…

Reily regarda alors l'heure sur son portable, et se rendit compte que le temps filait à toute vitesse.

— Il faut que j'y aille, déclara-t-elle. Je ne veux pas laisser Lindy en plan dès le premier jour.

— Comment retournez-vous au bar ?

— A pied.

— Il y a un vélo dans le garage, vous pouvez le prendre. Il doit être juste un peu poussiéreux. Si j'avais le courage, je pourrais en faire, cela me ferait le plus grand bien, dit-elle en riant. Mais je préfère avoir les deux pieds sur la terre ferme. Alors qu'en dites-vous ?

— Si cela ne vous dérange pas, j'accepte volontiers.

Sue lui sourit.

— Vous étiez plus affamée que vous ne le pensiez, lui dit-elle alors.

Elle regarda son bol. Il était vide et bien net.

— C'était si bon, dit-elle en se levant. Je comprends pourquoi c'est le plat préféré de Joe. Bien, merci pour cet excellent repas. J'ai été également ravie de discuter avec vous.

— Je vous en ai sans doute dit plus que vous n'aviez envie d'en savoir sur notre famille, commenta Sue. Mais je suis une vieille radoteuse, cela rendait dingue mon pauvre Walter.

— C'était très agréable, lui assura Reily. J'aime entendre les histoires de famille des autres. Cela me permet de relativiser la mienne.

— Je comprends ce que vous voulez dire. J'imagine que ce ne doit pas être drôle de se retrouver dans une ville inconnue, entourée d'étrangers. Il faut vous faire des amis. Dites-moi, que faites-vous dimanche soir ?

— Honnêtement, je n'ai pas le moindre projet au-delà de cinq minutes depuis mon arrivée ici.

— Dans ces conditions, venez dîner avec nous. Entre l'emploi du temps de Joe, et mon poker du lundi soir, c'est le seul jour où nous pouvons manger en famille.

— J'en déduis que Joe travaille beaucoup.

— Le bar est fermé le dimanche et il prend son lundi en journée de repos, mais, le reste de la semaine, il y est de l'ouverture à la fermeture.

S'il passait si peu de temps en famille, il était probable qu'il n'apprécie guère qu'elle soit invitée à leur table, le dimanche soir…

— Ecoutez, je ne veux pas m'imposer, dit-elle alors à Sue.

Celle-ci posa les mains sur ses hanches.

— C'est moi qui cuisine, donc j'invite qui je veux ! décréta-t-elle.

Elle aurait sans doute dû décliner l'invitation, mais l'idée de passer du temps en compagnie de Sue et de Lily Ann, et peut-être même de Joe, était tentante… Toutefois, que se passerait-il si elle s'attachait à eux ? Elle n'allait pas s'attarder à Paradise. En même temps, la perspective d'une soirée en solitaire était un peu déprimante pour une personne aussi sociable qu'elle.

— Bon, si vous êtes certaine que je ne dérangerai pas…

— Bien sûr que non !

— Dans ce cas, j'apporterai le dessert. Je ferai un flanc à la gélatine.

Sue lui sourit.

— Je ne peux pas refuser : c'est le dessert préféré de Lily Ann. Mais autant vous prévenir que Joe n'en mangera pas. Il a fait une mauvaise expérience avec de la gélatine au lycée, à un jeu de tir, et depuis il n'en mange plus. Je vous raconterai un jour cette histoire.

— Je suis impatiente de l'entendre, assura-t-elle amusée.

Sue se leva et elles sortirent de la maison. La chaleur de l'après-midi les happa.

— Lily Ann ! appela Sue.

Au bout de quelques secondes, la fillette apparut.

— Je dois déjà rentrer ? demanda-t-elle.

— Rends-moi un petit service et va montrer à Reily où se trouve le vélo dont on ne se sert pas, dans le garage. Elle va l'utiliser pour aller en ville.

— D'accord, tante Sue.

— Si vous avez besoin de quoi que ce soit, Reily, n'hésitez pas : venez frapper chez moi.

— Merci, Sue.

Lily Ann fonça vers le garage et Reily lui emboîta le pas. De l'intérieur, Sue avait dû appuyer sur le bouton d'une télécommande car la porte s'ouvrit automatiquement.

— C'est ici, dit Lily Ann.

Il régnait une chaleur épouvantable à l'intérieur du garage et cela sentait l'engrais. D'un côté se trouvait tout ce que l'on mettait normalement dans un garage, des vélos, du matériel pour la pelouse et des outils de jardin. Tout était rangé avec soin. De l'autre côté était garée une voiture recouverte d'une bâche. Elle ne pouvait deviner ni le fabricant ni le modèle, mais une chose était sûre : c'était une automobile ancienne qui avait de l'allure.

Cédant soudain à un élan de curiosité, elle voulut soulever la bâche en plastique…

— Ne touche pas à ça ! s'écria Lily Ann.

Elle sursauta et se retourna vers la fillette.

— Je voulais simplement voir ce qu'il y a dessous, dit-elle en souriant.

— Personne n'a le droit de toucher à la voiture de papa, décréta Lily Ann en fronçant les sourcils.

— Je voulais juste connaître la marque.

La petite fille posa une main sur sa hanche toute menue.

— Il faut d'abord demander la permission à papa, car lui seul a le droit d'y toucher. Les voitures, c'est très cher.

Reily se mordit la lèvre pour ne pas rire. La petite répétait mot pour mot ce qu'on lui avait appris.

— Désolée, fit-elle alors.

Lily Ann plissa les yeux, comme si elle se demandait si elle pouvait vraiment lui faire confiance. On aurait dit une version miniature de son père.

— Que cela ne se reproduise pas.

— C'est promis.

— Le vélo est là-bas.

Appuyées contre le mur opposé se trouvaient deux bicyclettes, appartenant visiblement l'une à un homme et l'autre à une femme. Le vélo de femme était recouvert d'un film de poussière, et les pneus avaient besoin d'être gonflés. Par chance, il y avait une pompe accrochée au mur. Décidément, Joe Miller était un homme très organisé.

Lily Ann l'observa tandis qu'elle roulait la bicyclette jusque dans l'allée. Une fois qu'elle l'eut calée sur sa béquille, elle entreprit d'en regonfler les pneus. Elle se servit ensuite d'un chiffon pour en essuyer la selle. La chaîne aurait eu besoin d'un peu d'huile, mais elle s'en chargerait plus tard. Le vélo était comme neuf. Sue n'avait pas dû s'en servir très souvent.

— Moi non plus je n'ai pas de maman, déclara Lily Ann dans son dos.

Surprise par cette déclaration à brûle-pourpoint, Reily se retourna vers elle. La petite avait bel et bien entendu sa conversation avec Sue, tout à l'heure. D'ailleurs, elle aurait parié qu'elle avait entendu bien des choses qu'elle n'était pas censée savoir.

— Oui, c'est ce que ton père m'a dit. Ce doit être difficile de ne pas avoir de maman.

— Ma maman n'est pas morte, tu sais. Elle est partie quand j'avais trois ans. Papa dit qu'elle ne va pas revenir. Je lui ai demandé pourquoi, mais il ne veut pas me le dire.

— Peut-être qu'il ne le sait pas.

— Moi, je crois que c'est parce que j'ai fait pipi longtemps dans ma couche et qu'elle en avait assez de me changer.

Le problème, quand on ne donnait pas une réponse aux enfants, c'était qu'ils avaient leur propre façon d'en fabriquer une. Elle se demanda si Joe savait qu'elle se croyait responsable du départ de sa mère.

— Tu sais, lui dit-elle, j'ai souvent changé les couches des enfants et ce n'est pas si désagréable que ça. Parfois, les adultes ont des comportements… difficilement explicables.

Lily Ann parut réfléchir quelques secondes, puis elle secoua la tête.

— Non, c'était à cause des couches.

Pour autant qu'elle avait envie de convaincre Lily Ann que ce n'était pas sa faute si sa mère était partie, elle ne se sentait pas légitimée à donner des conseils à une enfant qu'elle connaissait à peine. Même si toutes les deux partageaient une expérience commune — celle d'avoir perdu leur mère.

— Bon, dit-elle en souriant, il faut que j'aille travailler, ou ton père risque de me mettre à la porte. Mais nous nous reverrons dimanche soir, au dîner. J'apporterai un flanc à la gélatine.

Les yeux de Lily Ann se mirent à briller et elle sauta de joie.

— C'est vrai ?

— Quel parfum tu préfères ?

— Violet.

— Au raisin, alors ? Parfait, dit-elle à Lily Ann.

Puis elle enfourcha la bicyclette, surprise de ne pas avoir à ajuster la selle, étant donné que Sue faisait une tête de moins qu'elle. Elle fit au revoir à Lily Ann de la main, qui agita à son tour la sienne avec enthousiasme, puis, passant son sac en bandoulière, elle s'élança. Elle n'était pas montée sur un vélo depuis l'âge de seize ans et pendant les premiers mètres elle se sentit un peu instable, mais, quand elle atteignit Main Street, elle pédalait comme si elle n'avait jamais arrêté de sa vie. Cela lui permettrait de gagner beaucoup de temps pour se déplacer, et peut-être qu'elle pourrait même fixer un panier sur le guidon pour y mettre ses courses, pensa-t-elle. Il faudrait bien sûr que Sue donne son accord.

Quand elle arriva sur le parking du bar-restaurant, situé derrière le bâtiment, Joe sortait des courses du coffre de sa voiture, notamment des énormes rouleaux de papier toilette.

Il ne l'avait pas vue, aussi n'était-il pas sur ses gardes. Et elle en conclut qu'il était vraiment sexy ! Même si les ténébreux tourmentés, ce n'était pas son genre, elle pourrait faire une exception... Si elle n'avait pas dû partir dans six semaines, bien sûr ! Mais, pas plus que sa femme, elle n'avait envie de se fixer quelque part, et elle ne voulait certainement pas jouer les mères de substitution.

Alors qu'il atteignait la porte, Joe lui lança un vague regard. Et puis, comme si quelque chose l'avait frappé, il tourna de nouveau les yeux vers elle. Son expression s'assombrit dangereusement...

Etait-elle en retard ? se demanda-t-elle soudain, angoissée.

Elle s'arrêta devant la porte et descendit de vélo. Elle voulut s'excuser pour avoir pris tout son temps, mais elle n'en eut pas le temps.

— Où est-ce que tu as pris ce vélo ? demanda-t-il d'un ton revêche.

- 5 -

Joe vit Reily reculer d'un pas, manifestement choquée par sa réaction inattendue et il sentit un élan de culpabilité le traverser… En toute logique, c'était tante Sue qui lui avait prêté la bicyclette. Bien qu'il ne la connaisse pas très bien, elle ne lui faisait pas l'effet d'une personne capable de s'introduire dans son garage sans y être invitée et de choisir ce qui lui plaisait.

— Je ne l'ai pas volé, si c'est ce que tu penses, lui dit-elle d'un air offensé. Sue m'a invitée à boire un verre de limonade, puis elle m'a proposé la bicyclette pour aller travailler. Si cela te pose un problème, je…

— Non, cela ne me pose aucun problème, trancha-t-il. C'est juste que… Bref, oublie ce que je viens de dire.

Elle demeura silencieuse quelques secondes, puis elle le regarda droit dans les yeux.

— C'est le vélo de ta femme, n'est-ce pas ? demanda-t-elle.

Il retint un juron. Etait-il si transparent que cela ?

— Cela n'a aucune importance, marmonna-t-il.

Il vit bien à son regard qu'elle ne le croyait.

— Je suis désolée, Joe. J'ai pensé, à la façon dont

Sue m'a présenté les choses, que c'était le sien. Si j'avais compris que…

— Oublions cette histoire ! coupa-t-il, se sentant idiot de s'être énervé.

C'était juste une bicyclette ! Et bien qu'il l'ait effectivement achetée pour Beth, pensant que ce serait amusant de faire du vélo en famille — de faire pour une fois une activité à trois —, celle-ci ne s'en était pas servie plus d'une fois ou deux. Elle préférait toujours aller se divertir en compagnie d'autres personnes que son mari et sa fille.

— Je peux le rapporter maintenant, si tu veux.

— Je t'ai dit d'oublier cette histoire, répliqua-t-il.

De nouveau, il s'en voulut de son ton un peu trop brusque. Elle ne lui avait rien fait, et voilà que c'était sur elle qu'il déversait son animosité refoulée.

S'efforçant de prendre un ton plus plaisant, il ajouta :

— Il n'y a aucune raison pour que tu ne t'en serves pas.

— Tu en es bien sûr ?

Il hocha la tête.

— Cela ne me pose aucun problème, je te certifie.

— Je suis vraiment navrée, Joe, répéta-t-elle.

— Ce n'est pas la peine.

— Peut-être, mais je le suis quand même.

A présent, il se faisait l'effet d'un monstre. Au fond, ce qu'il n'avait pas supporté, c'était la façon dont tante Sue se mêlait systématiquement de ses affaires. Celle-ci l'incitait à se délivrer du passé et à continuer à vivre, et elle avait raison, bien sûr, mais c'était plus vite fait que dit.

— A propos, je voulais te dire que j'ai eu l'occasion de parler avec Lily Ann, aujourd'hui, enchaîna-t-elle. C'est une petite fille très intelligente, et je pense qu'elle doit aussi avoir son petit caractère.

Il ne put s'empêcher de sourire. Il réagissait toujours ainsi quand on évoquait sa petite fille.

— Du caractère, ça oui, elle en a.

Elle parut hésiter, mordant sa lèvre charnue. Puis elle se lança :

— Lily Ann m'a dit quelque chose qui m'a…

Elle n'eut pas le temps de finir sa phrase. La porte s'ouvrit brutalement et il dut faire un bond de côté pour ne pas la recevoir de plein fouet. C'était Jill qui sortait fumer une cigarette avant l'affluence du dîner.

— Oh ! tu es là ! dit-elle en apercevant Reily. Je ne sais pas comment ça se passe dans la région d'où tu viens, mais ici, à Paradise, on arrive à l'heure au travail.

Pauvre Reily ! Ce n'était pas sa fête, aujourd'hui, se dit-il. Le reproche de Jill le surprit d'ailleurs autant que l'intéressée.

— Il y a un problème, Jill ? questionna-t-il d'un ton sec.

Celle-ci, qui n'avait visiblement pas remarqué sa présence, fit volte-face.

— Joe ! Tu m'as fait une sacrée peur ! dit-elle en riant nerveusement. Je ne savais pas que tu étais revenu.

— Je viens juste de rentrer.

Elle rougit, mal à l'aise, sans doute parce qu'elle n'était pas franchement en position de donner des leçons sur la ponctualité. Non seulement elle arrivait très souvent en retard, mais elle prenait des pauses plus longues et plus fréquentes qu'elle n'aurait dû, en profitant pour enchaîner les cigarettes jusqu'à ce que quelqu'un vienne la chercher. Par-dessus le marché, ce n'était pas une excellente serveuse. Elle était lente et étourdie, et se trompait au moins une ou deux fois dans ses commandes pendant son service. Il l'aurait renvoyée depuis fort longtemps si elle n'avait pas élevé son fils seule, sans aucun soutien financier de la part du père.

Il s'apprêtait à remettre Jill à sa place, lorsque Reily déclara d'un ton posé et aimable :

— Lindy m'a dit de revenir à 16 h 30. Et il est…

Elle regarda sa montre.

— … 15 h 55. En fait, je suis en avance.

Il se retint de sourire. Reily n'était pas le genre de femme à s'abaisser au même niveau que ceux qui parlaient sur un ton plein de morgue. Naturellement, Jill ne se serait jamais adressée à Reily de cette façon si elle avait eu conscience qu'il était présent.

Il tendit alors à Jill son énorme paquet de papier toilette.

— Tu peux rentrer ça à l'intérieur ? Vérifie qu'il y en a dans toutes les cabines, s'il te plaît.

Elle hésita, regardant son paquet de cigarettes. Elle n'allait tout de même pas avoir l'audace de lui dire d'attendre ? Etant donné les mégots qui se trouvaient près de la porte, elle avait au moins fumé un demi-paquet depuis qu'elle avait pris son service. Elle finit par acquiescer.

— Entendu, dit-elle.

Et, prenant les rouleaux, elle rentra.

Reily secoua la tête.

— Je ne sais pas ce que j'ai fait ou dit qui lui a déplu, mais, visiblement, elle ne peut pas me sentir.

Il avait sa petite idée sur la question. Jill essayait de jeter son dévolu sur lui, et sans doute voyait-elle en Reily une menace, ce qui était ridicule, bien sûr. Tous ceux qui le connaissaient savaient qu'il ne s'intéresserait jamais à une femme comme Reily. Aussi, la jalousie n'était-elle pas de mise, d'autant que Jill n'avait pas plus de chances avec lui.

— A ta place, je ne m'en préoccuperais pas, lui dit-il.

Et il ouvrit la porte. Comme elle ne faisait pas mine d'entrer, il ajouta :

— Tu ne viens pas ?

Elle jeta un coup d'œil au vélo.

— Je viens de me rendre compte que je n'ai pas d'antivol.

— Ne t'inquiète pas. A Paradise, ça ne risque rien.

— Tu es sûr ? Je me suis bien fait voler ma voiture à sept kilomètres d'ici. Je me sentirais vraiment très mal s'il disparaissait.

Etant donné sa réaction initiale, il ne pouvait pas lui reprocher de s'inquiéter. Mais Paradise n'était vraiment pas le genre d'endroit où l'on volait les vélos.

— Cela s'est passé sur l'autoroute, pas au cœur de notre bourgade. Ici, chacun surveille la propriété d'autrui. Laisse-le près de la porte et je peux t'assurer qu'il ne lui arrivera rien.

Elle obtempéra et le suivit à l'intérieur. Elle prit la direction de son casier pour y déposer son sac et il se rendit dans son bureau afin de passer les commandes de la semaine suivante. Il ne la revit pas avant l'heure de grande affluence du dîner du soir, quand il sortit saluer quelques habitués, c'est-à-dire une bonne partie de la salle. Beaucoup de personnes étaient de Paradise, mais les touristes des villes avoisinantes représentaient au moins un cinquième de la clientèle, venus profiter du week-end d'été. Il y avait même toujours un ou deux couples de Denver. Ils venaient chez Joe pour la nourriture et pour les groupes de country qui jouaient le vendredi et le samedi soir.

Du temps de son père, Joe's Place n'avait jamais été aussi bondé. Evidemment, à l'époque, l'endroit était deux fois moins spacieux et la carte n'offrait que des hamburgers, des frites et des pizzas. Joe senior n'avait jamais eu l'argent ni l'envie de transformer l'endroit. Lorsqu'il était sorti de l'université avec un diplôme de commerce en poche, il avait fortement conseillé à son père de contracter un prêt auprès d'une banque afin de transformer l'établissement en un véritable restaurant. Il avait même réfléchi précisément à différentes possibilités, mais Joe senior s'y était toujours opposé. L'argent de l'assurance-vie lui avait donné les moyens de concrétiser ses projets. Il aimait penser que son père aurait finalement été fier de lui, et de ce qu'il avait fait de son bar-restaurant.

Il se demandait souvent si le fait d'avoir repris l'affaire et de s'être en quelque sorte « enchaîné » à Paradise n'avait pas été le facteur qui avait porté le coup fatal au naufrage de son mariage, naufrage qui avait commencé dès l'instant où ils avaient échangé leurs vœux… Jusqu'alors, Beth avait peut-être cru qu'ils ne resteraient pas dans cette petite bourgade, qu'ils finiraient dans une ville plus excitante, comme West Coast, qu'elle avait finalement préféré à son mari et sa fille.

Quelles qu'aient été ses motivations, il commençait peu à peu à accepter le côté inéluctable de son départ. Et même si le processus de guérison était long, et que tout ne serait pas forcément facile à l'avenir, il se disait que Lily Ann et lui pourraient finalement être heureux.

Tout en saluant les clients, s'arrêtant ici et là pour discuter ou prendre lui-même une commande, il surveillait Reily du coin de l'œil. Elle n'arrêtait pas une seconde. Si elle ne remplissait pas un plateau, elle essuyait le comptoir, ou remplissait les coupes de cacahouètes ou bien échangeait quelques mots avec des habitués qui en paraissaient ravis, ce qu'il comprenait aisément.

Un instant, leurs regards se croisèrent et elle lui adressa un sourire si naturel et si doux, qu'il en oublia de respirer pendant quelques secondes…

— Hé, Joe ! cria quelqu'un par-dessus la musique.

Il se retourna. C'était Annie, l'une de ses serveuses.

— Jill a encore pris une pause, alors qu'elle a trois commandes en cours.

Il aspira une large bouffée d'air. Il devait régler ce problème une fois pour toutes !

— Je m'en occupe, dit-il.

Alors qu'il allait poser la main sur la poignée, la porte latérale s'ouvrit et Jill rentra.

— Coucou, Joe ! fit-elle d'un ton enjoué comme si de rien n'était.

Elle savait pourtant bien qu'il lui avait reproché maintes fois ses trop nombreuses pauses, notamment aux moments d'affluence.

— Donne-les-moi, dit-il d'un ton brusque en tendant la main.

Elle cligna les yeux.

— De quoi est-ce que tu parles ?

— De tes cigarettes. Donne-les-moi !

Elle recula, serrant son paquet dans sa main comme s'il était un voleur qui lui réclamait son portefeuille.

— Pourquoi ?

— Parce que j'en ai assez que tu prennes sans arrêt des pauses.

Il agita les doigts et elle lui tendit son paquet à contrecœur.

— A partir de maintenant, quand tu voudras fumer, tu viendras me voir. Et chaque jour, quand tu arriveras au travail, tu me remettras ton paquet, compris ?

Jill hocha la tête, puis elle regarda par-dessus son épaule en écarquillant les yeux. Il se retourna. Reily se tenait juste derrière eux.

— Désolée. J'ai besoin d'une boîte de cerises au marasquin, dit cette dernière en désignant la porte de la réserve devant laquelle ils se tenaient.

— Je te les apporte dans une minute, dit Joe.

Hochant la tête, elle évita le regard de Jill, qui était rouge de gêne, et s'éloigna. Quand elle fut hors de portée, il reprit d'un ton sec :

— Tu as des commandes en cours, et trois tables attendent leur nourriture.

Elle marmonna des excuses, et se dépêcha de regagner les cuisines. Il détestait la traiter comme une adolescente désobéissante, mais elle ne lui laissait guère le choix. Une autre solution aurait été de la licencier, le problème, c'était qu'elle avait réellement besoin de son travail. Il prit le pot de cerises dans la réserve et, en revenant au comptoir, déposa le paquet de cigarettes dans le tiroir de son bureau.

Une fois derrière le comptoir, il tendit les cerises à Reily.

— Désolée pour tout à l'heure, dit-elle en prenant le pot. Je ne voulais pas être indiscrète.

— Ce n'est pas la peine de t'excuser.

— Je sais à quel point il est désagréable de se faire taper sur les doigts par son chef, mais c'est encore pire quand il y a des témoins.

— Après la façon dont elle t'a parlé tout à l'heure, cela aurait pourtant dû te faire plaisir, non ?

— Je suis sûre qu'elle a ses raisons pour réagir ainsi. Je pense surtout qu'elle est malheureuse, et que ça ne vient pas forcément de moi.

Elle était en plein dans le mille. Cette femme avait décidément une très bonne perception de son entourage.

— Ça ne te dérange pas qu'on soit désagréable avec toi sans raisons valable ? lui demanda-t-il.

Elle haussa les épaules.

— Si, bien sûr. On cherche tous à être aimés. Mais cela prend moins d'énergie d'être désolé pour quelqu'un que de le détester. En outre, personne ne doit vous mettre mal à l'aise sans votre permission. C'est une citation de je ne sais plus qui.

— Eleanor Roosevelt, dit-il. Personne ne peut vous diminuer sans que vous y consentiez.

— Exact, approuva-t-elle dans un sourire.

Puis un client lui fit signe qu'il souhaitait un autre verre, et elle se remit au travail, le laissant à ses réflexions : Reily Eckardt était vraiment une femme surprenante et fascinante.

— C'est une sacrée femme, n'est-ce pas ? fit George Simmons, le propriétaire de Simmons's Hardware.

Il était assis à sa place habituelle, au comptoir, place qu'il occupait tous les samedis soir depuis le décès de sa femme Elaine, un an auparavant. Il sirotait une Heineken tout en grignotant des ailes de poulet frites.

— Et je ne dis pas ça simplement parce qu'elle est belle ! précisa-t-il.

— Tu l'aimes bien, alors ? demanda Joe.

George mordit dans son aile puis s'essuya la bouche avec sa serviette.

— Mouais. Elle a la tête sur les épaules.

— Moi aussi je l'aime bien, intervint Wade Spencer assis deux sièges plus loin.

Il était facteur à Paradise depuis qu'il avait quitté le lycée, quelque quarante ans plus tôt.

Joe sourit et s'appuya au comptoir.

— Vous devriez peut-être l'inviter à sortir avec vous, dit-il à Wade.

— Je ne suis pas prétentieux au point de croire qu'elle voudrait dîner avec un vieux croûton comme moi.

George lui lança un regard exaspéré.

— Et tu ne crois pas que Lila aurait son mot à dire ?

Lila était la femme de Wade, et la mère de ses six garçons. Les plus jeunes, Markus et Michael, des jumeaux, avaient été dans la classe de Joe de la maternelle au lycée.

— Je pense que ça aussi, ce serait un problème, concéda Wade avec un petit sourire sec. Mais un homme a le droit de rêver, non ?

Joe se mit à rire.

— Je vous offre une bière ?

Il la leur servit, puis discuta avec plusieurs autres clients avant de regagner les cuisines où il prêta main-forte pendant au moins deux heures. Il avait travaillé dans les cuisines d'un restaurant, quand il était au lycée, et il aimait occasionnellement se mettre aux fourneaux.

A 22 heures, lorsque l'activité liée au repas ralentit, il était de retour au bar pour saluer la deuxième vague de clients. Ils étaient plus jeunes et plus bruyants et dansaient sur la piste.

A 1 heure du matin, l'établissement commençait à se vider, et à 2 heures, quand ils fermèrent la caisse, le bar était vide.

Il décida de ne faire les comptes que le lendemain, mais, à la fatigue qui se lisait sur le visage de ses employés, il savait que la recette serait bonne. Alors que tout le monde était parti, il découvrit que Reily s'affairait encore derrière le comptoir. Elle renouvelait les stocks pour le lendemain.

— Tu continueras demain, lui dit-il. Il est tard.

— Je n'aime pas laisser un travail en plan, répondit-elle.

Elle semblait aussi fatiguée que lui.

— Ecoute, je vais fermer, alors à moins que tu veuilles passer la nuit ici…

Elle lui sourit.

— O.K., je finirai demain.

Il l'attendit près de la porte pendant qu'elle alla chercher ses affaires dans son casier. Comme il l'avait prédit, son vélo était toujours là. Il enleva la béquille et le mit dans son pick-up.

— Qu'est-ce que tu fais ? fit-elle.

— Je te reconduis à la maison.

— Mais cela ne fait pas partie du contrat, tu me l'as dit.

— Je ne vais quand même pas te laisser rentrer à vélo, alors que nous allons exactement au même endroit, qu'il est tard et que tu es morte de fatigue ?

— Tu es sûr que ça ne te gêne pas ?

Il était vrai qu'il avait été rude avec elle, et qu'elle devait le prendre pour un rustre.

— Allez, monte, lui dit-il.

Il s'attendait presque à ce qu'elle proteste encore, mais, sans doute en raison de son épuisement, elle obtempéra.

Quand il s'assit derrière le volant, elle lui demanda :

— Est-ce que c'est aussi bondé chaque week-end ?

— En été, oui, dit-il en mettant le contact. L'hiver, c'est plus calme, surtout s'il fait mauvais temps.

— En tout cas, les affaires marchent bien, c'est impressionnant, surtout pour une petite ville comme Paradise.

— J'ai de la chance.

— Je doute que la chance ait quelque chose à voir là-dedans.

Ils restèrent silencieux pendant quelques instants, tandis qu'il conduisait dans la nuit, lorsqu'elle déclara :

— Je voulais te dire quelque chose. Je sais que ce n'est probablement pas le meilleur moment…

Elle s'interrompit, hésitante.

Il lui lança un coup d'œil.

— Jill a encore été désagréable avec toi ?

Elle secoua la tête.

— Non, ce n'est pas au sujet du travail. C'est à propos de Lily Ann.

— Qu'y a-t-il ?

— Tu sais qu'elle pense que c'est sa faute si sa mère est partie ?

Ses paroles le décontenancèrent. Comment pouvait-elle le savoir ?

— Qui te l'a dit ?

— Lily Ann.

— Ah bon ? Elle t'a dit : « Je suis responsable du départ de ma mère » ?

— Elle a surpris ma conversation avec Sue et a entendu que mes parents étaient morts quand j'étais enfant. Après, quand elle m'a montré où se trouvait le vélo, elle m'a dit qu'elle non plus n'avait plus de maman. Elle pense que Beth est partie parce qu'elle a été propre tard, et que sa mère en avait assez de changer ses couches.

— C'est ridicule, dit-il en s'engageant dans sa rue.

Il n'y croyait pas un instant et, de toute façon, Reily se mêlait de ce qui ne la regardait pas.

— Elle s'est moquée de toi, ajouta-t-il.

— Non, Joe, elle était sérieuse. A cinq ans, elle n'a pas la maturité pour faire une blague pareille.

Il pénétra dans l'allée, se gara devant le garage et coupa le moteur.

— Ecoute, j'apprécie ta sollicitude…

— Non, je vois bien que non ! le coupa-t-elle. Tu penses que je raconte n'importe quoi et que je ferais mieux de me mêler de mes affaires.

C'était effectivement plus proche de la vérité.

— Je ne t'en veux pas pour cette réaction, tu sais, poursuivit-elle. J'ai longuement réfléchi, et j'ai décidé de te le dire. Peut-être que tu ne me crois pas, mais sache que je ne suis pas le genre de personne à m'immiscer dans la vie des autres. Lily Ann est une enfant adorable, et cela me peine qu'elle se croie responsable du départ de sa mère. Parle-lui ou non, c'est à toi de décider, mais, moi, je tenais à te dire ce qu'elle m'avait confié.

Détachant sa ceinture, elle ouvrit la portière.

— Ma fille va très bien, assura-t-il avec froideur.

— J'espère que tu dis vrai. Merci de m'avoir raccompagnée.

Elle sauta alors du pick-up et monta les marches qui menaient à l'appartement. Il sortit à son tour de son véhicule et attendit qu'elle soit à l'intérieur pour rentrer chez lui.

Sue somnolait devant la télévision qui diffusait un vieux film en noir et blanc, avec James Stewart. Il lui avait dit des centaines de fois qu'il pouvait tout à faire prendre Lily Ann chez elle quand il rentrait, que l'enfant ne se réveillerait pas durant le transport car elle dormait à poings fermés. Mais sa tante n'en démordait pas. Pour elle, un enfant devait dormir dans son lit.

— Je suis rentré, dit-il.

Elle sursauta et se redressa, en se frottant les yeux.

— Je crois que j'ai dû m'assoupir, dit-elle. Ça s'est bien passé, au travail ?

— Il y avait du monde. Et avec Lily Ann ?

— Elle avait de l'énergie à revendre.

S'emparant de la télécommande, elle éteignit la télévision.

— Elle était un peu agitée, parce qu'elle attend la petite souris, à cause de sa dent. Alors après dîner, je l'ai emmené manger une glace, ça l'a calmée. Sa dent est dans une enveloppe sur ton bureau, et j'ai mis un dollar sous son oreiller.

— Merci.

Sue se leva et s'étira.

— Bon, je rentre. Rendez-vous à 10 heures, demain.

Il la raccompagna à la porte. Alors qu'elle descendait l'escalier, il l'appela :

— Eh, tante Sue !

Elle se retourna.

— Est-ce que Lily Ann t'a déjà dit que si Beth était partie, c'était à cause d'elle ?

— Non. Pourquoi ?

— Oh ! Pour rien ! C'est quelqu'un qui m'a dit ça. Bon, à demain.

Il referma la porte, puis il monta dans la chambre de sa fille pour vérifier qu'elle dormait profondément. Grâce à la lumière du couloir, il vit qu'elle était recroquevillée sur elle-même, sa poupée favorite blottie contre elle, et que la couette était froissée au pied du lit. Il s'avança, déposa un baiser sur son front et remonta la couverture. Puis il resta planté devant le lit, à la regarder dormir tout en repensant aux propos de Reily.

Il n'imaginait pas un instant qu'elle lui ait menti à propos de ce que Lily Ann lui avait dit, mais il était en revanche possible qu'elle ait mal interprété ses propos, ou que sa fille l'ait taquinée.

Pourtant, une part de lui-même ne pouvait s'empêcher de se demander si Reily avait raison.

- 6 -

Chez Joe's Place, il y avait encore plus de monde le samedi soir que le vendredi. Heureusement, le bar était fermé le dimanche, et elle ne travaillait pas le lundi. Deux jours de repos lui feraient le plus grand bien. Elle se leva tard le dimanche matin, et décida d'aller prendre son petit déjeuner en ville, dans l'autre restaurant qui, lui, était ouvert le dimanche. Elle gara son vélo devant Lou's Diner et, alors qu'elle allait entrer, P.J. en sortit. Elle avait failli ne pas le reconnaître dans ses vêtements civils, avec sa casquette de base-ball sur la tête. Derrière lui se trouvait un grand jeune homme en uniforme de shérif adjoint.

— Tiens, bonjour ! s'exclama-t-il, un petit sourire aux lèvres.

Il se tourna alors vers son collègue.

— C'est Reily, la femme dont je t'ai parlé. Reily, je vous présente mon fils, Nate.

— Ravi de vous rencontrer, Reily, dit Nate en lui serrant la main, un grand sourire aux lèvres.

Nate était une version plus grande et plus jeune de son père.

— Vous avez fait une sacrée impression sur mon père, ajouta-t-il.

— Il m'a littéralement sauvé la vie, répondit-elle.

— J'ai entendu dire que Joe vous avait donné du travail, reprit P.J. Je voulais m'arrêter chez lui pour voir comment ça se passait pour vous.

— Très bien ! répondit-elle. Non seulement il m'a embauchée, mais il me loue son appartement, au-dessus de son garage. Une amie de Lindy, Zoey, m'a donné des vêtements dont elle s'apprêtait à se débarrasser, et la tante de Joe, Sue, a laissé un panier rempli de victuailles devant ma porte. Tout le monde a été charmant avec moi.

— Cela me fait plaisir, dit-il en souriant.

Et il lui lança un regard pénétrant.

Elle avait presque oublié à quel point il respirait la bonté. Elle avait eu de la chance que ce soit lui qui soit envoyé ce soir-là à la station-service.

— Je m'arrêterai un de ces jours chez Joe et nous aurons le temps de parler un peu, continua-t-il.

— Ce sera avec grand plaisir, lui dit-elle avant d'ajouter à l'intention de son fils : J'ai été ravie de vous rencontrer, Nate.

— Moi aussi, dit ce dernier en lui adressant un beau sourire.

Ses fossettes se creusèrent et on aurait presque cru qu'il flirtait avec elle. C'était un beau garçon au visage typiquement américain.

— Je suis sûr qu'on se reverra bientôt, ajouta-t-il.

Reily entra alors dans le restaurant qui était propre et bien tenu, même si le décor était un peu suranné. Elle s'arrêta à la hauteur du comptoir, attendant qu'une serveuse lui indique où s'asseoir, quand quelqu'un s'écria :

— Reily !

Elle se retourna et vit Lindy assise dans un box en compagnie d'une autre femme, près de la fenêtre. Elle lui fit signe de venir la rejoindre. Tout en se dirigeant vers elle, Reily reconnut une bonne douzaine de clients. Tous la saluèrent chaleureusement, comme s'ils se connaissaient depuis toujours — et non depuis un jour ou deux.

— Salut, Reily ! reprit Lindy quand elle arriva à leur table. Je te présente Zoey.

Zoey était aussi chic et branchée que Reily l'avait imaginé. La coloration de ses cheveux tout comme leur coupe était l'œuvre d'un professionnel et elle était parfaitement maquillée.

— Je suis très heureuse de faire enfin ta connaissance, lui dit Reily en serrant sa main soigneusement manucurée. Je ne te remercierai jamais assez pour les vêtements.

— Ce n'est rien, dit Zoey, un sourire amical aux lèvres. Et si nous prenions le petit déjeuner ensemble ?

— Tu es sûre ? Je ne veux pas vous déranger.

— Assieds-toi, insista Lindy en se poussant pour lui faire de la place. Cela fait à peine deux minutes que nous avons commandé.

Reily se glissa à côté d'elle et Zoey appela la serveuse, qui arriva sans tarder. Elle était petite et maigre, et dans la tresse brune qui lui tombait jusqu'aux reins se mêlaient quelques filets d'argent. Reily aurait parié qu'elle était d'origine amérindienne.

— Reily, je te présente Betty, dit Lindy. Elle et son mari, Lou, sont les propriétaires du restaurant.

Betty, voici mon amie, Reily. Elle travaille chez Joe, elle remplace Mark.

— Ah, vous êtes donc la jeune femme à qui on a volé sa voiture ! s'exclama-t-elle avec sympathie.

Le téléphone arabe fonctionnait sans le moindre problème, ici, pensa Reily, amusée et pas du tout surprise.

— Oui, c'est moi.

— Vous n'auriez pas pu tomber sur une bourgade plus sympathique que Paradise. Qu'est-ce qui vous ferait plaisir ?

— Je te recommande le pain perdu, dit Lindy.

— Très bien, alors du pain perdu et un café, s'il vous plaît.

— Tout de suite ! dit Betty en remplissant une tasse de café pour Reily, avec le pot de café qu'elle tenait à la main.

Reily s'empara de sa tasse et but une longue gorgée, étonnée de trouver le café aussi bon. Dans sa ville natale, il n'était pas très fort, et ressemblait à de l'eau brune. Celui-ci était plutôt corsé.

— Alors, qu'est-ce que tu penses de Paradise ? s'enquit Zoey.

— Tout le monde a été incroyablement gentil et obligeant envers moi. Sans Joe, je ne sais pas ce que je serais devenue.

— C'est un amour d'homme, dit Zoey avec une pointe de nostalgie dans la voix.

Puis elle avala un trait de café, en faisant claquer ses beaux ongles rouges contre sa tasse quand elle la porta à sa bouche.

— Toutes les célibataires de la ville ont essayé de le séduire depuis que Beth l'a quitté.

— Et il est sorti avec certaines ? demanda Reily.

— Pas que je sache, intervint Lindy. Et, dans cette ville, il est impossible de garder des secrets. Si quelqu'un éternue, le lendemain, c'est écrit dans le journal.

— Moi aussi, je viens d'une petite ville, je comprends ce que tu veux dire, fit observer Reily.

— Et te voilà coincée dans une autre petite ville, observa Zoey. Le destin nous joue parfois de ces tours !

— Je ne vais rester que six semaines, jusqu'à ce que Mark reprenne sa place. D'ici là, j'aurais économisé assez d'argent pour reprendre la route pour Nashville.

— Lindy m'a dit que tu étais chanteuse, dit Zoey. Tu as des amis dans le showbiz ?

Reily secoua la tête.

— Non.

— Est-ce que tu as au moins un job en vue, là-bas ?

— Pas encore. Je compte trouver un emploi de serveuse avant de décrocher une place de choriste quelque part. Et puis je me ferai ma place au soleil, c'est le cas de le dire.

— Ce doit être effrayant de tout recommencer de zéro, non ? Surtout que ce sera la deuxième fois.

— C'est vrai, mais cela en vaut la peine. C'est mon rêve depuis que je suis enfant. Ma mère était chanteuse, elle aussi. Elle avait une superbe voix, et elle a écrit de très belles chansons. Elle comptait venir à Nashville pour ses dix-huit ans, et puis elle a rencontré mon père… Entre eux, ce fut le coup de foudre ! Dès leur premier baiser, elle a compris qu'elle passerait toute sa vie avec lui.

Et c'était ce qui s'était produit, même si leur existence avait été de courte durée.

— Comme c'est romantique ! dit Lindy en soupirant. Je suppose qu'elle n'est jamais allée à Nashville.

— Elle l'aimait trop pour le quitter. Elle a renoncé à sa carrière de chanteuse pour se marier.

— Et est-ce qu'ils sont toujours ensemble ? s'enquit Zoey.

— Ils sont morts dans un accident de voiture quand j'avais sept ans. Mais, s'ils étaient encore en vie, je suis certaine qu'ils seraient restés ensemble. Je me rappelle qu'ils étaient très heureux. Il faut dire aussi que j'étais très jeune, à l'époque. A cet âge-là, on a l'impression que tout est merveilleux.

— Tu devrais demander à Joe de te laisser chanter dans son bar, dit Zoey. Il recherche toujours de nouveaux talents.

Reily secoua la tête.

— Il en a fait assez pour moi. Qui plus est, je n'ai même plus ma guitare. On me l'a volée avec ma voiture.

— Il t'aime bien, tu sais, déclara alors Lindy.

Reily la regarda d'un air fortement dubitatif.

— Non, je ne crois pas. Il m'a à peine dit deux mots, hier, au travail.

Le fils de Jill étant tombé malade pendant son service, celle-ci avait dû partir et elle l'avait remplacée au pied levé, se retrouvant derrière le comptoir avec Joe. Il ne lui avait pas adressé la parole une seule fois.

— Ce qui prouve que j'ai raison, enchaîna Lindy. Il t'ignore pour que tu ne te rendes pas compte que tu l'attires.

— Nous ne sommes plus au collège, Lindy, lui rappela-t-elle.

— Il te regarde quand il est certain que tu ne le vois pas.

Elle fronça les sourcils.

— Non, tu te trompes.

— Je t'assure que si ! Il ne peut pas détacher ses yeux de ta personne.

Elle devait admettre que, parfois, elle avait eu la sensation qu'il la regardait, mais, quand elle s'était retournée, il était affairé à servir un verre ou à discuter avec un client. De toute façon, elle ne pensait pas qu'il la suivait du regard parce qu'elle lui plaisait. Il redoutait plutôt qu'elle se serve dans la caisse, tout comme il avait cru qu'elle avait pris le vélo de sa femme sans rien demander à personne.

— Tu imagines, si vous tombiez amoureux l'un de l'autre ? fit Zoey en plaçant son menton sur sa paume, d'un air mélancolique. Ce serait comme ton père et ta mère. Tu renoncerais à la chanson et tu resterais à Paradise où tu mènerais une existence très heureuse.

— Contrairement à ma mère, je ne renoncerai pas à mes rêves pour un homme ! se récria vigoureusement Reily. Et puis je ne risque pas de tomber amoureuse de Joe. Il est bien trop lunatique.

— Il n'était pas comme ça, avant, dit Lindy. Il était aimable et amusant. Toujours le sourire aux lèvres. Avec le départ de Beth, il a beaucoup changé, mais je suis certaine que s'il rencontrait la femme idéale…

Elle lança un regard à Zoey et poursuivit :

— Il redeviendrait l'homme facile à vivre qu'il était autrefois.

— Et ce serait si bon de retrouver le Joe que nous connaissions. Sans compter que Lily Ann serait ravie d'avoir une nouvelle maman, renchérit Zoey.

Reily commençait à se sentir embarrassée.

— Je ne sais pas ce que vous complotez, toutes les deux, mais je préfère vous prévenir que ça ne va pas marcher. Joe ne me plaît pas, et c'est réciproque.

— Comploter ? répéta Lindy d'un air innocent. On ne complote rien du tout.

Reily n'en était pas aussi sûre, mais, avant qu'elle n'ait le temps de protester, Betty leur apporta leur commande.

Après le petit déjeuner, elle alla faire quelques courses avec ses amies, notamment pour pouvoir préparer le flanc à la gélatine promis pour le soir même. L'idée de passer du temps en compagnie de Joe en dehors du travail la mettait un peu mal à l'aise. Mais, après tout, ce n'était pas lui qui l'avait invitée, c'était Sue.

Ses emplettes bien rangées dans le sac à dos bon marché dont elle avait fait l'acquisition, elle rentra chez elle vers midi. Quand elle remonta l'allée, elle dut freiner brusquement, au risque de passer par-dessus le guidon car au beau milieu du chemin, vêtu d'un simple jean délavé, le soleil inondant ses belles épaules tannées, se tenait Joe. Il était en train de laver une vieille Plymouth Barracuda noire. Ses cheveux mouillés étaient un peu ébouriffés, et de la mousse recouvrait par endroits son torse musclé. Sa barbe naissante rajoutait à son sex-appeal.

Elle s'imagina soudain plonger les mains dans l'eau savonneuse et les laisser glisser sur le corps de Joe…

Que lui prenait-t-il ? se demanda-t-elle subitement en s'arrachant à ses rêveries. Elle descendit alors de vélo et remonta l'allée à pied.

— C'est une belle voiture, lui dit-elle.

Il leva à peine les yeux vers elle.

— Merci.

— Est-ce qu'elle a un moteur V8 383 ?

Surpris, il tourna la tête vers elle.

— Mouais.

— Et 330 chevaux ? enchaîna-t-elle.

— Exact, dit-il.

Puis, trempant son éponge dans l'eau, il l'essora et lui lança un regard suspicieux.

— Comment tu sais ça, toi ?

Etait-il le genre d'homme à penser que seuls les hommes s'y connaissaient en automobiles ?

— J'avais un petit ami qui restaurait des voitures de collection. Il aurait adoré celle-ci.

Elle gara son vélo près du garage puis revint sur ses pas.

— Tu l'as achetée en l'état ou tu l'as restaurée ?

Se saisissant du tuyau d'arrosage, il rinça l'endroit qu'il venait de savonner.

— Je l'ai restaurée. Chaque week-end depuis cinq ans.

Elle en fit le tour, admirant l'intérieur tout en cuir et immaculé.

— Elle est très belle. Elle doit aller vite.

— Tout à fait.

— Je peux voir le moteur ?

Visiblement surpris par sa curiosité, il ouvrit le capot de l'intérieur. Elle laissa échapper un petit cri de surprise. Les entrailles de la machine étaient aussi impeccables que sa carrosserie.

— Tout est d'origine ?

— Non, mais tout est authentique. C'était une ruine quand je l'ai achetée. J'ai trouvé la plupart des pièces chez un type qui habite en Californie.

Elle se redressa et il referma le capot.

— C'est du beau travail. Et tu seras ravi d'apprendre que Lily Ann la protège de façon farouche. J'ai voulu soulever la bâche, l'autre jour, quand elle me montrait le vélo dans le garage, et elle s'est quasiment jetée sur moi pour m'en empêcher.

Il secoua la tête et un sourire à la fois tendre et amusé éclaira ses traits. Elle sentit ses jambes fléchir.

— Elle est parfois un peu trop protectrice.

— Je ne vois pas du tout de qui elle tient ce trait de caractère, dit-elle.

Cette fois, il se mit à rire, un rire chaleureux qui la troubla encore un peu plus.

Au fond, il ne lui déplaisait peut-être pas autant qu'elle l'avait proclamé tout à l'heure, devant Lindy et Zoey… Si elle y réfléchissait bien, il l'attirait et l'agaçait à la fois, c'était là la vérité.

Elle fut un peu déconcertée quand il agita son trousseau de clés sous son nez.

— Tu as quelque chose de prévu dans le quart d'heure qui vient ? demanda-t-il.

Il lui proposait d'essayer sa Barracuda ?

— Euh… Non.

— Alors je vais te montrer comme elle roule vite.

— Euh… Et Lily Ann ?

— Elle est chez une amie.

— Mais je suis sûre que tu as des quantités de chose à faire et que…

— C'est quoi le problème ? Tu as peur de la vitesse ?

A quel jeu jouait-il au juste ? Il la mettait au défi de monter dans sa voiture ? Elle qui avait fait des courses de dragsters à Hickory Creek Road, dans le Montana !

Elle plaqua les mains sur les hanches.

— Je ne pense pas que ta voiture atteigne une vitesse capable de m'effrayer.

Elle vit passer un éclair de défi dans ses yeux en même temps qu'il lui adressait un petit sourire narquois.

— Donne-moi cinq minutes, le temps que je finisse de l'astiquer et on en reparle.

— Entendu.

Et, sous son regard suffisant, elle monta à son appartement pour vider le contenu de son sac à dos, et ranger ses denrées périssables dans le réfrigérateur, tout en se demandant ce qui lui avait pris d'accepter ce tour en voiture. Elle s'efforçait de rester logique. Ce n'était pas parce qu'il voulait lui montrer sa belle voiture qu'elle lui plaisait pour autant. Tous les hommes aimaient montrer leur joujou de métal.

Cette pensée la calma un peu, même si elle n'avait aucune raison d'être nerveuse.

Cependant, si elle était tellement sûre qu'il n'y avait aucune arrière-pensée de part et d'autre, pourquoi était-elle en train de se recoiffer et d'appliquer du gloss sur ses lèvres ?

Sans doute parce qu'elle était une belle idiote !

Elle secoua la tête devant son reflet dans le minuscule miroir de la salle de bains. Il s'agissait juste d'un petit tour en voiture, pas d'une affaire d'Etat. Jetant un dernier coup d'œil à la glace, elle saisit ses clés et sortit de l'appartement.

Joe était assis derrière le volant et, même si elle était chagrinée de ne plus voir son beau torse nu, elle devait admettre que le T-shirt noir qu'il avait enfilé soulignait élégamment son bronzage.

Il mit le moteur en marche, et la voiture rugit comme un lion.

— Monte si tu oses, la défia-t-il, un sourire tentateur aux lèvres.

C'était décidément une facette de sa personnalité qu'elle ne connaissait pas. Pas étonnant que tant de femmes étaient attirées par lui : quand il baissait la garde, il était irrésistible.

Elle contourna la Barracuda et ouvrit la portière pour se glisser à l'avant. Le cuir du siège était brûlant.

— Attache-toi, dit-il.

Il passa alors la marche arrière et redescendit doucement l'allée. Puis il s'engagea tout aussi prudemment dans la rue, bien au-dessous de la vitesse autorisée.

— Attention, tu risques la contravention, ironisa-t-elle.

Il se contenta de lui sourire. Ils arrivèrent sur Main Street et ils dépassèrent bientôt Joe's Place. Elle n'était jamais allée au-delà.

Ils longèrent quelques maisons isolées, qui semblaient moins soignées que celles du centre-ville jusqu'à ce qu'ils atteignent le panneau leur indiquant qu'ils quittaient Paradise et que la ville allait les regretter.

Ils arrivèrent ensuite à un carrefour et, bien que les routes soient complètement désertes, il s'arrêta. C'était un conducteur très, très prudent. Elle allait le lui dire… lorsqu'il appuya aussi brutalement que fortement sur l'accélérateur de sorte qu'elle eut l'impression de se retrouver dans une fusée qui prenait son envol…

Plaquée contre son siège par la simple force de la vitesse d'élan, elle sentit l'air siffler dans ses poumons. Elle chercha quelque chose à quoi se tenir, à la fois effrayée et excitée, tandis qu'il faisait monter l'aiguille à son maximum sur le compteur… Ses longs cheveux volaient autour de son visage en un tourbillon fou. Un poil plus vite et ils passaient la barrière du son !

Elle avait presque oublié combien la vitesse était grisante… Cette sensation fit monter l'adrénaline dans ses veines, lui donnant le sentiment d'être terriblement vivante…

Mais ce moment exceptionnel ne pouvait durer toujours et bientôt il ralentit. Il finit par s'arrêter sur le bas-côté, soulevant un nuage de poussière.

Son cœur battait pourtant toujours à cent à l'heure et elle avait le souffle court. Elle le regarda… et s'aperçut qu'elle lui serrait fortement le bras ! Gênée, elle le lâcha tout de suite. *Elle s'était ridiculisée.* Pas étonnant qu'il se soit arrêté. Elle l'avait serré si fort qu'elle avait dû lui bloquer la circulation du sang.

— Désolée, marmonna-t-elle.

— Non, c'est moi qui suis désolé, dit-il d'un ton sincère. Je ne voulais vraiment pas t'effrayer.

Effrayée, elle ? Cela faisait des années qu'elle ne s'était pas autant amusée. Et elle en redemandait.

Elle leva les yeux vers lui et, un petit sourire aux lèvres, suggéra :

— On recommence ?

- 7 -

Joe regarda Reily, abasourdi. Il avait certainement mal compris ses propos. Avec ses cheveux ébouriffés par le vent, ses yeux fiévreux et sa respiration saccadée, elle semblait complètement effrayée. Et, en dépit de ce qu'il avait prétendu, c'était bien là son intention initiale : il souhaitait lui faire peur, parce qu'il voulait qu'elle reste aussi loin de lui que possible. Mais il avait beau le nier, et préférer que ce ne soit pas vrai, il n'en restait pas moins qu'il la désirait. Pourtant, rien entre eux n'était envisageable.

— Tu veux recommencer ? demanda-t-il, juste pour s'assurer qu'il avait bien compris.

Elle hocha la tête, sa poitrine montant et descendant à chaque respiration, les joues rougies d'excitation.

— Il y a longtemps que je ne me suis pas autant amusée, parvint-elle à articuler.

Ces paroles le plongèrent dans la plus grande perplexité, et eurent sur lui un effet inattendu. Sans comprendre ce qui lui prenait, il détacha sa ceinture et, se penchant vers elle, l'embrassa… Alors, au lieu de le repousser et peut-être même de le gifler, elle s'abandonna à l'étreinte. Nouant ses bras autour de son cou, elle se serra plus étroitement contre lui… A cet instant, tous les sentiments qu'il avait refoulés, toutes les émotions qu'il avait passées deux années à enfouir bien profondément au fond de lui, jaillirent en lui avec la force d'un vertige. Le goût sucré de sa bouche, la douceur de sa peau, son souffle chaud contre ses lèvres allumèrent en lui un feu qui menaçait de le consumer vif…

Il glissa sa main dans sa nuque, puis ses doigts dans ses cheveux soyeux, juste au-dessous de sa queue-de-cheval. De son autre main, il s'efforçait de l'attirer sur ses genoux. Il avait vaguement conscience que ce n'était pas une bonne idée, pas plus que ce qu'il envisageait de faire une fois qu'elle serait sur lui, mais il fonctionnait comme sur pilote automatique, son unique objectif étant de la sentir aussi près de lui que possible…

A travers une sorte de brouillard, il entendit tout à coup un raclement de gorge. Reily avait dû l'entendre elle aussi, car ils se détachèrent soudain l'un de l'autre, comme deux adolescents pris en flagrant délit.

Il leva les yeux… pour découvrir le shérif adjoint Nate Jeffries juste à côté de sa vitre ouverte. Il remarqua aussi la lumière clignotante de la voiture de police, dans son rétroviseur…

Il retint un juron.

— Tu as un rendez-vous urgent quelque part, Joe ?

Si les lunettes miroir de Nate cachaient l'expression de ses yeux, son sourire était, lui, franchement ironique. Il avait au moins la délicatesse de ne pas faire allusion au baiser qu'il avait surpris, pensa Joe.

— Désolé, Nate. Il s'est passé un truc affreux : mon accélérateur est resté coincé.

— Vraiment ? fit ce dernier sur un ton qui montrait sans ambiguïté qu'il n'avalait pas l'explication. Et moi qui pensais que tu faisais le malin pour impressionner ta belle passagère.

Se penchant, il ajouta à l'attention de cette dernière :

— Tiens, salut Reily !

Elle lui adressa un sourire confus.

— Bonjour, Nate.

— Vous vous connaissez ? demanda Joe.

— On s'est croisés ce matin, chez Betty. Et, comme tout le monde en ville, je sais que tu l'as embauchée.

Evidemment, qui n'était pas au courant ?

Chaque jour qui passait, il regrettait un peu plus sa décision. Par expérience, il savait ce que c'était d'être l'objet de commérages : à Paradise, le départ de Beth avait alimenté toutes les conversations pendant longtemps. Il avait été loin d'imaginer que le simple fait de donner du travail à une étrangère le ramènerait sous les feux de la rampe.

— Je suppose que je ne t'apprends rien en te disant que ce que tu viens de faire est très dangereux, déclara Nate. Je veux dire, conduire avec un accélérateur défectueux. Tu te rends compte de ce qui se serait produit si tu avais perdu le contrôle de ton véhicule ou si un enfant avait traversé la chaussée, à vélo… S'il y a des limitations de vitesse, ce n'est pas pour rien.

Nate avait raison. Il n'était plus un enfant, il savait pertinemment que les limitations de vitesse étaient justifiées ! Par son imprudence, sa piètre tentative de vouloir effrayer Reily, il avait mis sa passagère et lui-même en danger. Sans parler du baiser… Il préférait ne pas se figurer ce que Reily en avait pensé. Qu'allait-il se passer si elle l'avait pris pour argent comptant et croyait que c'était le début d'une relation entre eux ?

— Tu veux mon permis de conduire et ma carte grise ? demanda-t-il à Nate.

— Comme il s'agit d'un défaut mécanique, je te laisse repartir avec un simple avertissement. Mais je te conseille de faire vérifier l'accélérateur et de surveiller ton pied, car, si je te reprends à une vitesse de plus de cent kilomètres à l'heure au-dessus de la limite autorisée, je ne pourrai pas être aussi accommodant.

— Je te promets que cela ne se reproduira pas, lui assura Joe qui se faisait l'impression d'être complètement idiot.

Nate toucha sa casquette en guise de salut à l'attention de Reily, et déclara :

— Prenez soin de vous, mademoiselle.

Tournant les talons, il regagna sa voiture.

Joe s'adossa à son siège et regarda dans le rétroviseur. Nate avait éteint la lumière clignotante. Il le vit faire demi-tour et repartir dans la direction opposée pour regagner le centre-ville.

Il jeta alors un coup d'œil à Reily.

— Tu veux toujours recommencer ?

L'air coupable, elle répondit :

— C'était un peu irresponsable de notre part, non ?

— Je ne sais pas ce qui m'a pris. Je suis aussi désolé pour le baiser.

Elle cligna des yeux.

— Quoi ? Tu veux dire que tu regrettes de m'avoir embrassée ?

A la façon dont elle s'était récriée, avec ses yeux écarquillés et blessés, il se fit l'effet d'un sans-cœur.

— Je ne veux pas dire que cela ne m'a pas plu, ou que je n'ai pas agi de mon plein gré, commença-t-il. C'est juste que, normalement, je ne suis pas si... entreprenant. Surtout que je ne savais même pas si tu en avais envie.

— Je ne t'ai pas repoussé, il me semble.

Puis, au bout de quelques secondes, elle ajouta :

— C'était sans doute une question d'adrénaline et de désir.

— Qu'est-ce que tu veux dire, au juste ?

— La vitesse a provoqué en toi une bouffée d'adrénaline, et cela t'a poussé à céder à des impulsions que tu aurais pu normalement surmonter. Comme le désir.

Sa réponse honnête le surprit, mais d'une certaine façon le rassura. Elle lui laissait entendre qu'il n'était pas vraiment responsable de son comportement, ce qui lui fournissait un moyen de s'en sortir.

— Ton raisonnement est tout à fait sensé, concéda-t-il.

— Et il va s'en dire que c'était une très mauvaise idée, précisa-t-elle.

Il aurait dû être soulagé par sa réaction, et pourtant, tout au fond de lui, il ressentit comme une pointe de déception. Et quand elle darda sur lui ses grands yeux brillants, tout ce qu'il eut envie de faire, c'était d'embrasser de nouveau ses lèvres charnues.

Il détourna les yeux. Quelque chose ne tournait décidément pas rond chez lui !

— Il vaut mieux que l'on rentre, dit-il. Lily Ann ne va pas tarder à revenir.

— Tu as raison. Mais, en tout cas, sache que j'ai passé un très bon moment. Et j'aime beaucoup ta voiture.

— Merci.

Il rattacha sa ceinture et remit le contact. Puis il fit demi-tour et repartit vers la ville, prenant bien soin de ne pas dépasser la vitesse autorisée.

Reily demeura d'abord silencieuse, et puis soudain elle demanda :

— A ton avis, est-ce qu'il y a des chances pour que Nate nous dénonce ?

Elle faisait bien évidemment allusion au baiser, pas à la vitesse.

— Je ne sais pas. Son ex-femme tient le salon de beauté de Paradise et, s'il lui dit, tout le monde sera au courant.

— Son ex-femme ? Il fait si jeune qu'on ne l'imagine même pas marié, et encore moins divorcé !

— Je crois qu'il y avait quatre ou cinq classes d'écart entre nous, à l'école. Il s'est marié et a eu son premier enfant très jeune. Son fils Cody était dans la classe de tante Sue avant qu'elle ne prenne sa retraite. C'est un garçon adorable.

— En tout cas, j'espère qu'il gardera pour lui ce qu'il a vu. Je n'ose pas imaginer ce que tu as dû endurer après le… Bref, ce serait plus simple pour nous deux si personne ne savait. Et il est évident que cela ne se reproduira pas.

Elle lui jeta un regard en biais.

— N'est-ce pas ? insista-t-elle.

— Oui, c'est évident, confirma-t-il.

Et il eut l'impression de voir une lueur de déception briller dans ses yeux, à moins qu'il n'y ait distingué ce qu'il avait envie de voir. Mais pourquoi aurait-il aimé qu'elle soit déçue ? Parce que lui-même l'était ? Il avait pourtant appris à ses propres dépens à ne plus jouer avec le feu.

— Je pars dans moins de six semaines. J'ai des projets, dit-elle.

Si elle pensait qu'il avait besoin d'être convaincu, elle perdait son souffle. La dernière chose qu'il souhaitait, c'était qu'une femme qui ne tenait pas en place entre dans sa vie et celle de Lily Ann. Il avait déjà donné.

— Et, moi, j'ai une petite fille qui a besoin de stabilité.

— Ce serait effectivement injuste envers elle.

— Et perturbant.

— Mais, s'il y avait quoi que ce soit, elle ne serait pas au courant, n'est-ce pas ? demanda-t-elle en le regardant. Non que je veuille dire que ça va être le cas. Ou que j'en ai envie. C'était juste… enfin, tu vois… une hypothèse.

— Tu veux dire si tu cédais de nouveau à une montée d'adrénaline et de désir ?

— Oui… S'il s'agissait d'une question de vie ou de mort.

C'était si ridicule, qu'il eut envie de la taquiner.

— Ah bon ? Comme quoi ?

Elle haussa les épaules.

— Je ne sais pas, moi… Par exemple, si on se retrouvait bloqués dans un ascenseur.

Il fronça les sourcils en la dévisageant.

— Je ne vois pas en quoi ce serait une question de vie ou de mort.

— Ce le serait si tu étais claustrophobe. Tu l'es ?

Il secoua la tête en signe de négation.

— Non. Et toi ?

Elle fit mine de réfléchir.

— Bon, oublie l'ascenseur. J'essaie juste de rationaliser une situation qui ne l'est pas !

— Les relations sont rarement rationnelles, commenta-t-il.

Et c'était bien là tout le problème. Jusqu'ici, il avait subi suffisamment d'irrationalité pour tenir trois vies ! Il n'avait plus d'énergie pour une nouvelle relation condamnée d'avance. Pourtant, il lui était difficile de conjurer l'envie de l'embrasser alors qu'il avait encore le goût de ses lèvres sur les siennes… Un goût sucré et fruité, un rien acidulé. Et soudain il comprit. C'était un goût de chewing-gum, et c'était son gloss qui devait avoir ce parfum.

— Promettons-nous que cela ne se reproduira pas, et que nous ferons en sorte de nous tenir à distance l'un de l'autre, dit-il alors.

— C'est faisable.

Sur ces mots, ils détachèrent leur ceinture de sécurité et sortirent de la voiture.

— Bon, merci pour ce petit tour, dit-elle. C'était… mémorable.

Le mot était bien choisi, pensa-t-il en la regardant monter l'escalier, fasciné par le balancement de sa queue-de-cheval. Et pourtant c'était un souvenir qu'il devrait très vite oublier.

Cet homme savait *vraiment* bien embrasser.

Appuyée contre la fenêtre, Reily respirait l'odeur de l'herbe fraîchement coupée tout en observant la cour… et Joe. Torse nu, il tondait la pelouse, et elle était hypnotisée par le jeu de ses muscles tandis qu'il poussait la tondeuse vers l'avant puis vers l'arrière, tout comme elle était hantée par le souvenir de son odeur, le frottement de sa barbe contre son menton quand ils avaient échangé le fameux baiser… Elle avait embrassé un bon nombre d'hommes dans sa vie, mais aucun n'avait jamais fait naître en elle un désir aussi intense. Qu'est-ce qui serait arrivé si Nate ne les avait pas interrompus ? Auraient-ils fait l'amour dans la voiture ? A moins qu'ils n'aient préféré se rouler dans les hautes herbes du talus… Elle n'était pas certaine qu'ils auraient retrouvé leurs esprits à temps.

Quand elle était avec lui, c'était comme si son bon sens partait subitement en vacances et cela l'effrayait.

Une fois son travail terminé, il éteignit la tondeuse et la poussa jusqu'au garage. En passant sous sa fenêtre, il jeta un coup d'œil vers le haut, comme s'il sentait qu'elle le regardait. Elle recula brusquement en arrière, espérant qu'il ne l'avait pas vue. Il ne fallait pas qu'il croie qu'elle se languissait de lui, même si c'était un peu le cas. En outre, Lindy ne lui avait-elle pas affirmé ce matin, au petit déjeuner, que Joe l'aimait bien ?

Adossée contre le mur qui faisait face à la fenêtre, elle soupira. La situation était tout sauf simple ! Elle le désirait, c'était incontestable, mais elle ne pouvait pas l'avoir. Ce ne serait pas le premier sacrifice qu'elle ferait pour sa carrière de chanteuse, pensa-t-elle alors, même si cette fois, il lui coûtait plus que d'ordinaire.

Regardant sa montre, elle se rendit compte qu'elle devait être chez Joe dans une demi-heure. Même s'ils étaient convenus ne pas se côtoyer, en l'occurrence, c'était Sue qui l'avait invitée. Et elle avait accepté. Elle avait même promis d'apporter un flanc à la gélatine violette pour Lily Ann. Il aurait été vraiment grossier de sa part de ne pas y aller. En outre, il n'y avait aucune raison pour qu'elle ne soit pas amie avec Sue, ou même avec Lily Ann, dès l'instant où elle pouvait maintenir ses sentiments pour Joe en dehors de l'équation.

Elle sortit le flanc du réfrigérateur, et le secoua légèrement, soulagée de constater qu'il avait bien refroidi. Il n'y avait rien de pire qu'un flanc à la gélatine dégoulinant, surtout quand il était violet. Elle le glissa dans un autre plat et le recouvrit d'un film transparent. Puis elle alla vérifier son maquillage dans la salle de bains. Non que Sue ou Lily Ann y prêterait attention, mais il n'y avait pas de mal à vouloir être jolie. C'était aussi la raison pour laquelle elle décida de troquer son short et son T-shirt à bretelles contre une tunique à fleurs et une jupe courte en jean.

Cela n'avait bien sûr rien à voir avec l'envie de se faire belle pour Joe, dans la mesure où elle était certaine qu'il ne verrait pas la différence. Comme ils étaient d'accord pour s'éviter, elle était certaine qu'il avait refermé la porte de ses sentiments et qu'il ne ferait plus attention à elle.

Elle se brossa les cheveux jusqu'à ce qu'ils forment une belle masse lisse et soyeuse dans son dos, puis elle se remit du gloss. Prenant alors le flanc à la gélatine et sa clé, elle descendit les escaliers pour regagner la maison principale. Elle frappa à la porte, s'attendant à ce que Sue ou Lily Ann vienne ouvrir. A la place, ce fut Joe qui se matérialisa sur le seuil. Il s'était douché, rasé, et avait passé un jean et un polo.

Il la jaugea des pieds à la tête, puis il repéra le flanc à la gélatine.

— Qu'est-ce que c'est que ça ?

— Le dessert pour le dîner.

Il fronça vivement les sourcils.

— Pourquoi ?

— Sue m'a invitée.

Il ouvrit la porte vitrée, mais, au lieu de l'inviter à entrer, il sortit et demanda d'un ton dur :

— C'est comme cela selon toi qu'on va parvenir à s'éviter ?

— Sue m'a invitée hier, et je pensais qu'elle t'avait mis au courant.

— Il semblerait qu'elle ait oublié de me prévenir.

A son ton sarcastique, on aurait pu croire que c'était sa faute à elle.

— C'est déjà assez pénible de devoir se côtoyer au travail, je ne crois pas que l'on doive en plus se voir en dehors, poursuivit-il.

Que rustre ! se dit-elle, avant de répliquer :

— Cela tombe bien puisque ce n'est pas toi que je viens voir !

A cet instant, Sue surgit à son tour sur le seuil.

— Reily ! s'exclama-t-elle. Entrez ! Le dîner est prêt.

Ignorant le regard désapprobateur de Joe, elle s'engouffra à l'intérieur.

— Ça sent délicieusement bon, ici ! s'exclama-t-elle.

— J'ai préparé un poulet frit au maïs avec des produits qui viennent exclusivement de la ferme, annonça Sue.

Elle lui tendit son flanc.

— C'est au raisin, comme Lily Ann le voulait.

— Au raisin ? fit Sue, étonnée.

— Oui, et à la cerise de marasquin. Voilà ce qui arrive quand on demande son parfum préféré à une petite fille de cinq ans.

— Vous voulez boire quelque chose ? J'ai du vin, de la bière ou bien de la limonade à vous proposer.

— Un verre de limonade sera parfait. Elle est si bonne.

— Je t'en sers un aussi, Joe ? demanda Sue.

— Oui, pourquoi pas ? répondit-il.

Il avait pourtant l'air d'un homme qui avait besoin de quelque chose de plus fort.

— Allez donc vous installer, toi et Reily, dans le salon pendant que je prépare la limonade.

Etait-ce l'effet de son imagination ? Elle aurait juré avoir vu passer un éclair de malice dans les yeux de Sue. Elle aussi s'y mettait ? Elle ne savait si elle devait se sentir flattée ou manipulée. Il était évident que Sue aimait profondément Joe et Lily Ann. Elle n'aurait pas souhaité encourager son neveu à nouer une relation avec une personne en qui elle n'avait pas confiance.

Joe jeta un regard sévère à Reily, comme si c'était sa faute si Sue avait fait une telle suggestion, et, pendant quelques secondes, elle crut qu'il allait refuser. Puis Lily Ann se glissa dans la pièce.

— Reily ! Tu es là ! s'écria l'enfant tout excitée. Tu as apporté le flanc violet ?

— Bien sûr ! dit-elle.

La fillette lui prit alors la main.

— Viens, je vais te montrer ma chambre.

— Parfait, fit Sue. Je vous appellerai quand le dîner sera prêt.

Lorsqu'elle sortit de la cuisine entraînée par Lily Ann, elle jeta un dernier coup d'œil à Joe. Bras croisés, il avait l'air plus revêche que jamais. S'il cherchait à se rendre désagréable, c'était réussi.

— Papa a repeint ma chambre pour mon anniversaire, lui confia l'enfant tandis qu'elle la conduisait vers l'escalier.

Elles passèrent alors devant un deuxième salon au parquet clair et confortablement meublé. A l'exception d'un ou deux jouets, tout était bien rangé.

La chambre de Lily Ann se trouvait sur la gauche, au premier étage. En face, il y avait apparemment une chambre d'amis, et la salle de bains était située près de l'escalier. Elle en déduisit que la chambre de Joe occupait l'autre bout du palier.

La chambre de Lily Ann était peinte en… violet, et elle sentait encore un peu la peinture.

— C'est très beau, dit Reily. J'ai bien l'impression que le violet est ta couleur préférée, je me trompe ?

— Exact !

— C'était quand, ton anniversaire ?

— Il y a deux semaines.

Elle se jeta alors sur son lit dont la couette avait pour motif des princesses et des couronnes puis, d'un petit geste de la main, invita Reily à l'imiter. Cette dernière s'assit à côté d'elle sur le lit.

— C'était bien, ton anniversaire ?

— Super ! Il y avait des pizzas et des sodas. Tante Emily m'a offert une poupée et un sac violet, et j'ai passé la nuit chez elle, et toute la journée aussi pendant que papa repeignait ma chambre. Elle est vétérinaire et elle m'a montré des bébés cochons. Ils étaient tout roses et tout petits et ils ne sentaient pas mauvais. J'en ai même tenu un dans mes bras. Et elle m'a dit que, quand sa chienne Ella aurait des petits, je pourrais venir l'aider. Mais ce sera dans deux semaines je crois.

— J'ai l'impression que tu aimes beaucoup ta tante Emily.

— On fait souvent des choses ensemble. Elle n'a pas d'enfant… Ni de mari.

En prononçant ces mots, la fillette avait pris une mine plus sérieuse. De toute évidence, cela n'était pas positif pour elle.

— C'est la sœur de ton papa ?

— Non, c'est la grande sœur de maman. J'ai

beaucoup d'oncles et de tantes du côté de maman, mais, comme ils sont méchants, je ne les vois jamais.

Reily se demanda ce que « beaucoup » signifiait dans la bouche d'une petite fille, tout comme « méchants », mais elle ne posa pas de question. Il n'était guère moral d'essayer de soutirer des informations à une enfant innocente, d'autant que ces histoires de famille ne la regardaient pas. Moins elle en saurait au sujet de Joe et des siens, le mieux ce serait.

— Mon père n'a ni frère ni sœur, poursuivit Lily Ann. Et toi ?

— Moi non plus, j'étais toute seule.

Selon sa tante, ses parents avaient essayé pendant des années d'avoir un autre enfant et ils allaient se tourner vers la conception assistée médicalement. Ils n'en avaient pas eu le temps. Elle avait toujours rêvé d'avoir une sœur ou un frère pour ne pas se sentir aussi seule au monde. Mais, aujourd'hui, elle savait qu'un frère ou une sœur aurait été une entrave à sa liberté de poursuivre ses rêves — puisque chacun n'aurait eu que l'autre dans sa vie —, aussi n'avait-elle plus de regret d'être enfant unique. Un jour, quand sa carrière serait lancée, elle se marierait et fonderait une famille. Elle le souhaitait réellement. C'était juste une question de temps et, à vingt-six ans, elle avait encore de longues années devant elle pour concevoir un enfant.

— Tu veux voir une photo de maman ? demanda la fillette.

— Oui, bien sûr, dit-elle poliment.

En toute sincérité, elle n'avait pas très envie de

voir une photo de la femme qui avait détruit la vie de Joe, même si elle ne pouvait nier une certaine curiosité.

Lily Ann ouvrit le tiroir de sa table de nuit, et en sortit une photo encadrée de Beth qu'elle tendit à Reily. C'était le jour de son mariage. Elle était très belle, d'une beauté saine et naturelle, comme sa fille, même s'il lui manquait le côté espiègle de cette dernière. Dans sa robe blanche, avec ses boucles blondes recouvertes d'un voile transparent, elle avait un côté angélique. Mais, bien qu'elle sourie, il y avait une sorte de tristesse dans son regard qui semblait occulter la joie que la plupart des femmes ressentent normalement le jour de leur mariage.

— Elle est très belle, dit Reily.

— Tante Sue dit que je lui ressemble.

— C'est vrai.

— C'est l'heure de dîner, annonça Joe d'un ton bourru depuis le pas de la porte.

- 8 -

Reily sursauta, et laissa tomber le cadre sur le lit comme si elle avait été prise en flagrant délit. Elle ne l'avait même pas entendu monter l'escalier.

— Va te laver les mains, ordonna-t-il à Lily Ann.

— OOO.K., fit la petite fille dans un long soupir.

Puis elle bondit de son lit et se précipita hors de sa chambre.

— Avec du savon, pour une fois ! précisa Joe.

Il se tourna alors vers Reily, et son regard tomba sur la photo.

— Lily Ann tenait à me montrer sa mère, lui dit-elle en replaçant le cadre dans le tiroir. Elle était très belle.

— Oui, c'est vrai.

Elle se leva, redoutant qu'il lui fasse une nouvelle leçon sur son non-respect de leur pacte. Mais, à la place, il plongea son regard droit dans le sien et déclara :

— Je te dois des excuses.

Elle crut qu'elle allait défaillir… Et comme elle ne savait que répondre, elle finit par dire :

— Ah bon ?

— Je t'ai accueillie bien fraîchement tout à l'heure. J'étais simplement surpris de te voir.

— J'aurais dû te dire que Sue m'avait invitée.

— Non, c'est tante Sue qui devait me prévenir. Mais elle savait bien que, si elle l'avait fait, je me serais mis en colère.

Elle cligna des yeux, offensée. Pour quelqu'un qui voulait s'excuser, c'était franchement raté !

Il comprit aussitôt sa maladresse et secoua la tête.

— Je n'ai pas voulu dire ça, se défendit-il.

Pourtant, elle ne pouvait pas se sentir aussi peu bienvenue ! A l'idée de devoir s'asseoir à sa table, elle sentit sa gorge se serrer… Elle se demanda si elle pourrait avaler la moindre bouchée. Il était évident qu'il ne voulait pas de sa présence chez lui, et, bien que ce soit Sue qui l'ait invitée, c'était tout de même sa maison à lui. Comme elle regrettait d'être venue !

Et voilà qu'elle avait à présent la ridicule envie d'éclater en sanglots !

— Je pense que je vais m'en aller, déclara-t-elle précipitamment.

— Reily…

Elle voulut passer devant lui, mais il l'empêcha de sortir. Après ce qui s'était produit plus tôt dans la journée, elle n'avait pas envie d'être si près de lui, sans compter qu'il sentait tellement bon… Une odeur de propre, sans doute un gel douche masculin. Et son visage était si lisse qu'elle devait se faire violence pour ne pas lui toucher la joue. Elle sentit soudain son cœur se mettre à battre violemment, elle avait l'impression d'être devenue toute rouge…

Détournant les yeux, elle fixa alors le sol.

— Excuse-moi, marmonna-t-elle d'une voix tremblante.

— Tu n'as pas à partir.

— Si, je le veux.

De nouveau, elle essaya de le contourner, mais il la saisit par le bras. La réaction fut instantanée. Son souffle devint plus court tandis qu'une vague de chaleur l'inondait…

Il baissa les yeux vers elle, des yeux noirs et sérieux. Son étreinte, elle, était à la fois douce et ferme.

— Reste, dit-il.

— Il est clair que ma présence ici te déplaît, répliqua-t-elle.

Elle espérait qu'il allait la laisser partir avant qu'elle ne commette un geste vraiment stupide… comme nouer ses doigts autour de son cou et l'embrasser. Et, cette fois-ci, cela n'avait rien à voir avec l'adrénaline et la vitesse. C'était du désir à l'état pur.

— Je veux que tu restes, dit-il. C'est bien là le problème.

Leurs regards se croisèrent et restèrent attachés l'un à l'autre. Le temps parut s'arrêter… Elle le désirait si fort, avait tant envie qu'il l'embrasse de nouveau qu'elle en était tout essoufflée.

— A table, vous deux ! cria Sue du bas de l'escalier.

— On arrive, répondit Joe sans la lâcher du regard, ni relâcher son étreinte, comme s'il redoutait qu'elle en profite pour s'enfuir.

Les secondes lui firent l'effet de s'écouler à la vitesse des heures tandis qu'elle attendait qu'il fasse ou dise quelque chose. Elle ne savait ce qu'elle redoutait le plus : qu'il l'embrasse de nouveau, ou qu'il n'en fasse rien.

Il pencha la tête légèrement vers elle, elle cessa de respirer, et il finit par marmonner un juron en relâchant son bras. Il recula d'un pas.

— Non, Reily, nous ne pouvons pas !

Elle aspira une large bouffée d'air. La tête lui tournait presque à cause du manque d'oxygène. Vacillante, elle s'appuya à la poignée de la porte.

— Je sais.

— Et tante Sue nous attend.

Elle hocha la tête et lui emboîta le pas, priant pour que ses genoux tremblants la portent jusqu'en bas. Joe avait sans doute raison. Ils ne devraient plus se voir en dehors du travail. Elle ne pouvait supporter un tel stress. La prochaine fois que Sue lui proposerait de venir dîner — s'il y avait une prochaine fois —, elle déclinerait d'un air désolé l'invitation. Et, au travail, elle s'efforcerait de croiser Joe le moins possible.

Reily descendait lentement Main Street, rassasiée et satisfaite après avoir mangé un bon steak frites en compagnie de Lindy et Zoey. Même si sa première paie avait été ridicule une fois que Joe en avait déduit tout ce qu'elle lui devait, et qu'elle ne serait pas payée avant deux semaines, elle avait travaillé si dur, ces derniers temps, qu'elle estimait avoir droit à une soirée entre amies. Et elle s'était bien amusée, même si Zoey n'avait eu qu'une envie : parler de Joe. Mais, en l'occurrence, il n'y avait pas grand-chose à raconter. Après leur baiser dans la voiture, puis le presque baiser dans la chambre de Lily Ann et enfin le dîner fort gênant qui s'était ensuivi, il avait fait de son mieux pour l'éviter. C'était d'ailleurs pour cette raison que, lorsque Sue avait réitéré son invitation pour le dimanche soir suivant, elle s'était excusée en précisant qu'elle avait déjà d'autres projets.

Mais la traîtresse de Lindy n'avait pas manqué de trouver mille prétextes pour qu'ils se croisent ! Si le personnel avait besoin de quelque chose dans la réserve, elle lui demandait d'y aller, sachant qu'elle devrait passer devant le bureau de Joe. Dès qu'il fallait commander un article manquant, elle priait Reily d'aller prévenir Joe. Non qu'elle ait atteint l'effet désiré. Même quand ils étaient contraints de se parler, Joe demeurait aussi chaleureux qu'un robot. Elle n'aurait jamais cru en arriver là avec lui. Elle préférait sincèrement le Joe revêche et maussade des débuts à cet homme sans personnalité dont il revêtait le masque en sa présence. Mais le pire de tout, c'était que plus il s'efforçait de l'ignorer, et plus elle avait envie qu'il lui parle. Moins elle le voyait, et plus elle brûlait de passer du temps en sa compagnie. Quand il se trouvait à proximité d'elle, son cœur battait une terrible chamade et, bien qu'elle soit une jeune femme pleine d'assurance, elle commençait à se comporter comme une adolescente énamourée, cherchant ses mots ou trébuchant sans raison apparente. Elle était complètement éprise d'un homme qui refusait de lui consacrer la moindre minute.

C'en était pathétique !

Voilà pourquoi elle se promenait en centre-ville

ce lundi soir, afin de ne pas se morfondre seule dans son appartement, sachant que Joe était juste à quelques mètres, de l'autre côté de la cour, mais que cela n'aurait rien changé à l'affaire s'il s'était trouvé à des kilomètres de là.

Alors qu'elle remontait la rue, quelqu'un la héla de l'autre côté de la chaussée.

— Hé, Reily !

Elle se retourna, et vit Nate s'avancer vers elle. Il était en tenue de civil, c'est-à-dire en jean, T-shirt avec impression sur le devant du concert de Tim McGraw et boots de cow-boy.

— Bonsoir, Nate, dit-elle en lui souriant.

Un sourire qu'il lui rendit doublement.

Quand il arriva à sa hauteur, il fourra les mains dans ses poches.

— Où vas-tu comme ça ? demanda-t-il.

Elle haussa les épaules.

— Je n'ai pas de but précis. Je viens de dîner avec Lindy et Zoey et j'ai voulu faire une petite marche avant de rentrer.

— Je vais chez Lou's Diner rejoindre mon père pour dîner. Tu veux m'accompagner jusque-là ? proposa-t-il.

— Bonne idée ! dit-elle.

Avec ses cheveux blonds, ses yeux couleur océan et les fossettes qui creusaient chacune de ses joues quand il souriait, Nate était largement au-dessus de la moyenne sur l'échelle de la plastique. Un peu trop tiré à quatre épingles à son goût, mais à la façon dont il lui adressait la parole au bar, quand il s'arrêtait prendre une bière après le service, et dont il la regardait servir les autres clients, elle avait déduit qu'elle lui plaisait bien. Au fond, pourquoi se serait-elle refusé un peu de distraction pendant son séjour à Paradise ? Et puis tout ce qui lui permettait d'oublier Joe était bon à prendre, alors pourquoi pas Nate ? Tant qu'il comprenait qu'elle n'avait aucune intention de s'installer à Paradise…

— Tu n'as pas Cody, ce soir ? demanda-t-elle.

Il lui avait confié qu'il avait la garde de son fils tous les week-ends et n'avait pas manqué de lui montrer des photos de son adorable petit garçon blond de sept ans.

— Normalement si, mais il est à Denver avec sa mère, chez de la famille.

Comme il s'écartait pour laisser passer une femme âgée, son bras frôla le sien… et il ne se passa rien. Elle ne ressentit pas le moindre trouble, rien du tout ! Elle pouvait donc abandonner l'idée de se distraire avec Nate…

— Reily, commença-t-il sur un ton qui lui laissait aisément deviner ce qu'il allait dire, et si je t'invitais à prendre un verre après avoir dîné avec mon père ?

Elle aurait tant souhaité qu'il lui plaise, mais ce n'était pas le cas.

— Nate, tu es vraiment très gentil…

Il fit la grimace.

— Et tu veux bien que l'on soit bons amis, mais c'est tout, je me trompe ?

— Désolée, dit-elle, contrite.

Il parut déçu mais pas non plus désespéré.

— C'est à cause de Joe, n'est-ce pas ?

— Qu'est-ce que tu veux dire ?

Il fronça les sourcils, comme pour lui signifier de ne pas se moquer de lui.

— Tu sais, ce que tu as surpris dans la voiture dimanche, c'était juste…

Elle poussa un soupir d'exaspération, et poursuivit :

— En fait, je ne sais pas ce que c'était. Mais nous avons passé un pacte : ne plus recommencer.

— Pourtant il te plaît !

A quoi aurait-il servi de nier ? Nate les avait vus s'embrasser, et il avait su garder sa langue. Il était donc la seule personne en ville à qui elle pouvait confier un secret.

— Oui, c'est vrai. D'ailleurs, il est le premier homme qui me fait un tel effet. Et je ne comprends pas pourquoi. Il est grincheux et lunatique la plupart du temps, et je n'aime pas les hommes grincheux et lunatiques. Mais, quand il me sourit, je fonds… Et, quand il me touche, c'est tellement…

Elle soupira avec mélancolie, se sentant complètement idiote de confier des impressions si personnelles à un type qu'elle connaissait à peine.

— Ah, je suis vraiment pathétique ! fit-elle.

— Et toi, tu lui plais ?

— Mouais.

Et c'était bien là le pire.

A cet instant, un enfant passa à vélo sur le trottoir, et Nate dut reculer pour ne pas être renversé.

— Dans ces conditions, quel est le problème ? demanda-t-il.

— Je vais quitter Paradise dans moins de cinq semaines.

— Vous pourriez tout à fait prendre du bon

temps ensemble pendant ton séjour ici. Quel mal y aurait-il à cela ?

— Il a peur que Lily Ann s'attache à moi, et en souffre. Et, franchement, moi aussi. Elle a déjà été tellement éprouvée par le départ de Beth.

— Elle n'a pas besoin de savoir que vous êtes plus que des amis. Je suis sorti avec de nombreuses femmes sans que Cody le sache. Même dans une petite ville, c'est possible.

Il venait de marquer un point. Il n'y avait en effet aucune raison de dire à Lily Ann qu'ils sortaient ensemble.

— Peut-être que c'est Joe qui a peur de souffrir.

— Tu sais, tout à l'heure, quand je t'ai demandé de venir prendre un verre avec moi, j'étais à peu près certain que tu allais refuser, mais j'ai quand même tenté ma chance. Quel intérêt a la vie, si on ne peut plus prendre de risque ?

— Je sais que Joe ne veut pas prendre le risque de sortir avec moi.

— A toi de le faire changer d'avis.

Elle lui jeta un regard contrarié.

— Et comment je suis censée m'y prendre ? Et puis, d'abord, qu'est-ce que cela peut te faire ? Il y a cinq minutes, tu voulais sortir avec moi, et maintenant tu veux me jeter dans les bras d'un autre ! C'est à n'y rien comprendre.

— Je trouve sans doute que vous allez bien ensemble.

— Mais tu ne me connais même pas.

— C'est l'impression que j'ai, voilà ! Et, en général, mes instincts ne me trompent pas. Tout comme j'ai toujours pensé que Joe commettait une erreur en épousant Beth. Et, hélas, j'avais raison !

Ils passèrent devant le glacier, où il y avait affluence à cause de la chaleur. Elle reconnut certaines personnes pour les avoir vues au bar et les salua gentiment. C'était étrange. Elle n'avait passé que neuf jours dans cette ville, et elle avait déjà l'impression d'en faire partie, comme si elle habitait ici depuis toujours. Et c'était fort agréable, force était de le reconnaître.

— Tu connaissais bien Beth ?

— Non, pas très bien, mais je suis allé à l'école avec deux de ses frères. Toute la famille était une vraie catastrophe. Seule Emily, la plus âgée, a fait quelque chose de sa vie.

— C'est la vétérinaire de la ville, c'est ça ?

Il acquiesça d'un signe de tête.

— Ses parents étaient tellement détruits par l'alcool et la drogue que c'est elle qui a élevé ses six frères et sœurs. Sa mère est morte d'une cirrhose il y a deux ans et son père est derrière les barreaux pour possession et revente de drogue. Deux des frères se sont enfuis de l'Etat car ils étaient sous le coup d'un mandat d'arrêt, et l'un est mort d'une overdose, sa disparition remontant à quelques années déjà. Il y a aussi une autre sœur, mais elle est partie quand elle avait seize ans et, autant que je sache, personne n'a plus entendu parler d'elle.

— Quel tableau ! Est-ce que Beth aussi se droguait ?

— Pas que je sache, mais on ne peut pas grandir dans un tel environnement sans en garder des cicatrices émotionnelles profondes. Joe pensait pouvoir la sauver, mais, sincèrement, son départ ne m'a pas surpris.

— Lily Ann m'a dit que les gens de sa famille maternelle étaient méchants, maintenant je comprends mieux.

Ils marchèrent en silence pendant une minute ou deux, puis Nate reprit :

— Si tu plais à Joe, il y a de bonnes raisons pour qu'il n'apprécie pas du tout de te voir en compagnie d'un autre homme.

Elle haussa les épaules. Elle n'était pas en mesure de savoir ce qui se passait dans la tête de Joe.

— Je n'en ai aucune idée.

— Eh bien, nous allons bientôt être fixés !

A peine avait-il prononcé ces mots qu'elle entendit une petite voix l'appeler par son prénom. Se retournant, elle vit Lily Ann qui remontait le trottoir à vive allure pour la rattraper. Joe était à quelques mètres derrière sa fille, avançant d'un pas tranquille, vêtu d'un short cargo et d'un T-shirt blanc, avec aux pieds de simples sandales. Il portait aussi son expression maussade habituelle.

Lily Ann se jeta sur elle, lui entourant les jambes de ses bras.

— Cela fait longtemps que je ne t'ai pas vue. Tu m'as manqué, s'écria-t-elle.

Il ne s'était écoulé que deux jours, mais peut-être que, pour une enfant de cinq ans, c'était déjà très long.

— Bonjour, ma chérie, lui répondit-elle. Toi aussi, tu m'as manqué. J'ai eu beaucoup de travail, tu sais.

Elle passa les doigts dans les cheveux de l'enfant, et sursauta en sentant la main de Nate se poser sur sa hanche. Elle lui lança un regard surpris, mais il se contenta de sourire.

Lily Ann ne s'en rendit même pas compte.

— Papa et moi, on va chez le glacier, et il va m'acheter deux boules de glace dans un cornet gaufré.

— Tu vas avoir une portion enfant dans un cornet simple, renchérit alors Joe en arrivant à leur hauteur. Et tu n'arriveras même pas à la finir.

— Si, j'en suis capable, fit l'enfant d'un air un peu boudeur.

— Salut, Joe, dit alors Nate, sans retirer sa main de la taille de Reily.

Elle se sentait à présent très embarrassée. Elle n'avait bien sûr pas l'impression que Nate profitait de la situation pour la tripoter, mais tout cela sonnait faux.

— Nate, Reily, fit Joe en les saluant du menton.

Son ton était cordial, même s'il paraissait tendu et évitait son regard.

— Tu viens manger une glace avec nous, Reily ? demanda Lily Ann.

Puis tirant sur le T-shirt de son père, elle ajouta :

— Dis, elle peut venir avec nous ? S'il te plaît, papa !

— Je pense que Reily a d'autres projets, déclara-t-il alors en croisant pour la première fois son regard.

Etait-ce un éclair de jalousie qu'elle venait de voir passer dans ses yeux ? Une pointe de sarcasme qu'elle avait entendu dans sa voix ?

— En fait, non, intervint Nate en adressant un beau sourire à Lily Ann. Je vais dîner avec mon père, elle est à vous. Et je suis certain qu'elle adore les glaces.

— Super ! fit Lily Ann en faisant de petits bonds.

Joe parut aussi étonné que soulagé, mais elle ne put savourer cette réaction tant elle avait envie d'assommer Nate ! De quel droit avait-il parlé en son nom ? Il ne savait absolument pas si elle avait envie de déguster une glace en compagnie de Joe ! Pourquoi tout le monde s'évertuait-il à la jeter dans ses bras ? C'était une véritable conspiration !

Nate tourna alors vers elle un visage jovial, et elle comprit que cela l'amusait beaucoup.

— Bon, il faut que j'y aille.

— Oui, ça vaut mieux, marmonna-t-elle.

Elle se demanda alors quelle peine on encourait si on réduisait un shérif adjoint en chair à pâté, et si la sentence était moins sévère dans le cas où il n'était pas en service.

— A plus tard, dit-il dans un grand sourire.

Ce fut alors que, pour couronner le tout, il se pencha vers elle et l'embrassa !

Evidemment, ce ne fut pas un baiser torride, juste un effleurement de lèvres, qui ne lui procura d'ailleurs pas le moindre frisson, mais plutôt de la colère. Elle ne lui avait pas demandé son aide ! Ni à lui, ni à Lindy, ni à Zoey et ni à Sue, d'ailleurs. Ce qu'elle voulait… c'était que Joe la prenne dans ses bras et lui rappelle ce qu'un *vrai* baiser était.

Cela devenait grave ! pensa-t-elle aussitôt.

Nate s'éloigna, et Lily Ann lui prit la main, trépignant.

— Viens, Reily, on y va !

— Il y a du monde, observa alors Joe. Cours devant nous et commence à faire la queue.

— D'accord, papa, s'écria la fillette.

Et elle s'élança vers la foule, très fière d'être chargée d'une telle mission.

Reily et Joe restèrent donc seuls. Au bout de quelques secondes, il reprit :

— Alors, Nate Jeffries ?

— Quoi Nate Jeffries ? fit-elle en jouant les idiotes.

— Vous avez l'air… très amis tous les deux.

— Nous sommes simplement amis. C'est un type bien.

— Et tu embrasses tous tes amis sur la bouche ?

Elle se mordit la lèvre pour ne pas sourire. Il était vraiment jaloux. Sa réaction était adorable, mais cela la déstabilisait.

— C'est un reproche ? rétorqua-t-elle. Entre nous, ce n'est pas possible, mais personne ne doit sortir avec moi, c'est ça ?

Il ne répondit pas, son visage s'assombrissant un peu plus.

— Cela t'a dérangé qu'il m'embrasse ?

— Bien sûr que oui, quelle question ! fit-il, mâchoires serrées.

Il avouait visiblement à contrecœur. Elle se sentit alors stupide d'avoir provoqué sa jalousie et de lui avoir fait du mal.

— Ce n'était rien, lui assura-t-elle.

— Non, ce n'était pas *rien*, riposta-t-il.

L'attrapant par le bras, elle l'entraîna sur le seuil d'un bureau d'assurance, à l'abri des regards.

— Si tu veux tout savoir, il m'a embrassée dans le seul but de te rendre jaloux.

— Pourquoi aurait-il fait une chose pareille ? demanda-t-il, méfiant.

— Parce qu'il sait que tu me plais, et de façon maladroite il a voulu m'aider. Je ne comprends pas très bien pourquoi, mais, dans cette ville, certaines personnes ont envie de nous voir ensemble.

— Tu fais allusion à tante Sue ?

— Ainsi qu'à Lindy et à Zoey. Et maintenant Nate. Qui sait qui sera le prochain ?

Il tendit le cou pour vérifier s'il voyait bien Lily Ann, dans la file d'attente. Elle patientait gentiment.

— Lily Ann aussi, précisa-t-il alors. Après dîner, dimanche soir, elle m'a dit qu'elle t'aimait bien et que je devrais sortir avec toi.

Elle poussa un petit soupir et laissa doucement sa tête retomber contre le mur.

— Je suis désolée, dit-elle.

— Ce n'est pas ta faute.

— Si ! J'aurais dû t'écouter, et je n'aurais jamais dû venir dîner chez toi. Et là, je ne devrais pas non plus aller manger une glace avec vous. Cela va la perturber.

— A moins qu'il ne soit temps qu'elle apprenne que son père peut être ami avec une femme sans que cela signifie qu'il va l'épouser. Parce que, dans une petite ville comme Paradise, il va être impossible de nous éviter.

— Je ne suis peut-être pas celle avec qui tu devrais commencer.

— Evidemment, si tu ne veux pas que l'on soit amis…

— C'est dur d'être juste amie avec un homme alors qu'on rêve de coucher avec lui.

Un vieux couple qui passait à ce moment-là devant eux leur jeta un coup d'œil. Elle se sentit rougir, tandis qu'un sourire éclairait le visage de Joe.

— Arrête de sourire ! lui dit-elle. Cela ne fait que compliquer les choses.

Son sourire s'agrandit encore.

— Nous sommes des adultes, Reily. Nous devrions être capables de maîtriser nos… nos impulsions.

« Devrions », avait-il dit, ce qui ne signifiait pas qu'ils le pouvaient. Mais il était vrai qu'être amie avec Joe lui permettrait de travailler dans une atmosphère bien plus détendue et d'en finir avec le silence qui était désormais de mise entre eux. Et peut-être que le fait qu'ils soient amis la guérirait de cette folle attirance sexuelle qu'il suscitait chez elle. Il se pouvait que l'amitié lui suffise. Et cela les débarrasserait du même coup de tous les marieurs et marieuses éventuels.

— J'en suis capable, si tu toi l'es.

— Amis ? dit-il en lui tendant la main.

— Amis, répondit-elle en la lui serrant.

Mais quand il effleura sa paume, elle sentit son cœur s'accélérer. Elle pensa alors qu'ils devraient désormais éviter de se toucher.

Retirant sa main, elle regarda autour d'elle. Elle ne voyait plus Lily Ann, ce qui voulait dire que la petite fille ne devait pas être très loin du comptoir.

— Allons-y, dit-elle à Joe.

— Oui, car Lily Ann pourrait bien commander une double glace avec un cornet gaufré, enchaîna-t-il.

Ils se dirigèrent vers le glacier et arrivèrent juste à temps pour commander. Lily Ann eut une glace au chocolat dans un cornet simple, son père en prit deux au même parfum et Reily choisit deux boules goût cookie que Joe insista pour payer.

Comme toutes les tables étaient occupées, ils décidèrent de savourer leur glace tout en s'acheminant vers la maison. Ils avaient à peine parcouru une centaine de mètres quand Reily entendit le son d'une guitare. Curieuse, elle se retourna pour voir d'où cela provenait et vit alors deux jeunes gens, assis sur le trottoir, devant la vitrine d'un coiffeur. Ils étaient à peine âgés de vingt ans. Celui qui avait l'instrument en main tapotait dessus de façon très maladroite. Visiblement, il ne savait pas en jouer. Elle se concentra sur la guitare elle-même, et un petit cri lui échappa… Sa glace lui tomba alors des mains et vint s'écraser sur le sol.

Sans se préoccuper de la circulation, elle fonça vers les deux adolescents.

— Où est-ce que vous avez trouvé cette guitare ? s'écria-t-elle en arrivant à leur hauteur.

- 9 -

Les deux garçons sursautèrent et reculèrent légèrement. Puis, celui qui tenait la guitare releva le menton.

— Qui ça intéresse ? demanda-t-il d'un ton nonchalant.

— Moi. C'est *ma* guitare, répondit-elle.

Tous les deux la regardèrent comme si elle était folle.

— Certainement pas, répondit le même garçon. C'est la mienne.

— Peut-être, mais elle était à moi. On me l'a volée, avec ma voiture, il y a une semaine. D'ailleurs, il y a les initiales de ma mère gravées dans le bois. B. E. E. Belinda Elaine Eckardt. C'était la sienne. Mon père lui avait offert en cadeau de mariage.

Il haussa les épaules comme s'il se fichait de sa provenance.

— Ce n'est pas mon problème ! Je l'ai achetée dans un dépôt-vente, à Denver. Maintenant, c'est la mienne.

— Allez, arrête ! fit Reily. Tu ne sais même pas en jouer.

Sous l'offense, il bomba le torse.

— Je vais apprendre et on va monter un groupe, avec mon copain.

D'après ce qu'elle entendait, il n'avait pas du tout l'oreille musicale.

— Je compte me rendre à Nashville pour devenir chanteuse, et j'ai besoin de ma guitare, dit-elle.

— Tu n'as qu'à t'en acheter une autre, renchérit l'autre garçon.

— S'il te plaît ! dit-elle soudain d'un ton suppliant, désespérée à l'idée de ne pouvoir récupérer cet instrument précieux qui la reliait à son passé et ses parents.

Les larmes lui brûlaient les yeux.

— Cette guitare, c'est tout mon monde, poursuivit-elle. Ma mère en jouait en me chantant des berceuses, pour que je m'endorme. Elle est morte quand j'avais sept ans. C'est la seule chose qui me reste d'elle.

Le jeune garçon qui tenait la guitare parut hésiter, et eut soudain l'air coupable.

— Si tu y tiens tant que cela, je peux te la revendre.

Une vague de soulagement la submergea.

— Merci beaucoup, dit-elle.

Puis elle plongea sa main dans son sac pour voir ce qui lui restait comme argent.

— J'ai soixante et onze dollars, dit-elle.

— Soixante et onze dollars ? s'écria-t-il. Tu te fiches de moi ? Je l'ai payée cent cinquante.

Elle sentit son cœur sombrer… Elle aurait cette somme quand elle se serait fait des pourboires, cette semaine, mais elle se doutait bien que le garçon n'allait pas l'attendre. Et, si elle perdait sa guitare de vue, elle ne la reverrait plus jamais.

— Voici les quatre-vingts dollars manquants, fit la voix de Joe dans son dos.

Elle pivota sur ses talons et vit qu'il l'avait suivie, avec Lily Ann. Il avait dû entendre leur échange car il tenait quatre billets flambant neuf de vingt dollars à la main.

— J'ai fait tout le trajet jusqu'à Denver juste pour ça ? fit alors l'adolescent. En essence, j'en ai déjà eu pour dix dollars. Et, maintenant, il faut que j'y retourne pour en acheter une autre.

Joe sortit un autre billet.

— Voilà l'argent de l'essence. Allez, donne cette guitare à la jeune femme.

La tentation était trop grande. Il prit l'argent d'une main et redonna la guitare de l'autre. Elle serra aussitôt l'instrument contre son cœur, retenant avec peine des sanglots de joie, comme une enfant.

— Tu as l'étui ? demanda-t-elle.

— Il n'était pas vendu avec.

Elle n'aurait su dire s'il disait la vérité ou non, mais elle s'en moquait. Elle pourrait s'en acheter un nouveau. La guitare, en revanche, était sans prix. Evidemment, elle était censée économiser et il était ridicule de devoir racheter ce qui lui appartenait, mais elle ne regrettait rien.

— Merci beaucoup, dit-elle à Joe une fois que les adolescents eurent disparu. Je te donnerai mes pourboires cette semaine.

— Garde ta monnaie, je le déduirai de ta paye.

— Tu es sûr ? Tu en as déjà tant fait pour moi !

— C'est ce à quoi servent les amis, non ?

Elle se rendit compte qu'à l'instar de Lindy, Zoey

et Sue, il avait le sens de l'amitié. Tous l'avaient soutenue sans lui poser la moindre question, et sans réserve.

— Tu as laissé tomber ta glace, fit alors remarquer Lily Ann qui avait la bouche pleine de chocolat.

— C'est vrai, répondit-elle d'un air désolé, mais j'étais tellement excitée quand j'ai vu ma guitare.

— Tiens, fit-elle en lui tendant là sienne, je veux bien partager la mienne avec toi.

Reily lui sourit. C'était vraiment une gentille enfant.

— C'est bon, ma chérie. Et puis la glace risquerait de couler sur ma guitare.

Lily Ann haussa les épaules et se remit à lécher sa glace.

— J'imagine que tu as hâte d'être à la maison, dit Joe, le regard fixé sur la guitare.

— Oui, dit-elle en la serrant un peu plus contre elle. Et, désormais, je ne la quitterai plus des yeux.

— Reily, tu me chanteras une chanson pour m'endormir comme ta mère le faisait pour toi ? demanda Lily Ann.

— Bien sûr, ma chérie, répondit-elle en jetant un coup d'œil à Joe. Mais il faut que ton père soit d'accord.

Il sourit à sa fille.

— Pas de problème, ma puce.

— Dis, papa, est-ce que maman me chantait des berceuses, le soir ?

Elle le vit se raidir, mais il retrouva bientôt son sourire.

— Bien sûr, Lily Ann. Tous les soirs.

C'était un mensonge, elle en était sûre.

Ils reprirent la direction de la maison, Lily Ann bondissant devant eux. Quand l'enfant fut hors de portée de voix, elle demanda à Joe :

— Beth ne lui a jamais chanté la moindre chanson, n'est-ce pas ?

Il secoua la tête.

— Même pas quand elle était bébé ?

— Lily Ann avait des coliques, et Beth n'avait aucune patience. Quand je rentrais à la maison, elle était toujours au bord de la crise de nerfs. Elle me mettait Lily Ann dans les bras et s'en allait.

— Où allait-elle ?

— Elle sortait, avec des amies. Du moins c'était ce qu'elle me disait. La plupart de ses amies étaient célibataires, et ne pensaient qu'à faire la fête. Elle rentrait à 2 heures du matin, et elle se plaignait le lendemain d'être fatiguée. Mais elle recommençait le soir même et le surlendemain. Et, même quand elle était à la maison, elle n'était pas vraiment là. C'était moi qui donnais le bain et le biberon à Lily Ann et qui la mettais au lit.

— Et quand Lily Ann a grandi ?

— Rien n'a changé.

On pouvait se demander pourquoi Beth avait eu un enfant. Elle n'était visiblement pas prête pour assumer une telle responsabilité.

Après un bref silence, Joe demanda :

— Est-ce que c'est vrai, ce que tu as dit à ces garçons, au sujet de la guitare que ta mère t'a laissée ?

Elle hocha la tête.

— Oui. Il ne me reste d'eux que la guitare et quelques photos. Après la mort de mes parents, ma tante a organisé une grande vente de tout ce qu'il y avait dans la maison.

Il fronça les sourcils.

— C'était un peu indélicat, non ?

— Elle n'avait pas le choix, elle avait besoin d'argent.

— Tes parents n'avaient pas d'assurance-vie ?

— Mon père en avait une, par le travail j'imagine, mais elle n'était pas très importante, et ma tante m'a dit qu'elle avait à peine suffi à couvrir leurs dettes.

— Dès que j'ai appris que Beth était enceinte, j'ai contracté une assurance-vie. Si quoi que ce soit m'arrive, Lily Ann sera à l'abri du besoin.

— C'est bien. J'aurais aimé que mes parents soient aussi prévoyants.

— C'est mon père qui a insisté, dit-il. C'était ce que mes parents avaient fait, à ma naissance. Et l'argent que j'ai reçu à sa mort m'a permis de refaire le bar. J'ai aussi pu faire effectuer des travaux dans la maison avant que Lily Ann et moi n'y emménagions.

— Où est-ce que vous viviez, avant ?

— Dans une petite maison, à quelques rues d'ici. Elle n'était pas très spacieuse, mais douillette. Beth la détestait. Elle voulait une maison plus grande, plus moderne, mais c'était tout ce que nous pouvions nous permettre. Elle voulait apparemment des quantités de choses que je ne pouvais lui offrir.

Il soupira et ajouta :

— Je ne sais pas pourquoi je te dis tout ça…

— Parce que nous sommes amis et que les amis se disent ce qui leur tient à cœur.

— Je n'en ai jamais parlé à personne.

— Tu aurais dû. On a besoin parfois de s'épancher.

— Peut-être…

Il avait l'air impassible. Elle s'étonnait toujours de sa capacité à « éteindre » ses émotions, comme on soufflait sur une bougie. Tout à coup, alors qu'il parlait ouvertement et avec sincérité, il se mettait en mode robot, comme s'il se retirait en lui-même.

— Donc c'est pour ça que tu veux aller à Nashville ? Pour chanter ? demanda-t-il.

Elle hocha la tête.

— Je suis surprise qu'Abe ne te l'ait pas dit.

— Pour tout t'avouer, au bout de deux minutes de conversation, une fois obtenus les renseignements qui m'intéressaient, j'ai cessé de l'écouter.

— J'ai toujours voulu devenir chanteuse, c'est mon rêve depuis que je suis enfant. Et je suis certaine que j'ai la voix pour réussir, je suis prête à tout pour y arriver. Ici, à Paradise, c'est juste temporaire.

— Ta tante ne peut pas t'aider ?

— Elle arrive à peine à s'en sortir, elle est invalide.

— Qu'est-ce qui lui est arrivé ?

— Elle a eu un accident, à l'âge de dix-huit ans. Elle avait un peu trop bu, et elle est rentrée dans un poteau téléphonique. Depuis, elle est en chaise roulante.

— Et, pourtant, c'est elle qui t'a élevée ?

— Mouais.

Ils venaient de tourner dans la rue où il habitait.

— Mon grand-père était trop vieux. C'était elle ou un foyer d'accueil. Comme elle était la sœur aînée de ma mère, celle-ci s'était toujours beaucoup occupée d'elle et je pense qu'elle s'est sentie obligée de me prendre chez elle. Et elle a fait de son mieux, étant donné les circonstances. Elle n'aurait jamais gagné le prix de la meilleure mère de l'année, mais j'avais un toit au-dessus de la tête et de la nourriture dans mon assiette. Elle m'a au moins appris, à défaut d'autre chose, à me prendre en charge moi-même.

— Papa, j'ai fini !

Lily Ann s'était arrêtée et attendait qu'ils la rejoignent. Elle brandit ce qui restait de sa glace, au moins les deux tiers du cornet, et un peu de chocolat fondu à l'intérieur.

— Va mettre ça à la poubelle, lui dit son père avant de se tourner vers Reily, un sourire aux lèvres : Tu vois, je t'avais bien dit qu'elle ne la finirait pas.

Lily Ann fonça vers la maison, en faisant claquer ses tongs, puis s'arrêta brusquement. Elle resta immobile quelques secondes, avant de se précipiter de nouveau vers eux, yeux écarquillés.

— Qu'est-ce qu'elle fiche ? demanda Joe, perplexe.

— On dirait que quelque chose lui a fait peur, observa Reily.

— Qu'est-ce qui se passe, Lily Ann ? s'enquit-il quand elle fut à quelques mètres d'eux.

La fillette glissa une main toute collante dans la sienne avant de répondre :

— Tante Sue a l'air très en colère.

— Comment ça, très en colère ? Où est-elle ?

— Sur la terrasse. Elle en est train de se disputer avec une femme.

— Quelle femme ? fit Joe en sourcillant.

— Je ne la connais pas, mais elle lui crie dessus, et elle ne crie que lorsqu'elle est très en colère.

Joe parut brusquement inquiet.

— Allons voir qui est cette dame.

Il prit Lily Ann dans ses bras, peu soucieux du chocolat dont elle macula alors son T-shirt blanc, et remonta l'allée à toute vitesse. Bien qu'elle se fasse l'effet d'une intruse, Reily n'avait pas d'autre choix que de les suivre, dans la mesure où elle habitait ici, elle aussi.

Par ailleurs, la réaction de Joe, et le fait qu'il avait dissimulé à sa fille qu'il était réellement soucieux, l'avait alarmée.

Quand ils atteignirent la terrasse, elle vit que Sue avait effectivement l'air furieux. Pourtant, la femme avec qui elle se disputait ne semblait guère menaçante. Elle semblait si fragile qu'on aurait pu penser que la moindre bourrasque de vent allait l'emporter. Elle avait les cheveux gris et coupé ras. Vêtue d'une jupe vaporeuse qui lui tombait sur les chevilles et d'une tunique, avec quelques bracelets en cuivre au bras, elle avait une allure plutôt bohème.

— Qu'est-ce qui se passe, tante Sue ? demanda-t-il en se rapprochant de la terrasse.

Sue tourna la tête vers lui, très surprise de le voir.

L'autre femme regarda alors elle aussi dans sa direction. Quand elle le vit, ses yeux se mirent à briller et elle posa sa main sur son cœur.

— Joe ? dit-elle.

Il s'arrêta au bas des marches, Lily Ann toujours dans les bras et de nouveau des plus perplexes.

— Oui.

De toute évidence, il ne la connaissait pas. Reily

remarqua que les mains de la femme se mirent à trembler.

— C'est ta famille ? demanda la femme. Ta fille et ta femme ?

— Je suis désolé, on se connaît ? fit-il.

La femme prit une large inspiration.

— Autrefois, on se connaissait. Il y a très très longtemps.

— Tu es résolue à aller jusqu'au bout, n'est-ce pas ? fit alors tante Sue.

Devant son ton résigné et son air désespéré, Reily eut un mauvais pressentiment.

— Je t'ai dit que oui, lui répondit la femme. Je le dois.

Sue secoua la tête, visiblement bouleversée par ce que la femme s'apprêtait à dévoiler.

— Est-ce que quelqu'un peut me dire ce qui se passe ici ? demanda Joe d'un ton impatient.

Quoi que ce soit, Sue ne souhaitait pas que Lily Ann l'entende car, passant devant la femme, elle descendit l'escalier pour tendre la main à sa petite-nièce.

— Regarde-toi, tu es toute sale ! Tu es pleine de chocolat. Viens, je vais te laver.

Lily Ann lui donna la main et elles disparurent par la porte arrière.

Joe leva alors les yeux vers l'inconnue.

— Eh bien ? fit-il.

— Je suis Veronica Spenser, dit-elle. Mais longtemps je me suis appelée Veronica Miller.

A ces mots, Joe blêmit et, pendant quelques

secondes, Reily redouta qu'il ne s'effondre. D'une voix glaciale, il articula alors :

— Bonjour, maman. Où étais-tu pendant tout ce temps ?

— Je ne t'en veux pas d'être bouleversé, Joe, lui dit sa mère.

Sa mère… Il n'arrivait pas à faire le rapprochement entre ce mot et la femme qui se tenait devant lui.

— *Tu ne m'en veux pas* ? répéta-t-il. Tu comptes vraiment aborder le problème sur ce mode-là, à savoir qui est à blâmer ? Parce que autant te prévenir que je vais l'emporter haut la main.

— Ce n'est pas ce que je voulais dire.

— Que voulais-tu dire alors ?

— Juste parler avec toi.

Il avait imaginé ces retrouvailles des centaines de fois. Combien d'heures n'avait-il pas passées, allongé sur le canapé, à fixer la fenêtre et à s'imaginer qu'elle allait apparaître dans l'allée ? Il la cherchait toujours quand il allait en ville avec son père, ou qu'il jouait sur l'aire de jeux. Parfois, il lui semblait voir un visage familier qui ressemblait aux photos que son père lui avait données. Son cœur faisait alors un bond dans sa poitrine, et il priait pour que ce soit elle, mais jamais ce n'était elle… Il en avait passé du temps à penser à elle, à se figurer son retour. Et maintenant qu'elle se tenait devant lui, il n'avait qu'une envie : qu'elle s'en aille.

— Qu'est-ce que tu peux bien vouloir me dire, après tout ce temps ? demanda-t-il.

Elle prit une large inspiration, avant d'expirer lentement.

— Je sais que c'est beaucoup te demander, mais j'aimerais que l'on fasse connaissance. Je souhaiterais aussi faire la connaissance de ta famille. J'ai commis beaucoup d'erreurs dans ma vie, bien plus que tu ne peux imaginer.

— Comme je te plains, dit-il froidement.

— Tu as une petite fille adorable, et ta femme est très belle.

Il ne chercha pas à la détromper sur ce dernier point. Sa vie ne la regardait absolument pas. Il se tourna vers Reily, ou du moins vers l'endroit où elle se trouvait quelques instants plus tôt, pour découvrir qu'elle était partie. Elle avait dû remonter dans son appartement. Comme il la comprenait : il en aurait fait autant à sa place.

— Je ne saisis pas très bien ce que tu cherches en jouant les revenantes, mais je vais être bien clair avec toi : je ne te connais pas, et je ne veux pas te connaître, alors retourne là d'où tu viens et laisse-nous tranquilles.

— J'ai été malade, dit-elle tout à trac.

Etant donné ses cheveux courts et son corps frêle, il supposa qu'elle avait eu un cancer.

— Mais je vais mieux, maintenant. Seulement…

Elle s'interrompit, attendant sans doute qu'il la questionne. Il n'était pas dans sa nature d'être impitoyable, mais ce serait l'exception qui confirmerait la règle : elle n'avait rien fait pour gagner sa sympathie !

— Je séjourne au Sunrise Motel, continua-t-elle.

Et j'y resterai jusqu'à ce que tu acceptes de me parler. Cela prendra le temps qu'il faudra.

— Amuse-toi bien, lui dit-il alors.

Puis, lui tournant le dos — comme elle l'avait fait trente ans plus tôt —, il entra dans la maison par la porte de la cuisine. En posant la main sur la poignée, il se rendit compte qu'il avait les doigts tout contractés.

Tante Sue l'attendait dans la cuisine, visiblement secouée. Elle tentait de se remettre de ses émotions en buvant un verre de sa fameuse limonade bien pétillante.

— Ça va ? lui demanda-t-elle.

— A dire vrai, je ne sais pas ce que je ressens… Pour moi, elle était morte. D'ailleurs, peut-être que j'aurais préféré qu'elle le soit vraiment. C'était plus facile que d'accepter l'idée qu'elle ne voulait plus me voir.

— Et, maintenant qu'elle est revenue, que vas-tu faire ?

— C'est trop tard.

Sue hocha la tête avec gravité, comme si elle comprenait.

— Pour être franche avec toi, j'ai essayé de la convaincre de s'en aller avant que tu n'arrives. C'était bien la dernière chose dont tu avais besoin.

— Tu as fait ce que tu as pu…

— Elle était réellement déterminée à te parler.

— Mais elle n'a pas obtenu ce qu'elle voulait.

— Alors elle a abandonné ?

— Hélas… Elle est descendue au Sunrise Motel.

Elle dit qu'elle y restera jusqu'à ce que je sois prêt à lui parler.

— Et qu'est-ce que tu lui as répondu ?

— Que je n'avais rien à lui dire.

— Elle a essayé de me soutirer des informations. Elle voulait savoir ce que tu faisais, si tu étais marié. Je ne lui ai rien dit. Elle ne savait pas non plus que ton père était mort. Quand je lui ai appris, elle a eu l'air très triste. Je ne comprends pas très bien pourquoi, étant donné qu'elle l'a abandonné.

— Elle m'a dit qu'elle avait été malade, mais qu'elle va mieux maintenant.

— Je l'ai trouvée très maigre et très vieillie étant donné qu'elle a à peine cinquante ans. Au départ, je ne l'ai même pas reconnue. Je jurerai même qu'elle a subi de la chirurgie esthétique. Elle n'a pas le même air qu'autrefois.

— J'espère qu'elle n'a pas perturbé Lily Ann.

— Non, elle avait l'air tout à fait bien.

— Où est-elle ?

— Dans sa chambre. Elle voulait que Reily la mette au lit.

— Reily est ici ?

— Elle m'a dit qu'elle avait promis à Lily Ann de lui chanter une berceuse, et bien sûr Lily Ann n'attendait que cela.

Elle darda sur lui des yeux brillants.

— Elle aime beaucoup Reily, tu sais.

— Tante Sue…

— Ah non, tu ne vas pas encore être sur la défensive ! Je pense juste que c'est positif pour Lily Ann. Emily est gentille avec elle, mais elle n'est pas très maternelle. C'est bien qu'il y ait une personne comme Reily dans sa vie.

Le seul problème, c'était que Reily n'allait pas rester…

— Je vais monter voir où elles en sont, dit-il. Tu peux rentrer chez toi.

— Tu es sûr ?

— Je vais bien, lui assura-t-il.

Devant son air sceptique, il ajouta alors :

— O.K., ce n'est pas l'euphorie, mais je ne suis pas non plus complètement déprimé.

— N'hésite pas à m'appeler s'il y a quoi que ce soit.

— Promis.

Une fois qu'elle fut partie, il monta à l'étage. Il perçut alors le doux grattement de la guitare, en provenance de la chambre de sa fille. Ne voulant pas les déranger, il resta sur le palier à écouter, adossé au mur. Il ne reconnaissait pas la mélodie, mais elle était douce et apaisante. Puis Reily se mit à chanter et il sentit son cœur fondre…

Elle avait la voix d'un ange.

Une voix douce et d'une beauté envoûtante.

Il attendit qu'elle termine et que les cordes aient fini de vibrer, puis il pénétra dans la chambre. Reily était assise sur le rebord du lit de sa fille, sa guitare dans son giron, et Lily Ann était recroquevillée avec sa poupée favorite dans les bras, les paupières lourdes, luttant contre le sommeil.

Quand elle le vit, elle lui fit un petit sourire.

— Coucou, papa. Elle est partie, la méchante femme ?

Reily lui lança alors un regard si empli de compassion qu'il eut presque un mouvement de recul.

— Ce n'est pas une méchante femme, juste une étrangère, répondit-il. Mais, oui, elle est partie. Et, maintenant, il est temps que tu dormes.

— Merci, Reily, pour ta chanson. Tu pourras recommencer demain ?

Reily lui sourit.

— Demain, je travaille, mais mercredi soir, ce sera possible. Cela te convient ?

— D'accord, fit Lily Ann en tendant les bras. Un câlin, s'il te plaît.

Posant sa guitare contre le lit, Reily étreignit tendrement la petite fille.

— Fais de beaux rêves, ma chérie, lui murmura-t-elle.

Puis elle la relâcha.

Joe s'avança à son tour pour déposer un baiser sur son front.

— Bonne nuit, p'pa, fit Lily Ann d'une voix endormie.

Reily et lui sortirent alors de sa chambre.

— Ça va ? s'enquit Reily à voix basse dès qu'il eut refermé la porte. Tu veux qu'on parle ?

Il avait d'autre projet en tête que parler. D'un geste, il lui désigna sa chambre. Elle l'y suivit. Une fois qu'ils furent à l'intérieur, il poussa le verrou et se tourna vers elle. Dans la lumière de la lampe de chevet, elle avait aussi l'air d'un ange. Un ange qui était venu pour le sauver, pour lui montrer qu'il était encore un homme bien vivant. Cela faisait si longtemps qu'il n'avait pas éprouvé cette sensation.

— Désolée de ne pas être restée en bas avec toi, commença-t-elle. Mais à vrai dire, je ne savais pas quoi faire. C'était un moment intime… Pourtant, je me sentais mal de t'abandonner comme ça…

— C'est bon, dit-il.

Il lui prit sa guitare des mains, et la posa contre la commode.

— Sue m'a dit qu'elle était partie quand tu étais encore un bébé. Cela a dû te faire un choc de la revoir, après tout ce temps.

— Pour être honnête, je n'ai pas envie d'en parler.

Elle regarda autour d'elle, confuse.

— Pourquoi sommes-nous ici, alors ?

— Pour ça, répondit-il alors.

Et, l'enlaçant, il l'attira à lui pour l'embrasser.

- 10 -

Joe embrassait redoutablement bien !

Reily ne lui céda pas tout de suite, sachant qu'il réagissait sous le coup des émotions de la soirée, que ce n'était pas un acte réfléchi. C'était juste une façon de rétablir son autorité, de revendiquer son pouvoir sur une situation qui l'avait par ailleurs dépassée. Elle devait lui dire d'arrêter ! Mais il l'embrassait avec une telle douceur mêlée d'assurance, ses caresses étaient si sensuelles, que tout ce qu'elle parvenait à faire, c'était pousser des petits gémissements…

Il les prit bien sûr pour des encouragements et l'embrassa de plus belle, l'attirant plus étroitement à lui de sorte qu'il épousait maintenant son corps avec le sien et qu'elle pouvait sentir combien il était excité. Elle l'était pareillement, et jamais d'ailleurs elle ne l'avait été autant ! A cette exaltation s'ajoutaient la confusion et la peur de se retrouver dans les bras d'un homme aussi passionné. Elle avait toujours su garder une certaine distance avec ses partenaires, mais, avec lui, c'était impossible. Il représentait tout ce qu'elle attendait d'un homme, et il aurait été très facile de tomber amoureuse de lui. D'ailleurs, elle l'était déjà à moitié. Mais cette histoire d'amour était impossible. Pour elle comme pour lui.

Aussi pourquoi venait-elle de nouer ses bras autour de son cou ? D'enfouir ses doigts dans ses cheveux ? Et surtout pourquoi accordait-elle son pas au sien alors qu'il la dirigeait vers son lit ?

Ses genoux touchèrent le bord du lit et elle bascula sur le matelas. Il se pressa aussitôt de tout son poids sur elle et, sans transition, glissa sa main sous son T-shirt, traçant un sillon brûlant sur sa peau. Quand elle sentit ses doigts sur son soutien-gorge, elle en eut le souffle coupé…

Elle s'attendait à ce qu'il fasse une pause et lui demande s'il pouvait continuer ou pas. Mais sa prudence légendaire s'était visiblement envolée ! Il l'embrassait avec fièvre, haletant, tandis que, de ses mains, il explorait son corps et ses parties les plus intimes… Malgré elle, elle se cambra contre lui, lui donnant une preuve supplémentaire de son consentement. Puis, dans un élan incontrôlable, elle sortit le T-shirt de Joe de son short.

Elle avait tellement fantasmé sur ce corps-à-corps avec lui qu'elle avait du mal à croire qu'il se concrétisait enfin. Quand elle posa ses paumes sur son dos tout chaud, elle eut envie de pleurer de bonheur…

Ce fut alors que la voix de la raison l'assaillit de nouveau. Qu'était-elle en train de faire ? Elle devait penser à Lily Ann, à Sue, et à tous ceux qu'elle blesserait quand elle partirait. Il fallait mettre un terme à ces ébats avant qu'il ne soit trop tard, avant qu'elle n'en soit vraiment incapable.

Tournant la tête, elle détacha sa bouche de la sienne.

— On ne peut pas, Joe.

— Si, on peut, marmonna-t-il en faisant glisser ses lèvres dans son cou brûlant. Je le veux.

— Pense à ce que tu es en train de faire et surtout pourquoi tu le fais.

A ces mots, il s'immobilisa et, relevant la tête, croisa son regard. Elle vit une expression peinée passer sur son visage, et il se laissa retomber sur elle. Puis, poussant un long soupir, il roula sur le côté.

— Tu as raison, je suis désolé, dit-il enfin.

Elle en éprouva à la fois du soulagement et de la déception. La plupart des hommes ne l'auraient pas écoutée et auraient continué. Le fait qu'il ait été attentif à ses propos le rendait encore plus désirable…

— Moi, je ne suis pas désolée, renchérit-elle. Pas du tout, même !

Il lui lança un regard surpris.

— Ah bon ?

Elle s'appuya sur un coude.

— Mais je sais aussi que si l'on va plus loin, tout va devenir compliqué. Et tu ne peux pas nier que si ta mère n'avait pas fait cette soudaine apparition, rien de tout cela ne serait arrivé.

— Ce n'est pas ma mère ! C'est juste ma génitrice.

— Pourquoi est-elle revenue ?

Il se leva brusquement du lit, se refermant d'un coup.

— Je ne sais pas et je m'en fiche !

Il ne s'en fichait pas, c'était évident. Deux des femmes les plus importantes de sa vie, sa mère et sa femme, l'avaient abandonné, et maintenant l'une d'entre elles était de retour. Il avait besoin d'en parler, d'analyser ses sentiments, mais elle allait avoir du mal à l'inciter à s'ouvrir à lui.

S'asseyant sur le lit, elle rajusta son T-shirt.

— La soirée est si douce. Si on allait s'installer sur la terrasse ?

Il lui lança un regard perçant, comme s'il la suspectait de mijoter quelque chose.

— Pourquoi est-ce que tu me regardes comme ça ? demanda-t-elle en se levant.

— Je n'ai pas envie de parler.

— Comme tu veux ! Nous pourrons nous contenter de boire de la limonade.

Prenant sa guitare, elle ajouta :

— Je vais la rapporter chez moi, et je te rejoins sur la terrasse.

— Je te le répète, on ne parlera pas.

— Ce n'est pas grave. On écoutera ensemble les bruits de la nuit.

Quand elle voulut ouvrir la porte, elle se rendit compte qu'elle était fermée à clé. Il avait donc bien eu l'intention de passer au stade supérieur, avec elle ! Et, si elle n'avait rien dit, ils seraient sans doute actuellement en train de faire l'amour…

A cette pensée, son cœur fit un bond dans sa poitrine.

Après tout, il était encore temps de faire machine arrière… Si elle se retournait, l'enlaçait et se pressait contre lui, elle ne doutait pas un instant qu'il la ferait chavirer sur son lit.

A cette pensée, elle sentit l'excitation la gagner…

Non, elle devait se raisonner !

— A tout de suite ! lança-t-elle d'un ton jovial pour masquer son trouble.

Puis elle fonça dans l'escalier avant de changer d'avis.

La lumière ambrée du soleil couchant éclairait le ciel et une douce brise rafraîchissait agréablement l'air encore saturé de la chaleur de la journée. Les criquets chantaient et des rires d'enfants s'échappaient d'une maison du voisinage. Elle regagna rapidement son appartement pour y déposer sa guitare. Elle n'avait pas encore eu le temps de bien l'examiner, mais elle ne semblait pas avoir subi de dommages. Elle était désaccordée, mais le son était impeccable. Elle devrait se procurer un étui aussi rapidement que possible, ce qui signifiait prendre le bus pour Denver.

Elle se rendit dans la salle de bains, et fit la grimace devant son reflet. Sa queue-de-cheval était de travers, et son eye-liner avait coulé. Elle enleva rapidement les traces de maquillage et refit de façon sommaire sa coiffure. Elle ne devait pas se faire belle pour lui, même si elle en avait envie et qu'il était difficile de résister à la tentation de se mettre du rouge à lèvres.

Quand elle revint sur la terrasse, il était assis sur la balancelle, un verre dans chaque main. Il avait changé son T-shirt blanc tout taché de chocolat pour un autre portant le logo de son bar, et il était pieds nus.

— C'est une belle nuit, dit-elle en prenant place à côté de lui.

— L'air un peu plus frais fait du bien, observa-t-il.

Puis il lui tendit un verre.

— Demain encore, la journée sera chaude.

— Oui, il paraît.

Etait-ce ce à quoi ils en étaient réduits, désormais ? A échanger des banalités sur le temps qu'il faisait ? Enfin, au moins, ils parlaient !

— Je crois que je vais faire construire une piscine, déclara-t-il.

— Ce serait une bonne idée. Et tu as largement la place.

— La meilleure amie de Lily Ann en a une et ma fille n'arrête pas de me harceler pour en avoir une, elle aussi.

— Tu voudrais une piscine hors du sol ou enterrée ?

— Enterrée, c'est mieux.

C'était aussi plus cher, mais elle avait l'impression qu'il gagnait très bien sa vie et que ce n'était pas le problème.

Il but un peu de limonade, fixant le ciel étoilé.

— Il y a beaucoup d'étoiles, ce soir.

— Mouais.

Il resta silencieux quelques minutes, poussant doucement la balancelle et, tout à coup, il déclara :

— Elle m'a dit qu'elle avait été malade, mais que ça va mieux, maintenant. Qu'elle voulait juste discuter avec moi.

Il lui fallut quelques secondes pour comprendre qu'il parlait de sa mère.

— Et tu ne la crois pas ? renchérit-elle.

— En fait, je m'en fiche.

Ce n'était pas vrai, sinon il ne l'aurait pas évoquée. Même si elle l'avait abandonné, elle était sa mère.

Le même sang coulait dans leurs veines. Il était forcément curieux d'en savoir plus sur elle.

— Finalement, elle est partie ?

— Elle m'a dit qu'elle allait séjourner au Sunrise Motel jusqu'à ce que j'accepte de lui parler.

— Elle semble déterminée.

— Moi aussi je le suis.

« Têtu » aurait été un terme plus approprié. Peut-être tenait-il ce trait de caractère de sa mère.

— Tu ne crois pas qu'il vaudrait mieux écouter ce qu'elle a à te dire et en finir avec cette histoire ?

— Si ce qu'elle avait à dire m'intéressait ! Mais il se trouve que ce n'est pas le cas.

Etait-ce elle ou lui qu'il essayait de convaincre ?

— Qu'est-ce que tu vas dire à Lily Ann ? s'en-quit-elle.

— Rien ! Elle n'a vraiment pas besoin de connaître une nouvelle personne qui va l'abandonner sous peu, elle aussi.

Il n'en savait rien, et il ne le saurait pas s'il ne donnait pas une chance à sa mère. Et Lily Ann n'avait-elle pas le droit de connaître sa grand-mère ? Il n'en restait pas moins qu'elle n'avait pas à dicter sa conduite à Joe, ni à se mêler de sa vie. Cependant, une question lui brûlait la langue…

— Et si Beth resurgissait elle aussi sans prévenir ? Est-ce que tu accepterais que Lily Ann la voie ?

Il hésita, et elle crut qu'il n'allait pas répondre. Mais il finit par dire :

— Cela dépendrait des raisons qui motiveraient ce retour. Si c'était juste pour une visite et qu'elle n'avait pas l'intention de rester, alors, non, je ne serais pas d'accord.

— Et si elle insistait ?

— Je n'en démordrais pas. J'ai la garde exclusive de ma fille, à la demande de Beth d'ailleurs. Et je refuse que Lily Ann souffre de nouveau à cause d'elle.

Comme elle ne répondait pas, il ajouta :

— Tu penses que j'ai tort ?

— Ce que je pense n'a pas d'importance, c'est ta fille, et c'est à toi seul de juger ce qui est bon pour elle.

— Si tu savais les épreuves par lesquelles on est passés, tu…

— Peut-être, mais je ne les connais pas, coupa-t-elle. Mes parents sont morts, et ils m'ont terriblement manqué pendant toute mon enfance, j'ai été très malheureuse. Mais je savais malgré tout qu'ils m'aimaient par-dessus tout. Si l'un d'eux m'avait abandonnée… Je ne peux même pas imaginer combien j'en aurais souffert. C'est pourquoi je ne me permettrais jamais de critiquer tes choix.

Il resta silencieux un bon moment puis, d'une voix empreinte de regrets, il déclara :

— Je t'ai menti, Reily.

Elle sentit son cœur bondir dans sa poitrine.

— A propos de quoi ?

— Quand je t'ai dit que je ne savais pas pourquoi Beth était partie…

Il darda alors sur elle un regard meurtri et ajouta :

— C'est ma faute si elle est partie et si Lily Ann n'a plus de mère.

— Pourquoi ? C'est toi qui lui as dit de s'en

aller ? J'avais cru comprendre qu'elle était partie de son propre chef.

Non, ce qu'il avait fait était pire encore.

— C'est moi qui l'ai contrainte à m'épouser, dit-il alors à Reily. Elle voulait voyager et voir le monde, mais je l'ai persuadée du contraire. Je lui ai dit qu'elle aurait tout le temps plus tard, que nous voyagerions quand nos enfants seraient grands. Je lui disais qu'alors nous en aurions les moyens. C'était un mensonge, car je n'ai jamais eu l'intention de quitter Paradise. Et je pensais sincèrement que lorsque nous serions mariés et que nous aurions deux enfants, elle serait heureuse et oublierait toutes ces chimères.

— Mais ça ne s'est pas passé ainsi ?

Il secoua la tête.

Il avait connu l'enfer le jour où il avait regardé Beth monter dans la voiture et partir pour toujours. Il avait eu la sensation qu'on lui arrachait une partie de son âme… Les premières semaines avaient été une véritable torture, à se demander où elle était, ce qu'elle faisait. Il ne pouvait plus ni manger ni dormir. Et, surtout, entendre Lily Ann appeler sa mère, la chercher dans toute la maison avait été un vrai crève-cœur.

Pendant des semaines, il s'était replié sur lui-même, conservant malgré tout l'espoir que Beth se sentirait si seule, si misérable qu'un jour il ouvrirait la porte et qu'elle serait sur le seuil, le suppliant de la reprendre. Et puis, un matin, une grande enveloppe était arrivée de Californie. Elle contenait les papiers du divorce. Beth ne lui réclamait pas un centime, et lui laissait la garde exclusive de leur fille. Ce jour-là, il avait dû se résigner au fait qu'elle ne rentrerait jamais, qu'elle voulait couper les ponts avec son ancienne vie, et qu'elle était vraiment plus heureuse sans lui. Et sans Lily Ann.

— Au fond de moi-même, je savais qu'elle n'était pas prête à devenir mère, dit Joe. Mais je l'ai quand même convaincue d'avoir un enfant. J'étais persuadé que cela résoudrait tous nos problèmes, qu'elle n'aurait plus envie de partir.

— Tu as fait ce que tu pensais être le mieux pour vous tous.

— Mais en agissant ainsi, j'ai privé ma fille de mère ! C'est pour cette raison que je n'ai jamais dit à Lily Ann pourquoi sa maman était partie. Je ne pourrai pas supporter qu'elle sache que c'est ma faute, car elle me haïrait.

Elle lui toucha le bras.

— Joe, écoute-moi… Ce n'est pas *ta* faute. O.K., tu as insisté pour que Beth t'épouse, mais elle aurait tout à fait pu refuser. Tout comme elle aurait pu éviter une grossesse en prenant un contraceptif. Quant à sa décision de ne plus voir *du tout* Lily Ann, c'est la sienne, tu n'y es pour rien.

— Lily Ann ressemble tellement à sa mère.

— Ce n'est pas forcément négatif. Elle devait avoir des qualités sans quoi tu ne l'aurais jamais épousée.

— Mais je ne veux pas que ma fille soit aussi agitée et insatisfaite que sa mère. Je veux qu'elle soit heureuse.

— L'aptitude au bonheur, cela s'apprend et c'est toi qui dois le lui enseigner. Elle doit devenir autonome et ne permettre à personne de tourner ses rêves en dérision.

De toute évidence, elle parlait d'expérience.

— Qui a tourné les tiens en dérision ? demanda-t-il alors.

— Tout le monde. Ma tante et mes amis. Abe. Personne n'a cru en moi.

— Reily, tous ceux qui t'entendent chanter comprennent d'emblée que tu as du talent. Peut-être que ton entourage ne voulait pas te perdre. Tout comme moi je ne voulais pas perdre Beth.

— La différence, c'est que moi je n'ai jamais écouté ceux qui prétendaient que je ne pourrais pas devenir chanteuse. Beth aurait dû te résister et te dire qu'elle n'était prête ni pour le mariage ni pour la maternité. Si elle ne l'a pas fait, c'est *son* problème, pas le tien. Il faut que tu arrêtes de culpabiliser.

En un sens, elle avait raison, songea-t-il soudain. Peut-être que ce n'était pas entièrement sa faute.

— Je n'avais jamais envisagé la situation sous cet angle-là, dit-il alors.

— Est-ce que tu l'aimes encore ?

La question resta suspendue quelques instants dans l'air…

— A vrai dire, je me demande si je l'ai aimée un jour, finit-il par répondre. J'ai aimé la femme que je voulais qu'elle soit. Mais je crois que je ne connaissais pas la vraie Beth. C'est sans doute autant sa faute que la mienne. Elle a eu une enfance très difficile, elle avait peur de s'ouvrir aux autres… Et moi, au lieu de chercher à savoir ce qu'elle ressentait au fond d'elle-même, je comblais les blancs en lui imposant ma volonté. Je voulais qu'elle soit la femme idéale.

— Et elle t'a laissé faire.

— Oui, c'est vrai.

— Et si elle frappait à ta porte demain, qu'elle te disait qu'elle t'aimait et qu'elle voulait rentrer à la maison, qu'elle avait changé et qu'elle souhaitait être une vraie mère pour Lily Ann, est-ce que tu lui donnerais une deuxième chance ?

— Si elle regrettait vraiment ce qu'elle nous a fait et qu'elle avait véritablement l'intention de rester, je l'autoriserais à voir Lily Ann. Mais entre elle et moi, non, tout est fini. Depuis que je te connais, c'est plus clair que jamais.

— Pourquoi ? souffla-t-elle.

Incapable de résister à la tentation, il lui prit la main et emmêla ses doigts aux siens.

— Avec Beth, nous étions en lutte permanente. J'essayais de me convaincre que nous étions heureux, que tout allait bien, mais j'avais toujours l'impression que tout allait s'écrouler. Avec toi, tout semble… évident, facile. Je ne savais pas que cela pouvait être ainsi, entre un homme et une femme.

Elle lui étreignit la main.

— Je n'étais pas censée te rencontrer avant des années, quand j'aurais fait carrière et que je serais prête à m'installer avec un homme, lui dit-elle. C'est injuste.

— C'est vrai, fit-il.

Et, sachant que c'était encore une plus mauvaise idée que de lui prendre la main, il la prit par les épaules. Elle se blottit alors contre lui, nichant sa tête sur sa poitrine.

— Tu sais qu'on ne se facilite pas les choses, murmura-t-elle.

— Je sais, dit-il.

Mais, en ce moment, il s'en fichait. Ce qu'il voulait, c'était être auprès d'elle. Il avait besoin d'elle. Il lui avait confié des secrets que personne ne connaissait, parce qu'il avait su d'instinct qu'elle le comprendrait. Cela lui avait fait un bien fou de discuter avec elle.

— Tu sais ce qui serait pire encore ? demanda-t-il en lui prenant son verre de limonade des mains pour le poser par terre, près du sien.

— Dis-moi.

— Que je t'embrasse.

Elle regarda sa bouche.

— Dans ces conditions, pourquoi est-ce que j'ai l'impression que c'est ce que tu vas faire ?

Mais, au moment où il se penchait vers elle, le bruit d'un moteur vrombit soudain dans l'allée. Il reconnut le pick-up d'Emily, son ex-belle-sœur.

- 11 -

En temps normal, Joe se serait réjoui de la visite d'Emily qu'il considérait comme l'une de ses meilleures amies. Mais, ce soir, elle ne pouvait pas plus mal tomber. L'œil maussade, il la regarda descendre du pick-up et remarqua qu'elle portait quelque chose. A cause de l'obscurité, il n'aurait su dire ce que c'était.

Elle monta les marches et il se leva, tout comme Reily. Emily ressemblait beaucoup à sa sœur et, chaque fois qu'il la voyait, il avait malgré lui un petit pincement au cœur. Mais, ce soir-là, il ne ressentit pas ce sentiment ambigu.

— Bonsoir, Joe, dit-elle. Et vous, vous êtes Reily, la nouvelle serveuse dont j'ai tant entendu parler.

— Exact, répondit cette dernière.

Emily lui sourit et enchaîna :

— Sue m'avait demandé de lui apporter des légumes du jardin. Il y a des tomates, des courgettes et des carottes.

Elle tendit alors son panier à Joe.

— Je voulais les apporter plus tôt, mais il y avait une urgence chez Beau.

— Cela n'a pas d'importance, nous prenions le frais sur la terrasse.

— De toute façon, je ne vais pas m'attarder, précisa Emily.

— Je vais porter les légumes à l'intérieur, déclara alors Reily. Et j'en profiterai pour vérifier que Lily Ann dort bien. J'ai été ravie de vous rencontrer, Emily.

— Moi aussi, et je suis certaine qu'on se reverra bientôt.

Une fois Reily rentrée, Emily lui adressa un petit sourire entendu.

— Quoi ? fit-il.

— Vous avez l'air de bien vous entendre, tous les deux.

— Cela ne te pose pas de problème, j'espère ?

Elle eut l'air confuse.

— Pourquoi cela me poserait problème ? Beth a beau être ma sœur, ce qu'elle vous a fait, à Lily Ann et à toi, est impardonnable. Je trouve au contraire merveilleux que tu aies rencontré quelqu'un. Tu aurais dû le faire plus tôt. Je n'ai entendu que du bien au sujet de Reily.

— Et tu sais aussi sans doute qu'elle ne va pas rester à Paradise, mais qu'elle partira pour Nashville dès qu'elle aurait l'argent nécessaire.

— Et toi, qu'est-ce que cela te fait ?

— Cela me contrarie, forcément. Et je suis sans doute idiot de nouer une relation condamnée d'avance. En tout cas, il ne faut pas que Lily Ann l'apprenne. Elle aime beaucoup Reily et je ne voudrais pas qu'elle s'attache trop à elle.

— On ne sait jamais, Joe. Reily peut changer d'avis.

Il aurait aimé y croire, mais il voyait bien que le destin ne jouait pas en sa faveur. Et puis ils se connaissaient encore si peu. Peut-être que, dans deux semaines, ils découvriraient qu'ils avaient des personnalités incompatibles.

— On profite du temps que l'on a à passer ensemble, c'est tout.

— Pourquoi pas ? dit Emily. Bon, il est tard, il faut que je me sauve. Ah, j'allais oublier ! Ella va mettre bas la semaine prochaine, et j'ai promis à Lily Ann qu'elle m'aiderait. Donc tu risques de recevoir un appel de dernière minute.

— Parfait ! Elle sera ravie.

Lily Ann le harcelait pour qu'il accepte de prendre un des chiots à la maison, mais sa fille était-elle assez grande pour assumer la responsabilité d'un chien ? Notamment une race aussi énergique qu'un border colley…

Ils s'embrassèrent et Emily repartit.

Quelques instants plus tard, Reily réapparut.

— Je suis désolée, dit-elle alors. Je suis certaine qu'Emily a remarqué que nous étions enlacés.

— Ce n'est pas grave, dit-il en tapotant sur la balancelle pour qu'elle l'y rejoigne. C'est une amie.

Elle s'assit à côté de lui.

— Est-ce que toi et elle… ?

Il sourit.

— Tu es jalouse ?

— Bien sûr que non ! Enfin, peut-être un peu quand même…

Emily et lui s'entendaient très bien, mais il s'agissait d'une amitié fraternelle, rien de plus.

— C'est juste une très bonne amie et une personne très importante dans la vie de Lily Ann, le seul lien qu'elle ait avec la famille de sa mère.

— Qu'est-ce qu'elle pense du départ de sa sœur ?

— Je crois qu'au début, elle s'est sentie responsable car c'est plus ou moins elle qui a élevé ses frères et sœurs, ses parents n'étant pas vraiment à la hauteur de la tâche.

Curieusement, évoquer Beth ne le perturbait pas ce soir. Il en parlait avec un certain détachement. Tout ce qui comptait, en ce moment, c'était Reily.

Il l'attira à lui.

— Il me semble que nous allions nous embrasser avant qu'Emily nous interrompe, fit-il d'un ton fiévreux.

— Tu as raison, dit-elle en se penchant vers lui.

Sa bouche était à la fois sucrée et acidulée, et il s'efforça de calmer ses ardeurs, car ce dont il rêvait par-dessus tout, c'était de l'emmener dans sa chambre. Toutefois, il savait qu'ils en resteraient là ce soir, il ne fallait pas la brusquer. Aussi l'embrassa-t-il sans même chercher à l'attirer sur le divan. Et quand Reily détacha sa bouche de la sienne, et suggéra qu'il était temps qu'elle rentre, il ne chercha pas à la retenir.

Il l'accompagna jusqu'au garage, au bas des marches.

— Je sais que c'était une soirée bizarre pour toi, mais j'ai été heureuse que nous discutions, lui dit-elle.

— Merci de m'avoir écouté.

Se hissant sur la pointe de pieds, elle lui donna un bref baiser sur la bouche. Il fit un gros effort pour s'en contenter et ne pas la reprendre dans ses bras pour lui donner de nouveau un baiser torride. Il ne voulait pas tout gâcher.

— J'aimerais te dire que c'est la dernière fois qu'on s'embrasse, mais ce serait sans doute un mensonge, lui dit-elle.

Elle avait raison. Il aurait dû se tenir à distance d'elle, mais cela faisait si longtemps qu'il n'avait pas été aussi heureux. Et tant pis pour les lendemains qui déchantaient…

— Bonne nuit, lui dit-il en souriant.

Il la regarda monter les marches, et attendit qu'elle soit rentrée pour revenir chez lui. C'était une mauvaise idée de nouer une relation avec Reily, étant donné qu'elle partirait dans quatre semaines. Cependant, il était trop tard pour faire machine arrière… Et puis, il était fatigué de lutter contre ses pulsions. Il s'en remettait au destin.

Reily ne savait pas trop à quoi s'attendre quand elle gara son vélo devant le bar de Joe, le lendemain matin. La veille au soir lui apparaissait un peu comme un rêve flou et, à la lumière du jour, elle se demandait si la proximité qu'elle avait ressentie pour lui ne sortait pas tout droit de son imagination. Et si, ce matin, il la regardait avec indifférence et agacement ?

Elle alla déposer son sac dans son casier, puis la bonne odeur du café frais lui chatouilla le nez. Elle s'avança derrière le comptoir. Lindy découpait déjà des rondelles de citron tout en buvant son café, et Joe était dans son box habituel, les yeux rivés à l'écran de son ordinateur portable.

— Bonjour, lui dit Lindy.

— Bonjour, répondit-elle en se servant du café.

— J'ai cru comprendre que la soirée a été mouvementée, hier soir, après notre dîner.

Cette remarque la laissa bouche bée. Et elle qui pensait qu'elle était la seule, à part tante Sue, à savoir que la mère de Joe était revenue. Manifestement, il avait confié la nouvelle à Lindy, ce qui était au fond tout à fait normal, puisqu'ils se connaissaient depuis des années. D'ailleurs, il avait aussi dû lui avouer ce qu'il ressentait pour Beth, son sentiment de culpabilité. Elle avait été idiote de croire qu'il partagerait ses secrets les plus profonds avec une femme qu'il connaissait à peine, et pas avec sa meilleure amie. Malgré elle, elle éprouvait pourtant de la jalousie.

Et puis, est-ce qu'il lui avait aussi parlé de leur baiser ?

— Joe t'a raconté ? fit-elle.

— Joe ? répéta-t-elle en riant. Tu le connais, il n'est pas très bavard. Mais je sais qu'il était là.

Elle eut alors la sensation qu'elles ne parlaient pas du tout de la même chose…

— J'ignorais que tu connaissais Nate, poursuivit Lindy. Remarque, je te comprends. Il est beau gosse, n'est-ce pas ?

C'était donc de Nate qu'il s'agissait ! Avec tous les événements de la veille, elle en avait oublié l'épisode avec Nate et le baiser qu'il lui avait donné pour provoquer Joe. Elle en ressentit un vif soulagement.

— Je n'éprouve rien pour lui, dit-elle alors à Lindy.

Celle-ci cessa de couper son citron.

— Ah bon ? Alors pourquoi vous vous êtes donné en spectacle sur Main Street, hier soir ?

— Comme tu y vas ! On faisait semblant, c'était juste un baiser, éluda-t-elle. Il voulait rendre Joe jaloux.

— Pardon ?

— Nate nous a vus tous les deux dans la voiture de Joe… et il a pensé que…

Elle s'interrompit. Elle avait conscience d'être confuse et il était par ailleurs difficile d'expliquer la scène sans trahir ses sentiments pour Joe.

— Bref, c'est compliqué, compléta-t-elle.

— Et après, sur la balancelle, tu essayais aussi de rendre Nate jaloux ? Ou c'était juste un baiser ?

Agacée et fort surprise, Reily répliqua alors :

— Tu as recruté un réseau d'espions pour me faire suivre ?

Lindy lui adressa un sourire amusé.

— Quand on embrasse un gars sur Main Street, les gens le remarquent forcément.

— Et pour Joe ?

— C'est mon amie Claire qui t'a donnée. Ses parents habitent juste en face de chez Joe et, hier soir, elle est allée leur rendre une petite visite. Elle m'a dit qu'elle avait vu Joe embrasser une grande blonde sur sa terrasse. Et comme tu es la seule blonde qu'il connaisse…

Reily se demanda si Joe savait que des commérages circulaient déjà sur leur compte. Et, quand il l'apprendrait, comment réagirait-il ? Il ne s'en réjouirait sans doute pas !

— Alors, reprit Lindy, vous avez couché ensemble ?

— Non ! se récria Reily. Ce n'est pas comme ça, entre nous !

— Qu'est-ce qui n'est pas comme ça ? demanda Joe dans son dos.

Elle sursauta, car elle ne l'avait pas entendu arriver.

— Bonjour, Joe, dit-elle d'un ton un peu trop enthousiaste en se retournant.

— Je vous dérange ? demanda-t-il, après les avoir regardées tour à tour.

Lindy se pencha sur le comptoir.

— Reily essayait juste de me convaincre que, bien que vous ayez fait de la balancelle ensemble hier soir au clair de lune, vous ne sortiez pas ensemble tous les deux.

Joe lança un regard exaspéré à Lindy avant de demander à Reily :

— Est-ce que je peux m'entretenir en tête à tête avec toi dans mon bureau, s'il te plaît ?

Visiblement, il était bouleversé que Lindy soit au courant. Elle le voyait bien à son expression. Nul doute qu'il allait lui dire que, tous les deux, ils allaient en rester là. Ou peut-être qu'il serait plus radical, et la renverrait sur-le-champ, sachant que, l'un comme l'autre, ils étaient incapables de maîtriser leurs pulsions.

Gorge serrée, elle le suivit dans son bureau.

Dès qu'elle fut entrée, il referma soigneusement la porte et se tourna vers elle.

— Je ne lui ai rien dit, déclara-t-elle tout de suite.

— Reily…

— Lindy a une amie, Claire, dont les parents habitent juste en face de chez toi, et comme elle nous a vus sur la terrasse… Je veux dire Claire, pas Lindy…

Bras croisés, il s'assit sur le rebord de son bureau.

— O.K., c'est bon, lui dit-il.

Mais elle ne l'entendit pas.

— Donc, Claire a dit à Lindy que tu avais embrassé une grande blonde et Lindy en a tout de suite déduit que c'était moi. Je ne pouvais quand même pas nier, ç'aurait été mentir, et je déteste mentir. Alors maintenant, elle sait.

— Pour le baiser.

— Oui, juste sur la terrasse. Je n'ai rien dit de ce qui s'est passé dans la chambre. De toute façon, cela, Claire n'a pas pu le voir.

Elle avait conscience qu'elle était confuse dans ses propos et qu'elle ne servait pas sa cause.

— Tu as fini ? lui demanda-t-il d'un ton impatient.

Elle prit une large inspiration, s'attendant à son discours sur l'impossibilité de continuer à se voir. Mais, à la place, il lui tendit la main et l'attira à lui. Ses lèvres étaient chaudes et douces contre les siennes et, dès qu'il l'embrassa, elle ne pensa plus à rien, à part aux folles sensations qu'il lui procurait… Lorsqu'il la relâcha, la tête lui tournait presque.

— J'avais envie de t'embrasser depuis ce matin. Enfin, pour être plus exact, depuis hier soir, dit-il en lui souriant.

— C'est vrai ?

— Pas toi ?

— J'ai à peine fermé l'œil de la nuit. Mais je pensais que tu serais tellement en colère que Lindy sache, pour nous… Et j'avais peur que tu croies que c'était moi qui lui avais dit.

— Elle m'a déjà questionné à ce sujet ce matin et, comme je ne lui ai rien dit, elle t'a sauté dessus dès que tu es arrivée.

— Donc, cela ne te fait rien, qu'elle soit au courant ?

— Nous n'avons pas le choix, c'est un fait.

Elle leva vers lui un regard timide.

— On est juste amis… ou on sort ensemble ?

— Amis, on l'est sans aucun doute, dit-il.

Puis il l'enlaça par la taille et passa ses doigts sous les boucles de sa ceinture — de façon bien intime pour de simples « amis ».

Il ajouta alors :

— Et, si on sortait ensemble, ce serait encore mieux.

— Mais Lily Ann ne doit rien savoir.

— Entièrement d'accord avec toi, approuva-t-il.

Elle ne pouvait supporter l'idée de blesser la fillette en faisant naître de faux espoirs chez elle. Mais elle ne voulait pas non plus faire souffrir Joe, aussi préféra-t-elle éclaircir tout de suite la situation.

— On sait tous les deux où cela nous mènera, n'est-ce pas ?

— Tu veux plutôt dire où cela ne nous mènera pas, puisque tu vas partir.

— Et ça ne te pose pas de problème ?

— Est-ce que j'ai le choix ?

Un élan de culpabilité la saisit.

— Joe…

— Cela ne me pose pas de problème, dit-il en resserrant son étreinte. Je pense… je pense que j'en ai besoin. Pour la première fois depuis longtemps, j'ai l'impression d'être de nouveau vivant, et de ne pas être juste spectateur de ma vie.

L'idée de l'aider et de lui permettre de se remettre du départ de Beth lui plut. Elle serait en quelque sorte une passerelle qui le ramènerait sur la voie du bonheur.

— Donc, c'est une relation temporaire, on est bien d'accord ? fit-elle.

— Absolument.

Ce fut alors qu'on frappa à sa porte. Elle voulut s'écarter de lui, mais il la retint.

— Entrez, dit-il d'un ton sec.

Visiblement, il se moquait qu'on les voie ensemble.

La porte s'ouvrit et Jill se matérialisa devant eux, accompagnée d'une forte odeur de cigarette.

— Salut, Joe. Je venais juste…

Elle s'interrompit brusquement en les voyant dans les bras l'un de l'autre. A la main, elle tenait son paquet de cigarettes.

Elle recula d'un pas. Elle n'avait toutefois pas pu masquer les émotions qui l'avaient assaillie en les découvrant ensemble : la jalousie, la colère, la souffrance… Il était évident qu'elle aimait Joe, tout le monde le savait, elle cherchait toujours à flirter avec lui, même s'il la repoussait systématiquement. Et, bien qu'elle ne soit pas très sympathique avec elle, Reily eut de la peine pour elle.

— Qu'est-ce que tu voulais ? lui demanda-t-il.

— Te remettre mon paquet de cigarettes.

Il lâcha les boucles du jean de Reily pour prendre le paquet.

— Merci, dit-il.

Jill sortit alors précipitamment du bureau.

— Comme c'était gênant ! fit observer Reily.

Il posa le paquet sur son bureau.

— Elle a un faible pour toi, tu le sais, poursuivit-elle.

— Je sais.

— Tu lui as peut-être brisé le cœur.

Il haussa les épaules.

— Je n'y peux rien.

Elle fronça les sourcils.

— Je me sens mal pour elle. Elle a l'air tellement seule. Et malheureuse.

De nouveau, on frappa à la porte.

Joe soupira.

— Oui ? fit-il.

Cette fois, c'était Lindy. Quand elle les vit tout près l'un de l'autre, elle déclara dans un petit sourire :

— O.K., je comprends mieux.

— Quoi, qu'est-ce que tu comprends ? demanda Joe.

— Pourquoi Jill est dans un état pareil.

Il la regarda d'un air irrité.

— C'est tout ce que tu voulais ?

— Non. Annie a appelé. Elle aura une heure de retard pour son service, ce soir.

— Demande à Renee si elle peut rester un peu plus tard.

— Ça marche, dit-elle.

Et, sans s'attarder, elle ressortit.

Presque deux secondes après, un coup se fit de nouveau entendre à la porte.

— *Entrez !*

Ray, l'un des cuisiniers, passa la tête par l'entrebâillement de la porte.

— Désolé de te déranger, Joe, mais l'ouvrier qui devait réparer le climatiseur est là.

— Dis-lui que j'arrive.

Ray sourit et referma la porte.

— Quelque chose me dit que tout le monde est au courant, maintenant, pour nous, soupira Reily.

— Donne-leur quand même cinq minutes pour répandre la nouvelle.

Cela ne semblait en tout cas nullement le déranger.

— Bon, ajouta-t-il, il faut aller travailler.

Sur un dernier baiser, il la relâcha.

— On prend un verre ce soir, après la fermeture ? proposa-t-il.

— C'est envisageable, répondit-elle dans un petit sourire.

Et ils sortirent du bureau.

Dès qu'elle s'avança derrière le comptoir, Lindy s'écria :

— Tu vois, je t'avais bien dit que tu lui plaisais !

— C'est vrai.

— Je savais que vous feriez un couple adorable.

Reily attacha son tablier autour de sa taille.

— Il est un peu prématuré de parler de couple, répondit-elle.

A part quelques baisers, il ne s'était rien passé entre eux. Mais cela lui convenait tout à fait. Elle voulait prendre son temps et ne pas réduire cette relation à des rapports sexuels.

— Cela veut dire que tu vas rester à Paradise ? demanda Lindy.

— Non, j'ai toujours l'intention de me rendre à Nashville. C'est mon but ultime. Et puis qui te dit que Joe a envie que je reste ? Il faut que nous apprenions à nous connaître avant de faire des projets.

— Mais si tu tombes follement amoureuse de lui, tu partiras quand même ? insista Lindy.

L'idée n'était pas à exclure, mais elle préférait ne pas l'envisager…

— Si je ne pars pas, cela voudrait dire que je renonce à mon rêve pour lui et qu'est-ce qui me dit qu'un jour je ne le regretterais pas ? Qui sait si je ne ferais pas alors exactement comme Beth ?

Lindy sourcilla.

— Et puis, continua-t-elle, je suis la première femme qui l'intéresse depuis le départ de Beth. Ce qui signifie que je suis la relation qui le fait rebondir et ce genre de relation ne dure jamais.

— Mes parents étaient dans le même cas, et cela fait trente-six ans qu'ils sont ensemble.

— Un jour, Joe rencontrera une femme qui lui apportera tout ce dont il a besoin. Qui voudra vivre avec lui et fonder une famille. Mais, cette femme, ce n'est pas moi. Nous nous sommes rencontrés trop tôt.

Lindy voulut insister, mais Renee ouvrit le bar-restaurant et les premiers clients entrèrent. Reily était flattée que Lindy souhaite qu'elle reste à Paradise, cela prouvait la sincérité de son amitié. Mais les circonstances en avaient décidé autrement, et de toute façon elle ne savait pas si Joe et elle auraient pu s'entendre pour la vie.

Le temps de son séjour à Paradise, ils cueilleraient le jour présent sans se soucier du lendemain, en espérant que cela leur suffirait…

- 12 -

Joe n'avait plus vu sa mère ni entendu parler d'elle depuis leur affrontement, le lundi soir précédent. Des clients lui avaient appris que « l'étrange femme qui logeait au Sunrise Motel », puisque c'était ainsi que les gens d'ici l'avaient baptisée, faisait de temps en temps des apparitions en ville, mais restait la plupart du temps au motel. Ces nouvelles ne le perturbaient pas. Tant qu'elle resterait en dehors de son chemin, tout irait bien. Elle se rendrait vite compte qu'il ne méritait pas qu'elle se donne tant de peine pour lui — tout comme ç'avait été le cas trente ans plus tôt — et qu'elle finirait par s'en aller.

Cependant, le mercredi de la semaine suivante, elle lui démontra qu'elle était plus déterminée à le voir qu'il ne le pensait. Alors que l'effervescence liée au dîner commençait juste à redescendre, Jill lui désigna un box, près de la fenêtre.

— Est-ce que tu connais cette femme ? demanda-t-elle.

Joe se retourna et jura dans sa barbe en reconnaissant sa mère.

— C'est personne, dit-il.

— Elle m'a posé des quantités de questions sur toi, ça m'a un peu donné la chair de poule.

— Et qu'est-ce que tu lui as dit ? s'enquit-il d'un ton plus brusque qu'il n'aurait voulu.

Jill parut surprise par sa réaction.

— Rien, je te le jure.

— Vous parlez de la femme assise près de la fenêtre ? renchérit Renee qui préparait une commande.

— Mouais, répondit Jill. Elle m'a cuisiné sur Joe.

— Moi aussi ! s'exclama Renee, surprise. Je pense que c'est la femme qui est descendue au Sunrise.

La situation allait sous peu lui échapper, pensa-t-il. Il devait agir.

— Je m'en occupe ! déclara-t-il d'un air contrarié.

Qu'elle se promène en ville était une chose, mais qu'elle vienne harceler ses employés dans son propre établissement en était une autre. Il était déjà l'objet de commérages en raison de sa relation avec Reily. Si les gens apprenaient que sa mère disparue depuis si longtemps était revenue en ville, il n'avait pas fini d'en entendre parler !

Arrivant au niveau de sa table, il s'assit en face d'elle.

Elle leva les yeux vers lui et lui sourit.

— Bonjour, Joe.

— Qu'est-ce que tu fiches ici ?

Elle regarda sa salade qu'elle avait à peine touchée puis tourna de nouveau la tête vers lui.

— Comme tu le vois, je dîne.

Elle paraissait fatiguée et elle était un peu pâle, comme si elle était toujours convalescente.

— Tu n'es pas la bienvenue ici, lui dit-il.

Imperturbable, elle regarda autour d'elle.

— C'est bien un endroit public, non ?

— Tu harcèles mes employées.

— Non, je leur ai juste posé quelques questions, répondit-elle d'un ton serein qui l'exaspéra.

— Je veux que tu t'en ailles, dit-il, mâchoires serrées.

— C'est ce que je vais faire dès que j'aurais terminé mon dîner. Qui est délicieux, soit dit en passant. Je crois que je reviendrai déjeuner ici, demain. Et puis pour dîner. Et après-demain aussi… Enfin, tu suis le scénario.

Elle n'avait que la peau sur les os. Il savait qu'elle était toute mince, d'après les photos que son père lui avait montrées, mais il l'avait imaginée plus grande. Pourtant, il avait le sentiment qu'elle n'était pas aussi fragile qu'elle en avait l'air.

— Ce n'est pas possible, dit-il alors. Je ne sais pas ce que tu es venue me dire, mais je ne veux pas l'entendre. Je ne *veux* pas discuter avec toi.

Elle haussa les épaules.

— Nous verrons bien.

Serrant les poings, il s'éloigna et se dirigea vers Lindy qui avait observé la scène de loin.

— Tout va bien ? lui demanda-t-elle. Tu as l'air bouleversé.

Sa tension devait avoir atteint un pic !

— Non, ça va, mentit-il.

— Qui est cette femme, Joe ?

— Personne.

— De toute évidence, ce n'est pas personne.

Regardant autour de lui pour s'assurer que nul ne pouvait l'entendre, il répondit alors à voix basse :

— C'est ma mère.

Lindy laissa échapper un petit cri.

— Sérieux ?

— Mais je ne veux pas que ça se sache ! Et il ne faut surtout pas que cela vienne aux oreilles de Lily Ann. Ce serait trop perturbant pour elle.

— Que veut-elle ?

— Parler. Du moins c'est ce qu'elle prétend. Elle est venue à la maison, la semaine dernière. Elle affirme qu'elle ne s'en ira pas tant que je n'aurais pas écouté ce qu'elle a à me dire. Elle a interrogé Jill et Renee à mon sujet.

— Est-ce que Reily est au courant ?

Il hocha la tête.

— Elle était avec moi et Lily Ann quand ma mère a surgi de nulle part. Elle croit que Reily est ma femme.

Lindy regarda du côté du box où était assise la mère de Joe.

— Elle n'a pas l'air en très grande forme.

— Elle a été malade, mais elle dit qu'elle va mieux maintenant.

— Qu'est-ce que tu comptes faire ?

— L'ignorer jusqu'à ce qu'elle parte.

— Et si elle ne s'en va pas ? Cela fait déjà plus d'une semaine qu'elle est au Sunrise, et les gens jasent. Quelqu'un va finir par deviner qui elle est. Tu ferais mieux de discuter avec elle.

— Non, dit-il en fronçant un peu plus les sourcils. Je ne lui donnerai pas cette satisfaction. Pendant trente ans, elle n'a pas daigné me consacrer *une* seule journée. C'est trop tard, maintenant.

Au regard de Lindy, il comprit qu'elle le jugeait

déraisonnable, mais elle n'était pas en mesure de comprendre ce qu'il ressentait. Elle venait d'une famille aimante et stable. Elle ne connaissait rien à la notion d'abandon, à la souffrance profonde et cuisante qu'il engendrait.

— Tu crois que tu pourras gérer la fin de soirée sans moi ? demanda-t-il soudain.

Elle cligna des yeux, de toute évidence surprise. Il ne partait jamais avant la fermeture, sauf dans les rares cas où Lily Ann était malade. Mais, ce soir, il avait l'impression d'étouffer et éprouvait le besoin de prendre l'air, de réfléchir.

Il avait aussi besoin de voir Reily.

— Oui, bien sûr, dit-elle.

— Appelle-moi s'il y a quoi que ce soit.

Sur ces mots, il se dirigea vers son bureau pour prendre ses clés, et manqua bousculer Jill en en ressortant.

— Tu pars ? fit-elle, aussi étonnée que Lindy.

— Oui. C'est Lindy qui me remplace.

— Et euh… Comment je fais pour ma pause ?

En d'autres termes, elle lui demandait comment elle pouvait fumer s'il retenait ses cigarettes en otage. Sans mot dire, il rouvrit son bureau, prit les cigarettes dans un tiroir et les lui tendit.

— Tu me donnes… tout le paquet ? fit-elle.

— Tu es une adulte, Jill, tu sais le nombre de pauses auxquelles tu as droit et j'en ai assez de te faire des concessions. Il n'y a aucune raison pour que tu ne suives pas le règlement, comme les autres. Tu dois arriver à l'heure, être courtoise avec les clients et arrêter de mélanger tes commandes. Soit tu te ressaisis, soit je te renvoie.

Elle en resta bouche bée.

— C'est à cause de Reily, hein ? fit-elle d'un ton indigné. C'est elle qui t'a dit de me virer ?

— Mais qu'est-ce que tu racontes ? répliqua-t-il, furieux. C'est *toi* qui as un problème avec Reily. Qu'est-ce qu'elle t'a fait ?

Toute pâle, Jill se mordit la lèvre. Tous deux savaient que Reily n'avait rien fait, qu'elle avait toujours été affable avec Jill.

— J'ignore quel est ton problème, reprit Joe, mais il va falloir que tu le règles au plus vite.

Puis il s'éloigna avant de proférer des propos qu'il aurait regrettés par la suite.

Il rentra chez lui, les doigts crispés sur le volant. Le vélo de Reily était appuyé contre le mur, près de l'escalier, mais, quand il frappa à sa porte, personne ne répondit. Déçu et soucieux de savoir où elle pouvait être, il entra chez lui. Il espérait trouver tante Sue devant *La Roue de la fortune*, mais la télévision était éteinte et la pièce vide.

Où est-ce qu'elles étaient toutes ?

Il s'avança vers l'escalier.

D'en bas, il perçut soudain des éclaboussements d'eau et le rire de Lily Ann. Il monta les marches et fut surpris de voir Reily, à la place de tante Sue, dans la salle de bains. C'était elle qui donnait le bain à sa fille. La baignoire était remplie à ras bord et pleine de mousse. Lily s'en était fait une barbe de Père Noël, elle avait les cheveux humides et les joues toutes roses. Reily était assise sur un drap de bain, et son débardeur était un peu mouillé. Toutes deux riaient.

— Papa ! s'écria Lily Ann en l'apercevant. Regarde, j'ai une barbe.

Reily se retourna et lui adressa un beau sourire.

— Salut. Tu rentres de bonne heure.

Toutes deux semblaient heureuses de le voir, et il sentit le stress de la soirée s'évaporer d'un coup, comme par magie.

— J'ai décidé de prendre ma soirée, dit-il. Où est tante Sue ?

— Elle avait la migraine quand je suis venue faire ma lessive, cet après-midi, alors je lui ai proposé de m'occuper de Lily Ann. J'espère que tu ne m'en veux pas.

— Non, pas du tout.

— Reily m'a emmenée au parc, on a mangé au restaurant, puis elle m'a acheté une glace ! déclara la petite fille avec enthousiasme. Oh dis, papa, est-ce qu'on pourra aller au lac, dimanche ? Toi, moi et Reily ? Je veux lui montrer comment je nage.

— Nous verrons, dit Joe avant de demander à Reily : Je peux te parler une minute ?

— Bien sûr, dit-elle en se relevant. Tu peux rester toute seule, Lily Ann ?

L'enfant roula les yeux au ciel d'un air théâtral.

— Mais oui, je ne suis plus un bébé !

— Appelle-moi si tu as besoin de moi, lui dit-elle.

Puis elle rejoignit Joe qui était déjà sorti de la salle de bains et avait regagné sa chambre. Elle le regarda, à la fois inquiète et étonnée.

— Tout va bien ? demanda-t-elle.

Elle avait deviné qu'il était contrarié. Au lieu de répondre, il l'attira à lui et enfouit son visage dans son épaule.

— Oui, ça va mieux maintenant, dit-il.

Elle se mit à lui frotter le dos.

— Qu'est-ce qui s'est passé ?

— Rien…

Elle s'écarta de lui.

— Raconte-moi, Joe.

Il soupira.

— C'est ma mère. Elle est venue dîner, ce soir. Elle a questionné le personnel à mon sujet.

Elle ne parut pas surprise.

— Je l'ai vue passer en voiture quand nous étions au parc. Je pense qu'elle en a assez d'attendre que tu te décides à venir la voir.

— Je croyais vraiment qu'elle allait renoncer.

— Je sais que ce n'est pas ce que tu as envie d'entendre, mais, à mon avis, tu devrais écouter ce qu'elle a à te dire. Ensuite, elle repartira et tu ne la verras plus jamais, puisque c'est ce que tu veux.

— Elle ne représente rien pour moi, et tout ce qu'elle pourrait me dire n'y changerait rien. Ce serait une perte de temps que de lui parler.

— Promets-moi d'au moins y réfléchir. Je sais que tu es en colère, blessé, mais, en dépit de ce qu'elle t'a fait, c'est toujours ta mère. Si tu laisses passer cette occasion de lui parler, il se pourrait que tu le regrettes toute ta vie.

Il n'avait nullement l'intention de changer d'avis, pourtant il répondit :

— Je vais y réfléchir.

En réalité, ce qu'il voulait à présent, c'était se consacrer à elle, et elle seule. Il la serra contre lui, l'embrassant dans le cou. Elle poussa un petit cri de plaisir. Jusque-là, ils s'étaient juste embrassés et caressés, ils n'étaient pas allés plus loin. Elle ne voulait pas précipiter le cours des événements entre eux et il respectait son souhait. Mais cela devenait de plus en plus difficile.

— Et si Lily Ann nous surprenait ? dit-elle la voix lourde de désir.

— Elle ne sortira pas de son bain. Elle est comme un poisson dans l'eau. Elle resterait toute la nuit dedans si je la laissais faire.

Sur ces mots, il la plaqua contre le mur et chercha sa bouche… Quand leurs langues se mêlèrent, son cœur cessa un instant de battre, sous le coup de l'émotion… Il glissa alors sa main sous son T-shirt et, au contact de sa paume, sur sa peau chaude et douce, elle gémit doucement. S'enhardissant, il remonta sa main vers son soutien-gorge, mais il sentit alors ses doigts se refermer sur son poignet.

— Non, dit-elle, pas tant que Lily Ann n'est pas au lit.

Devant sa mine contrite, elle ajouta :

— Cela ne veut pas dire que nous ne pourrons pas prendre du bon temps après. Reste ici, remets-toi de tes émotions, et moi je vais sortir Lily Ann du bain.

Elle se glissa hors de la chambre, et il s'adossa contre le mur. Un sourire lui vint malgré lui aux lèvres. De nouveau, il se sentait homme. Depuis le départ de Beth, il avait rarement pensé au sexe, et il s'était même récemment demandé s'il serait encore capable d'éprouver quoi que ce soit envers une femme. Et puis Reily était entrée dans sa vie…

Il se dirigea vers sa salle de bains et s'éclaboussa le visage d'eau froide. Puis il changea de vêtements, passant un T-shirt sans manches et un short.

Quand il eut fini, Reily avait mis Lily Ann en pyjama, et elles étaient en train d'installer le jeu des petits chevaux.

— Quelle couleur tu veux, papa ? demanda Lily Ann.

Il regarda Reily et leva un sourcil interrogateur.

— Je lui ai promis, fit cette dernière.

— Quelle couleur, papa ? répéta Lily Ann d'un ton impatient.

— Rose.

— Il n'y a pas de rose.

— Bon, alors violet.

Exaspérée, la fillette lui tendit les pièces.

— Il y a du rouge, du jaune, du bleu et du vert !

Il s'assit alors en tailleur, juste en face de Reily.

— Je n'arrive pas à me décider, choisis pour moi, dit-il à sa fille.

Elle planta les chevaux bleus devant lui, donna les jaunes à Reily et prit sa couleur habituelle, les verts.

— C'est moi qui commence, annonça-t-elle.

Et elle lança le dé. Elle fit un premier six, puis un deuxième.

— Il y a de la triche dans l'air, murmura Joe à Reily qui se contenta d'un petit sourire.

— Papa, c'est ton tour !

La fillette les battit tous deux à plate couture, faisant étonnamment de nombreux six qu'ils ne contestèrent pas, puis il fut temps pour elle d'aller au lit.

— Est-ce que Reily peut me chanter une chanson ? demanda Lily Ann à son père :

— Juste une alors, répondit-il.

Il écouta la berceuse du palier. Il y était question d'une lune argentée et d'un opossum, et la voix de Reily était toujours aussi envoûtante. Mais, tout à coup, son portable sonna. Il vérifia le numéro. C'était celui du bar !

— C'est Lindy, dit celle-ci quand il prit l'appel.

— Il y a un problème ?

— Peut-être.

Il descendit l'escalier, espérant qu'il n'aurait pas à revenir au travail.

— Qu'est-ce qui se passe ? demanda-t-il.

— Mark a appelé pour dire que son poignet guérissait plus vite que prévu et qu'il pourrait reprendre le travail la semaine prochaine.

Joe fit la grimace. Il ne pouvait pas ne pas redonner son poste à Mark et, en même temps, il avait promis six semaines à Reily…

— C'est problématique, effectivement.

— C'est pour cela que j'ai préféré te prévenir tout de suite. Je suis certaine que tu vas trouver une solution.

Elle fit une pause et ajouta :

— J'ai une idée ! Tu pourrais virer Jill et donner sa place à Reily. Annie et Renee t'en seraient reconnaissantes.

— Si tu savais comme c'est tentant !

Si Jill ne se tenait pas à carreau, il était de fait

possible qu'il la renvoie. Mais, après l'ultimatum qu'il lui avait donné avant de partir, il était coincé. A supposer bien sûr que Jill se ressaisisse.

Une fois la conversation terminée, il alla s'asseoir sur le canapé, en attendant que Reily le rejoigne, et il réfléchit à la situation. Il aurait pu donner directement à cette dernière l'argent dont elle avait besoin pour regagner Nashville, cela n'aurait pas creusé un gros trou dans son budget. Mais alors elle serait partie tout de suite. Et il aurait tant aimé la retenir…

Et puis il ne voyait pas Reily accepter un centime qu'elle n'avait pas gagné. Il soupira. Il avait jusqu'à la semaine prochaine pour trouver une solution.

Entendant les marches craquer, il se retourna. Reily était en train de descendre l'escalier.

— Tu lui as chanté plus d'une chanson, dit-il.

— Elle s'est endormie à la troisième, répondit-elle en s'asseyant près de lui. J'ai passé une journée géniale, avec elle. Je ne me souvenais pas que c'était aussi amusant de faire du baby-sitting. Il faut dire que les enfants que je gardais étaient de vrais monstres.

— Lily Ann peut avoir elle aussi ses moments difficiles.

— C'est une petite fille si adorable. Elle est intelligente, amusante, impertinente. Et si douce, aussi. Bon, je te l'accorde, elle est parfois un peu têtue, mais c'est très bien. Tu n'as pas à t'en faire pour elle, elle saura se défendre, plus tard. Tu peux être fier de toi, tu l'élèves très bien.

— J'ai beaucoup réfléchi à ce que tu m'as dit à propos de ce que Lily Ann pense du départ de Beth, et j'ai décidé de lui parler de sa mère, de lui expliquer que ce n'était pas sa faute si elle était partie. J'aurais dû le faire depuis longtemps.

— Qu'est-ce que tu vas lui dire, au juste ?

— Je ne sais pas encore. Je vais tenter de rester aussi proche que possible de la vérité, d'une vérité qu'elle peut entendre et comprendre. J'espère qu'elle ne m'en voudra pas.

— Il ne faut pas que cela t'effraie, tu es toute sa vie, elle t'adore.

— J'espère que tu as raison.

— Fais-moi confiance, dit-elle en laissant tomber sa tête sur sa large épaule.

— Donc, tu m'as dit qu'elle dormait ?

— A poings fermés. On a bien fait de jouer aux petits chevaux, l'excitation d'avoir gagné l'a épuisée.

— Tu aimes les jeux ?

— Beaucoup.

— Tu veux jouer à un jeu d'adulte avec moi ? fit-il d'un ton suggestif.

— L'idée me plaît, répondit-elle de la même façon.

— Et, à ce jeu, tout le monde gagne.

- 13 -

Joe avait été extrêmement patient avec elle, elle en avait conscience. De son côté, elle le désirait si fort qu'elle se laissa conduire dans sa chambre sans résister. D'autant qu'il la prit par son point faible, lui mordillant le lobe de l'oreille pendant qu'il lui proposait de monter à l'étage…

— Je ferme la porte à clé, lui dit-il. Comme ça, si Lily Ann se réveille cette nuit, elle ne pourra pas nous surprendre.

Ils s'allongèrent sur le lit, s'étreignirent, s'embrassèrent, et même si elle était très excitée, elle ne parvenait pas à se détendre complètement. Ce n'était pas une aventure comme les autres ! Joe était un homme qui avait souffert, avait-il bien compris qu'elle allait repartir ? Et elle, en aurait-elle la force, après ?

Quand il lui enleva son T-shirt et dégrafa son soutien-gorge, elle se dit qu'ils pouvaient encore en rester là et que leur frustration ne serait de toute façon pas aussi grande que la souffrance qui viendrait inéluctablement…

Mais ses baisers étaient si fiévreux ! De ses mains il explorait et caressait son corps avec tant de passion, de désir, que son cerveau ne parvenait plus à raisonner.

Soudain, elle sentit sa main se couler entre ses cuisses… Elle en éprouva un plaisir si fulgurant qu'elle comprit qu'ils iraient jusqu'au bout, quelles que puissent être les conséquences. Poussant un petit gémissement, elle se cambra contre lui. Bientôt, il fit glisser son jean sur ses cuisses et de ses doigts il caressa alors les plis froissés et humides de sa chair…

D'une voix rauque, il lui murmura qu'elle était bel et bien prête pour lui. Elle était tellement excitée qu'elle en avait du mal à respirer… Il portait un short très facile à enlever, et elle s'en réjouit car elle était si fébrile qu'elle aurait eu des difficultés avec un jean à fermeture Eclair. Il n'avait rien en dessous.

Sa main se referma sur son membre en érection, et elle l'entendit pousser un grognement. Sachant qu'elle était la première pour lui depuis longtemps, qu'il la désirait et lui faisait confiance, elle aurait aimé que la situation soit différente. Etre en mesure de rester, être la femme qu'il méritait… Jusqu'à son départ, elle s'efforcerait d'être à la hauteur.

Et puis, soudain, ses caresses se renforcèrent et elle en oublia de penser, se consacrant au plaisir qu'il lui donnait, anticipant l'extase qu'il lui préparait… Et qui, une fois qu'il fut en elle, ne tarda pas à venir. En quelques secondes, elle s'envola pour le paradis…

***

Quand Reily se réveilla, elle sentit le ventre chaud de Joe contre ses reins et sa main sur l'un de ses seins.

Elle ne se rappelait pas s'être endormie, mais c'était visiblement le cas. Qu'il était agréable d'être blottie dans ses bras, de sentir son souffle dans son cou, et pourtant elle devait partir. Il n'était pas question qu'elle passe toute la nuit dans son lit.

Ouvrant les yeux, elle se demanda, confuse, pourquoi la chambre était si lumineuse. Avaient-ils laissé la lumière allumée ? Elle se dégagea doucement de l'étreinte de Joe pour ne pas le réveiller, et regarda l'heure.

Elle eut un coup au cœur.

Il était 8 h 15 !

Ce n'était pas possible…

Elle se frotta les yeux, et regarda de nouveau le radio-réveil qui passa à cet instant à 8 h 16.

Ils avaient dormi toute la nuit ?

Elle n'en revenait pas. Comment avait-elle pu s'endormir ? Etre aussi imprudente ? Il n'y avait plus qu'à espérer que Lily Ann ferait la grasse matinée ce matin. Car si la fillette était réveillée, comment allait-elle lui expliquer le fait qu'elle avait passé la nuit dans le lit de son papa ?

Elle chercha des yeux ses vêtements. Ils gisaient par terre, à l'exception de son soutien-gorge qui semblait s'être volatilisé. Tant pis ! Elle devait fuir au plus vite.

Elle se rhabilla rapidement, puis se regarda dans la glace. Elle était tout ébouriffée, et son eye-liner avait coulé. Mais quelle importance puisqu'elle n'allait croiser personne ? Elle colla son oreille contre la porte… N'entendant aucun bruit, elle tourna doucement la poignée, et grimaça quand celle-ci grinça. Le palier était vide. Elle respira bien mieux lorsqu'elle vit que la porte de la chambre de Lily Ann était fermée.

Elle pouvait s'échapper sans éveiller l'attention de personne.

Pieds nus, elle descendit l'escalier, en maudissant les marches qui craquaient. Elle poussa un soupir de soulagement lorsqu'elle atteignit la dernière et fonça vers la cuisine… où elle s'immobilisa, pétrifiée. Sue était devant l'évier, en train de remplir le pot à café !

— Bonjour, dit alors cette dernière en fermant le robinet.

Puis elle tourna la tête vers la porte et cligna les yeux de surprise. C'était évidemment Lily Ann ou Joe qu'elle attendait !

Fort gênée, Reily croisa les bras, se rappelant qu'elle ne portait pas de soutien-gorge, ce qui était de toute façon le moindre de ses problèmes actuels.

— Ce n'est pas ce que vous croyez, commença-t-elle.

Passant devant elle, Sue lui sourit.

— Bonjour, Lily Ann.

Reily se retourna vivement. La petite fille se tenait derrière elle, encore en pyjama, se frottant les yeux. Elle leva les yeux vers elle.

— Bonjour, Reily.

Elle pouvait dire adieu à toute discrétion…

— C'est toi qui me gardes aujourd'hui encore ? demanda la fillette.

— J'aimerais, ma chérie, mais je dois travailler.

— Alors pourquoi tu es ici ?

— Euh…, commença-t-elle.

Quelle fable raconter à une petite fille de cinq ans qui ne s'en laissait pas conter ?

— Reily est venue prendre le petit déjeuner avec nous, intervint alors Sue. C'est gentil, non ?

— Super, dit Lily Ann avec un sourire endormi.

Elle ne parut pas remarquer qu'elle portait les mêmes vêtements que la veille, et qu'elle avait le visage de quelqu'un qui venait juste de sortir du lit.

— Tu peux faire des gaufres à la myrtille ? demanda alors l'enfant à Sue.

— D'accord, ma chérie. Va regarder un dessin animé à la télévision pendant que je les prépare.

— Je peux avoir du jus de fruits ?

Sue lui en servit un verre, et le lui tendit. Puis la fillette se rendit dans le salon. Quelques secondes plus tard, Reily entendit le son de la télévision.

— Merci, Sue, dit-elle alors. Je ne savais pas du tout quoi lui dire.

— Bon, maintenant, vous devez rester déjeuner avec nous. Asseyez-vous.

— Je sais ce que vous pensez, dit Reily en prenant place.

Sue versa l'eau dans la cafetière.

— Je pense que ce que Joe fait dans l'intimité de sa chambre ne me regarde absolument pas.

— Je ne veux pas que vous me preniez pour… enfin vous voyez, une femme facile.

Sue plaça le filtre dans la cafetière.

— Vous n'avez pas de souci à vous faire de ce côté-ci, ce n'est pas du tout ce que je pense.

— Bonjour !

Reily sursauta. C'était Joe qui faisait à présent son entrée dans la cuisine. Il portait le short de la veille, une barbe naissante couvrait ses joues et ses cheveux étaient aplatis du côté gauche. Il avait l'air tout simplement adorable.

— Bonjour, répondit Sue en refermant le compartiment congélateur du réfrigérateur. On est en rupture de gaufres ! Je vais aller en chercher dans le congélateur du sous-sol.

Et, sur ces mots, elle disparut.

— Tu es matinale, observa-t-il, une fois qu'ils furent seuls.

Il voulut alors se servir une tasse de café, mais il fronça les sourcils en remarquant qu'il coulait encore.

— Pas du tout ! dit-elle dans un murmure. Je ne suis pas partie, hier soir. *On s'est endormis !*

— Ah ! Voilà pourquoi tu es un peu ébouriffée… Et que tu ne portes pas de soutien-gorge, ajouta-t-il en baissant les yeux vers sa poitrine.

Elle croisa les bras.

— Je ne l'ai pas trouvé !

— Je dormais dessus.

— Ah bon ! Heureusement que je me suis réveillée avant Lily Ann, elle n'aurait pas compris pourquoi je sortais de ta chambre.

— Elle aurait pensé que c'était une soirée pyjama, dit-il en riant.

— Je ne trouve pas ça drôle. Dorénavant, je ne viendrai plus dans ta chambre.

— Reily…

— Non, Joe, je le pense vraiment.

— Tu ne t'es pas bien amusée, cette nuit ?

Là n'était pas la question, la nuit avait été fantastique. Il ne faisait aucun doute que Joe savait combler une femme. Elle n'aurait jamais cru qu'un homme aussi réservé et sur ses gardes émotionnellement se révélerait aussi passionné. Mais elle ne pouvait plus faire l'amour dans sa chambre, sachant sa fille à deux pas…

— Si tu ne réponds pas, cela veut dire non ? reprit Joe.

— Non ? fit-elle.

— Je voulais savoir si cela t'avait plu hier soir…

— A ton avis ? C'est juste que…

— La présence de Lily Ann à deux pas te gêne ? Très bien, nous nous installerons sur le canapé, la prochaine fois. Ou bien j'organiserai une soirée pyjama chez une amie pour Lily Ann.

Alors ils auraient toute la soirée à eux ? La perspective lui donna un frisson. Ce fut alors que Sue revint du sous-sol et ils l'aidèrent à préparer le petit déjeuner. Puis ils appelèrent Lily Ann. Ils déjeunèrent tous ensemble autour de la table et elle eut presque l'impression de faire partie de la famille. Pendant quelques instants, elle s'imagina une vie de famille avec eux… Elle se réveillerait tous les matins dans les bras de Joe, elle préparerait le petit déjeuner puis emmènerait Lily Ann à l'école maternelle, qui commençait dans un mois pour elle. Elle voyait même un autre bébé, un petit garçon qui aurait les cheveux noirs de Joe…

Après le petit déjeuner, elle monta chez elle se

préparer, puis Joe mit son vélo dans son pick-up et ils partirent travailler.

La journée ne fut pas très chargée, et elle n'eut pas beaucoup de pourboires. Quand elle termina son service, à 16 heures, elle rentra à la maison en se disant qu'elle pourrait relayer Sue et emmener Lily Ann au parc. Mais, en remontant l'allée, elle aperçut une femme immobile, assise au volant de la voiture garée à l'angle de la rue…

- 14 -

On pouvait dire que la mère de Joe était persévérante !

Faisant comme si elle ne l'avait pas vue, Reily alla garer son vélo près du garage, puis monta à son appartement où, après s'être débarrassée de son sac à dos, elle enfila un short.

Quand elle entendit frapper à sa porte, elle sut tout de suite qui c'était. Elle alla ouvrir.

La mère de Joe portait un caftan au motif africain qui la rendait plus frêle encore, ainsi que des bijoux de bois.

— Est-ce que nous pouvons parler ? demanda-t-elle.

Elle était décidément très obstinée.

Et parce que Reily eut pitié d'elle ou parce qu'elle craquait pour un rien, elle la fit entrer chez elle.

— Nous n'avons pas été formellement présentées, continua-t-elle. Je suis Veronica.

— Moi, c'est Reily, dit-elle en serrant la main qu'elle lui tendait.

Elle eut alors l'impression qu'un rien aurait pu lui briser les os.

— La dernière fois que je suis venue ici, on utilisait cette pièce comme entrepôt, dit-elle en regardant autour d'elle.

Puis elle braqua de nouveau les yeux vers Reily.

— Puisque vous habitez ici, je suppose que vous n'êtes pas la femme de Joe.

— C'est exact.

Elle lui paraissait si fragile qu'elle lui désigna une chaise.

— Vous voulez vous asseoir ? lui dit-elle.

— Oui, merci.

Et elle se laissa tomber dessus comme si ses jambes ne pouvaient plus la porter.

— Comment vous sentez-vous ? s'enquit Reily. Je ne veux pas vous vexer, mais vous n'avez pas l'air bien. Est-ce que vous voulez que j'appelle un médecin ?

— Non, je parais bien plus malade que je ne le suis. Je reprends peu à peu des forces, mais l'escalier m'a épuisée.

— Joe m'a dit que vous aviez été très malade.

— J'ai eu en effet un cancer du sein, mais comme il a été diagnostiqué très tôt, le pronostic est bon… Quand on subit une telle épreuve, on se questionne sur sa propre mortalité et l'existence en général. On repense aux erreurs qu'on a commises et aux fautes qu'il faut réparer.

Reily prit place en face d'elle.

— Comme Joe, dit-elle.

— Exact. Je n'attends pas qu'il me pardonne. Ce que je leur ai fait, à lui et à son père, est impardonnable. Mais j'ai cependant la conviction profonde qu'il doit connaître la vérité. Le problème, c'est qu'il refuse de me parler.

— Vous vous attendiez à un accueil chaleureux ?

— Non, mais je pensais qu'au bout de quelques jours, il finirait par accepter de me parler, ne serait-ce que pour se débarrasser de moi. Mais il est vraiment têtu.

Reily croisa les bras.

— Et je ne vois pas de qui il tient ce trait de caractère…

Un petit sourire éclaira le visage de Veronica.

— Vous savez, j'avais tout juste seize ans quand j'ai rencontré le père de Joey. Mon père était un pasteur baptiste très strict et j'étais en rébellion contre lui. Sortir avec un homme plus âgé me semblait une excellente façon de le contrarier.

— Quel âge avait le père de Joe ?

— Vingt-neuf ans.

Reily ouvrit de grands yeux.

— Il ne savait pas que j'étais si jeune. Je lui ai menti, je lui ai dit que j'en avais vingt. Quand il a appris la vérité, j'étais déjà enceinte. Il en a été bouleversé. Bien sûr, il a fait ce qu'il devait faire et il m'a demandée en mariage. Mais je lui ai dit non. Je n'étais pas prête à être une épouse, ni une mère d'ailleurs. Je n'avais même pas le bac.

— Alors vous n'étiez pas mariée au père de Joe ?

— Si, mes parents m'ont obligée à l'épouser. Ils ont menacé de poursuivre Joe pour viol si je ne me mariais pas avec lui. Comme je n'étais pas majeure, il ne faisait aucun doute qu'il serait allé en prison. Je ne l'aimais pas et je ne voulais pas l'épouser, mais c'était un homme bon et je ne voulais pas gâcher sa vie, alors j'ai accepté. J'ai arrêté l'école et je me suis retrouvée mariée.

— Et vous avez eu Joe.

— Oui, à dix-sept ans. Dès le début, ce fut une catastrophe. Joe senior voulait une épouse qui serait heureuse de cuisiner pour lui, de faire le ménage et d'avoir des enfants. Mais ce rôle-là n'était pas pour moi. J'étais une piètre cuisinière et ménagère, et encore une plus mauvaise mère. Nous nous disputions constamment. Je savais qu'ils seraient plus heureux sans moi, alors je suis partie. Je me disais qu'il finirait par rencontrer une gentille femme qui les aimerait tous les deux, ce que moi je ne pouvais pas faire…

Elle fit une pause et reprit :

— Je pensais que Joe se remarierait, qu'il aurait d'autres enfants et que le père et le fils m'oublieraient.

Ces paroles troublèrent Reily car, ce matin-là, elle avait pensé la même chose au sujet d'elle et de Joe. Qu'il serait facile pour lui de la remplacer… Et si cela ne se produisait pas ? Si, comme son père, Joe ne retrouvait personne ?

— Les deux premières années, j'envoyais des cartes pour les anniversaires et à Noël, mais elles me revenaient toujours non décachetées. Alors j'en ai déduit qu'il avait refait sa vie et qu'il ne voulait plus entendre parler de moi. Je suppose que c'est pour cette raison que je n'ai pas tenté de reprendre contact avec eux. Je ne m'en sentais pas le droit, puisque je les avais abandonnés.

Veronica avait l'air triste, bourrelée de regrets, et Reily ne put s'empêcher d'éprouver de la compassion pour elle. Mais, dans la vie, chacun faisait des choix qu'il devait ensuite assumer.

— Comment se fait-il que personne ne vous ait reconnue en ville ?

— Parce que j'ai vieillie, je suppose, et que suite à un accident de la route, il y a quinze ans, j'ai subi une opération de chirurgie esthétique.

Elle fit une pause et ajouta :

— L'une des serveuses, au bar de Joe, m'a dit qu'il était divorcé, mais je n'ai vu aucune femme venir chercher l'enfant.

Il ne lui revenait pas de raconter la vie de Joe à Veronica mais, au fond, cela l'aiderait peut-être à comprendre la réaction de son fils à son égard.

— L'épouse de Joe est partie il y a deux ans. Sa fille et lui ne l'ont plus revue.

— Oh ! fit-elle. Je l'ignorais…

— Ce fut une rude épreuve pour eux.

— Vous pensez que je devrais le laisser tranquille ?

— Ce que je pense n'a aucune sorte d'importance, ce ne sont pas mes affaires.

— J'ai peut-être commis une erreur en venant ici… Il est sans doute trop tard. Il est probable qu'il n'en ait vraiment rien à faire de moi.

Elle paraissait tellement malheureuse, que Reily eut de la peine pour elle.

— Non, je pense qu'il est juste bouleversé, dit-elle alors.

— Ma présence le rend donc malheureux, c'est ça ?

— Tout ce que je veux dire, c'est que, s'il était complètement indifférent à votre présence, elle ne le perturberait pas.

Veronica se redressa légèrement et un bref sourire passa sur son visage.

— Mais, encore une fois, cela ne me regarde pas, ajouta Reily.

— Bien, dit Veronica en se levant, je crois que j'ai assez abusé de votre temps.

Tout à coup, elle lui sembla bien plus forte que quelques minutes auparavant, comme si elle avait retrouvé un sens à sa quête.

Reily se mit debout à son tour.

— J'ai été ravie de discuter avec vous, lui dit-elle.

Veronica lui sourit.

— Moi aussi.

— J'espère que les choses vont s'arranger.

— Merci, Reily, répondit-elle, en posant la main sur la poignée.

Une fois la mère de Joe partie, elle se demanda si elle avait eu raison de lui ouvrir sa porte et de discuter avec elle.

— Nous sommes vendredi, déclara Joe à Steve Richards, le bassiste des Thunder Sky, le groupe qui faisait un tabac chez Joe tous les samedis soir depuis huit mois. Je ne pourrai pas trouver un autre groupe d'ici demain pour vous remplacer !

— Désolé, mon vieux, répondit Steve. Le père de Jack a eu une crise cardiaque et il a dû rentrer en urgence à Pasadena ce matin. Il ne sait pas quand il reviendra.

Décidément, c'était la loi des séries. Son revendeur de boissons n'avait pas livré la dernière commande, de sorte qu'il lui manquerait certaines marques d'alcool pour le week-end et, après avoir payé une lourde facture pour le climatiseur, celui-ci était redevenu capricieux ! Et pour couronner le tout, sa « mère » était venue dîner la veille au soir, et voilà qu'à midi, elle était de nouveau là. Il jeta un coup d'œil dans sa direction. Elle n'avait pas l'air aussi pâle que la dernière fois, et elle avait commandé un steak, contrairement à sa sempiternelle salade. De toute façon, il se fichait bien de ce qu'elle mangeait. Elle ne harcelait plus ses employées, mais sa seule présence le rendait nerveux. En outre, plus elle s'attardait en ville, plus il y avait de chance pour que quelqu'un finisse par découvrir son identité. Comme si toutes les conjectures et les insinuations qui circulaient sur Reily et lui ne suffisaient pas ! Heureusement que Reily était là… C'était l'un des rares rayons de soleil dans sa vie, en ce moment.

Mais même cette lueur menaçait de s'éteindre puisque Mark allait rentrer plus tôt que prévu. Le mieux qu'il pourrait proposer à Reily, ce serait dix heures par semaine…

Et maintenant, il venait de perdre le chanteur de son groupe phare. Thunder Sky attirait une énorme clientèle, le samedi soir, et lui permettait de faire un excellent chiffre d'affaires.

— Et vous ne pouvez pas jouer sans Jack ?

— C'est notre chanteur ! Si vous connaissez quelqu'un qui peut le remplacer, on est preneurs, sinon on ne pourra pas jouer.

— Je peux le remplacer.

D'un même geste, Joe et Steve tournèrent la tête. Reily, qui lavait des verres derrière le comptoir, avait entendu leur conversation et venait de proposer ses services.

— Je connais une bonne partie des chansons que vous jouez et, celles que je ne connais pas, je peux les apprendre pour demain. Mais il faut bien sûr que Joe soit d'accord pour me remplacer au bar.

Steve se tourna vers Joe.

— Elle plaisante ?

— Non, elle a une voix géniale.

Il ne l'avait entendue que dans la chambre de sa fille. Comment serait-elle sur scène ? Il ne pouvait le dire. Mais il n'avait rien à perdre.

— Je ne sais pas si les autres musiciens accepteront, dit Steve.

Reily haussa les épaules.

— A vous de voir. Moi, je vous fais une proposition, c'est tout.

— Tu peux au moins l'écouter chanter, observa alors Joe.

— Le problème, c'est qu'il n'y a pas de musique. Qu'est-ce qui va l'accompagner ? Le juke-box ?

— Je peux chanter *a cappella*, suggéra Reily.

— Ici ? fit Steve.

— Monte sur l'estrade ! ordonna Joe.

Steve parut surpris, mais déclara :

— Entendu, si cela ne lui pose pas de problème.

Reily se tourna alors vers Lindy.

— Tu peux me remplacer ?

— Absolument, fit cette dernière.

— Joe, tu branches le micro ? enchaîna-t-elle.

Celui-ci éteignit le juke-box et alla préparer le son. La soudaine absence de musique lui valut de curieux regards de la part des clients qui déjeunaient. Imperturbable, Reily monta sur l'estrade et il lui tendit le micro. Si elle était nerveuse, elle ne le montrait pas. Lui, en revanche, se sentait tout bizarre. Pourtant, il savait qu'elle ne se serait pas rendue à Nashville pour devenir chanteuse professionnelle si elle n'avait pas été capable de chanter sur une scène.

Il descendit de l'estrade et revint au comptoir où Steve, bras croisés, attendait qu'elle commence son audition.

— Des demandes spéciales ? lança Reily d'une voix claire, le sourire aux lèvres.

— Tu connais Lady A ? demanda Lindy.

— C'est l'un de mes groupes préférés. *American Honey*, ça te va ?

— Génial !

Tous les yeux étaient rivés sur elle. Prenant sa respiration, Reily ferma les paupières et se lança. Joe cessa soudain de respirer.

C'était une chanson sur une fille de la campagne qui avait perdu ses illusions et qui aurait aimé les retrouver. Peut-être qu'il n'était pas très objectif, mais, de toute sa vie, il n'avait jamais entendu une aussi belle voix. Maintenant, il en était convaincu, elle allait devenir une grande chanteuse à Nashville. Elle quitterait Paradise et il ne pourrait et ne ferait rien pour la retenir parce que la dernière chose dont elle avait besoin, c'étaient un homme et une enfant qui se mettent en travers de son chemin. Et puis, après la façon dont il s'était comporté avec

Beth et les conséquences qui s'étaient ensuivies, il ne pouvait se permettre d'être de nouveau égoïste.

Quand elle eut fini, ce fut un tonnerre d'applaudissements, et de bis.

— Merci, dit-elle, avec un sourire adorable.

Puis elle salua son public, éteignit le micro et descendit de l'estrade. Joe regarda Steve en souriant. Celui-ci secouait la tête, visiblement impressionné.

— Alors, qu'est-ce que tu en penses ? lui demanda Reily en arrivant à sa hauteur.

— Où est-ce que tu as appris à chanter comme ça ?

— Donc j'ai réussi mon audition ?

— Evidemment ! Tu peux venir répéter chez moi demain après-midi ? A 2 heures ?

— Je suis censée travailler, dit-elle en coulant un regard vers Joe.

— Pas de problème, va répéter, nous nous débrouillerons, fit ce dernier.

— Alors c'est O.K., dit Reily à Steve.

Ce dernier griffonna son adresse sur un bout de papier qu'il lui tendit.

— Je peux te voir dans mon bureau, Reily ? fit Joe dès que Steve fut parti.

Et, la porte à peine refermée derrière eux, il la plaqua contre le mur et l'embrassa avec fièvre.

— Qu'est-ce qui me vaut ce merveilleux baiser ? demanda-t-elle en souriant, quand il détacha sa bouche de la sienne.

— Tu es une femme formidable, Reily Eckardt. Je ne savais pas que tu chantais si bien.

— Tu m'as pourtant entendue chanter des berceuses à Lily Ann !

— Oui, mais ce n'était pas pareil…

Il secoua la tête. Comment les gens de sa ville natale avaient-ils pu douter de son talent ?

— Tu vas réussir, Reily. Tu vas devenir une star !

Elle lui sourit.

— Je sais, dit-elle, tout à fait confiante.

Subitement, il se rendit compte que, jusqu'à maintenant, il avait voulu croire qu'elle ne partirait pas. Qu'elle changerait d'avis et resterait avec lui. Ou que, si elle partait, Lily Ann et lui lui manqueraient tellement, qu'elle reviendrait bien vite. C'était aussi ce qu'il s'était imaginé pour Beth. *Mais ça ne se passerait pas ainsi*. Même s'il désirait Reily et avait besoin d'elle plus qu'aucune autre avant elle.

Tout ce qu'il pouvait faire maintenant, c'était profiter pleinement du temps qui leur restait à passer ensemble. Et, quand l'heure viendrait, il la laisserait partir.

- 15 -

Les débuts de Reily en tant que chanteuse remplaçante du groupe Thunder Sky furent un véritable succès. Tous les gens à qui Joe parlait ne tarissaient pas d'éloges sur son talent et le dimanche la ville entière en parlait. L'intéressée, qui avait acquis le droit de savourer sa victoire, la prenait avec grâce et humilité.

Ce concert fut l'occasion d'une autre rentrée d'argent pour Reily, même si, après avoir partagé le cachet avec les autres membres du groupe, il ne lui restait plus grand-chose. Joe avait eu beau se creuser la tête pour trouver une solution concernant le retour de Mark, il n'avait rien trouvé de satisfaisant pour elle. Cependant, il fallait bien qu'il lui annonce la nouvelle, ce qu'il fit au cours du dîner du dimanche soir.

— Ce n'est pas grave, Joe, lui assura-t-elle sur un ton compréhensif. Mark travaille pour toi depuis longtemps, il est normal qu'il retrouve sa place.

— Mais je t'avais promis six semaines.

— Tante Sue, est-ce que je peux reprendre du chili ? demanda Lily Ann en tendant son assiette.

— Bien sûr, ma chérie, dit Sue en s'en emparant. Quelqu'un en veut encore un peu ?

— Non, merci, dit Joe poliment.

En réalité, il avait un peu mal à l'estomac. Il était un homme de parole et il détestait l'idée de laisser tomber Reily.

Tous étaient épuisés par leur journée au lac, et dînaient rapidement dans la cuisine, et non dans la salle à manger, comme ils en avaient l'habitude le dimanche soir. Sue s'était contentée de faire réchauffer des restes de chili avec du pain aux céréales.

— Je pourrai arriver à te donner dix heures, reprit-t-il. Et, si quelqu'un est malade, il est évident que c'est toi qui le remplaceras.

— Ne t'en fais pas, je vais me débrouiller. J'irai voir Betty, peut-être qu'elle a besoin de quelqu'un, qui sait ?

— Je me sens au-dessous de tout de te faire une chose pareille.

Elle haussa les épaules.

— Ce ne sont que deux semaines.

Comme il aurait aimé qu'elle reste plus longtemps ! Mais il avait pris la ferme résolution de ne pas se montrer égoïste et, par ailleurs, plus longtemps elle resterait, plus dur ce serait quand elle partirait…

— Tu sais, reprit Joe, je peux te prêter l'argent qui te manque et …

— Non, il n'en est pas question ! dit-elle d'un ton tranchant.

— Mais j'ai de l'argent ! Tu pourras me le rendre quand tu veux.

— C'est très gentil de ta part, mais je veux me débrouiller seule.

— J'ai peut-être la solution au problème, déclara soudain tante Sue.

Joe repoussa son assiette.

— Je suis impatient de l'entendre, marmonna-t-il.

— Depuis que mon amie Irene a déménagé à Palm Springs, elle me harcèle pour que je lui rende visite. Mais comme je garde Lily Ann, c'est difficile… Peut-être que Reily pourrait me remplacer auprès de Lily Ann pendant ces deux semaines…

Cette dernière se leva d'un bond. Son père n'avait même pas remarqué qu'elle suivait la conversation des adultes avec la plus grande attention.

— Oh oui, papa ! S'il te plaît ! Est-ce que Reily peut me garder ? S'il te plaît !

De son point de vue, c'était une solution idéale. Mais cela ne voulait pas dire que l'idée plaisait à Reily…

— Qu'en penses-tu ? lui demanda-t-il, un rien anxieux.

— C'est une très bonne idée ! s'exclama-t-elle.

— Super ! s'écria la petite fille.

Et elle était si excitée qu'elle manqua renverser son verre de lait. Joe le rattrapa de justesse avant la catastrophe.

— Attention ! lui dit-il. Si Reily voit que tu n'es pas sage, elle risque de changer d'avis.

— Je serai très gentille, Reily, je te le promets, certifia la fillette.

— Je sais, ma chérie, dit Reily en lui souriant tendrement.

— Bon, alors je file à la maison appeler Irene, déclara Sue. Elle va être folle de joie.

Lily Ann aida son père et Reily à débarrasser la table, puis elle alla regarder la télévision pendant qu'ils remplissaient le lave-vaisselle. Quand ils eurent fini, ils la découvrirent endormie devant l'écran.

— C'est la nage qui l'a épuisée, dit Reily.

— Je vais la mettre au lit, renchérit Joe en la prenant doucement dans ses bras. Je redescends dans une minute.

Il la porta jusqu'à sa chambre où il la mit dans son lit sans la déshabiller. Puis il remonta la couverture sur elle et lui donna un baiser sur le front. Il resta une bonne minute à la contempler. Il espérait que le fait que Reily la garde pendant deux semaines n'allait pas trop compliquer les choses, dans sa petite tête. Il lui avait expliqué que Reily et lui étaient juste amis et que cette dernière partirait dans quinze jours. Elle avait semblé accepter la situation, mais il ne pouvait être certain de ce qu'elle s'imaginait vraiment. Il espérait qu'elle comprenait que Reily serait sa baby-sitter et pas une mère de substitution.

Quand il redescendit, tante Sue était revenue.

— Tout est arrangé, annonça-t-elle. Irene m'a dit de venir aussi vite que je le pouvais, alors je suis allée sur internet et j'ai réservé un vol pour mardi après-midi. Ce qui me laisse tout demain pour préparer mes affaires, et briefer Reily.

— Parfait, fit Joe.

— Je ne sais comment vous remercier, Sue, lui dit Reily.

— C'est moi qui vous suis reconnaissante, répliqua Sue. Sans vous, je n'aurais jamais pu prendre ces vacances.

A cet instant, le téléphone portable de Reily sonna. Elle vérifia qui appelait.

— C'est Steve, dit-elle. Je vais prendre l'appel.

Et elle sortit sur la terrasse.

Joe demanda alors à tante Sue :

— Tu ne lui as jamais dit combien je te donnais pour garder Lily Ann, n'est-ce pas ?

— Non, mais quelque chose me dit que tu vas la payer bien plus cher que moi, répondit Sue en souriant.

Il avait fait l'impossible pour rémunérer largement Sue, mais elle avait voulu le minimum.

— Je compte lui donner ce qu'elle aurait dû gagner au bar pour qu'elle puisse partir comme prévu.

— Et moi qui pensais que tu voulais qu'elle reste le plus longtemps possible.

— Ce serait juste repousser l'inévitable. Elle a des projets et je n'ai pas le droit de l'en détourner. Je ne referai pas deux fois la même erreur.

— Peut-être qu'elle finira par changer d'avis.

— Non, elle ne changera pas d'avis, dit-il.

Il savait que sa tante aimait beaucoup Reily, comme tout le monde à Paradise, et qu'elle voulait son bonheur, mais le destin en avait décidé autrement…

— Bien, je vais rentrer, dit Sue. Bonne nuit, Joe.

— Bonne nuit, répondit-il.

Une fois qu'elle fut partie, il s'installa sur le canapé, attendant Reily. Elle rentra quelques minutes plus tard.

— C'était une conversation très intéressante, déclara-t-elle.

— C'est-à-dire ?

Elle s'assit sur le sofa, à côté de lui, et il passa un bras autour de ses épaules.

— Apparemment, Jake, le chanteur des Thunder Sky, ne va pas revenir. Son père a eu un grave infarctus et il veut que Jake reprenne l'affaire familiale. De leur côté, Steve et les autres musiciens aimeraient que je prenne sa place.

— Et qu'est-ce que tu as répondu ?

— Que je pars dans deux semaines, mais que d'ici là je serai ravie de le remplacer, si tu peux trouver quelqu'un pour garder Lily Ann le samedi soir, bien sûr.

— Si tu refuses, je perds ma tête d'affiche, donc, forcément, je suis d'accord. Je trouverai sans problème une baby-sitter pour Lily Ann.

— Tu déduiras ses heures de ce que tu comptais me donner, dit-elle alors.

Il hocha la tête, même s'il ne le ferait pas. De toute façon, elle n'en saurait rien.

— A propos, combien vas-tu me payer pour mon travail de nounou ?

— Alors deux semaines complètes moins quelques heures deux samedis soir, cela fait…

Il fit mine de calculer, puis il lui annonça un chiffre, le double de ce qu'il payait tante Sue.

— Cela fait une éternité que je n'ai pas gardé des enfants, mais ça me semble énorme, comme salaire.

— Ce ne sera pas juste du baby-sitting, lui rappela-t-il. Tu devras aussi cuisiner et faire le ménage.

— C'est plus que ce que j'aurais gagné au bar, même avec les pourboires.

— Tu feras plus d'heures et, à mon avis, ce sera

plus fatigant. Tu sais bien ce qu'on dit au sujet des mères au foyer, qu'elles font trois journées en une.

Se rendant compte de ce qu'il venait de dire, il ajouta bien vite :

— Pas de malentendu, je ne te comparais pas à une mère de substitution pour Lily Ann.

— Oui, j'ai bien compris. Entre ce salaire et l'argent que je me ferai en chantant, je vais avoir assez pour partir à la date prévue.

— C'est bien, dit-il.

— Tu es sûr ? demanda-t-elle en lui jetant un regard en coin.

En fait, la perspective était affreuse pour lui, mais il ne pouvait pas le lui dire.

— Si c'est ce que tu souhaites…

Dans ses yeux, il crut voir passer l'ombre d'un doute. Commençait-elle à changer d'avis ? A moins qu'il ne lise dans ses prunelles que ce qu'il avait envie d'y voir. Et, bien qu'il brûle de la questionner à ce sujet, il s'en abstint. Il ne ferait ni ne dirait rien qui pourrait influencer ses décisions.

Soudain, ils entendirent frapper doucement à la porte.

— Qui cela peut-il bien être ? fit Joe.

— Sans doute tante Sue.

— Elle ne frapperait pas.

— Sachant que nous sommes tous les deux, penses-tu franchement qu'elle entrerait sans prévenir ?

— Bien vu, dit-il.

Il se leva pour ouvrir, comptant trouver sa tante. Il retint un juron en voyant que c'était sa mère qui se tenait sur le seuil de la porte.

— Qu'est-ce que tu veux ? lui demanda-t-il derrière la double porte de verre.

— Est-ce que Lily Ann est au lit ? s'enquit-elle alors.

— Pourquoi ? dit-il en fronçant les sourcils.

— Parce que je suppose que tu ne veux pas qu'elle sache qui je suis. C'est pourquoi je viens si tard.

— Oui, elle est au lit, mais je te répète que je ne veux pas te parler.

— Alors tu seras heureux d'apprendre que je quitte Paradise, déclara-t-elle.

Etait-ce la vérité ou une simple tactique ? Espérait-elle qu'en lui annonçant son départ, il allait brusquement changer d'avis et accepter de lui parler ?

Il sortit sur la terrasse.

— Tu ne peux pas tenir plus longtemps, j'imagine ?

— Tu as raison.

Il aurait dû se réjouir de sa décision et, pourtant d'une certaine façon, il s'en sentait offensé.

— J'ai obtenu ce que j'étais venue chercher, dit-elle alors.

— C'est-à-dire ?

— J'avais besoin de vérifier par moi-même qu'en dépit de ce que je t'avais fait, tu allais bien.

Il croisa les bras.

— Et, maintenant, tu penses que je vais bien ?

— Tu as une ravissante enfant et beaucoup d'amis. Tu gères une affaire prospère et les gens te respectent. Oui, je dirais que tu t'en es très bien sorti. J'imagine que je voulais savoir si tu étais heureux.

— Tu aurais pu t'épargner beaucoup de temps en me posant directement la question dès le premier soir.

— Même si tu me l'avais dit, j'aurais eu besoin de vérifier par moi-même. Je me rends bien compte que ma présence à Paradise te bouleverse, alors je vais partir et tu n'entendras plus jamais parler de moi, je te le promets.

Elle allait donc de nouveau ressortir de sa vie sans explication, sans lui dire par exemple pourquoi il lui avait fallu tout ce temps pour revenir ?

Lui qui, depuis son arrivée, souhaitait ardemment qu'elle reparte, pourquoi avait-il soudain des doutes ? Peut-être parce que, finalement, il avait besoin de savoir pour quelles raisons elle l'avait abandonné…

Des larmes se formèrent dans les yeux de Veronica, elle cligna les paupières et redressa les épaules. Puis, lui adressant un sourire tremblant, elle ajouta :

— Au revoir, Joey.

Elle avait déjà descendu les marches quand il s'entendit dire :

— Tu pars ce soir ?

Elle se retourna. Alors, malgré l'obscurité, il crut voir luire de l'espoir dans ses yeux.

— Demain matin.

— Tu passeras sans doute prendre le petit déjeuner au bar ?

— Probablement.

— Si tu passes à… disons 9 heures, il se peut que j'y sois.

— Il se peut ?

— J'y serai.

— Très bien, dit-elle.

Puis elle regagna sa voiture, et il referma la double porte.

Reily l'attendait toujours sur le canapé. Il l'y rejoignit et elle demeura silencieuse.

— J'imagine que tu as entendu la conversation.

— Oui. Tu veux en parler ? demanda-t-elle en enchevêtrant ses doigts aux siens.

— Non.

Elle lui serra la main.

— Entendu.

Il adossa sa tête au canapé.

— Est-ce que tu crois que j'ai bien fait ?

— Et toi, tu as l'impression d'avoir bien fait ?

— Je ne sais pas... Quand j'ai compris qu'elle partait vraiment, je me suis rendu compte que je n'aurais pas d'autre chance de lui parler...

— C'est ta mère. Il n'y a aucune honte à vouloir entendre ce qu'elle a à te dire.

— Et si ce qu'elle me dit ne me plaît pas ?

— Ce n'est pas à exclure, mais tu dois tout de même savoir.

Elle avait raison. Toutefois, il n'avait plus envie d'y penser, ce soir.

— Parlons d'autre chose, dit-il alors.

— J'ai une meilleure idée...

Se glissant sur ses genoux, elle l'embrassa avec passion avant de lui murmurer à l'oreille :

— Ne parlons pas du tout !

- 16 -

Reily ne s'était jamais vraiment considérée comme une bonne ménagère. Son appartement était bien rangé et elle cuisinait de temps en temps, mais le rôle de mère au foyer lui avait toujours paru ennuyeux et monotone. Pourtant, cette semaine passée à s'occuper de Lily Ann et du foyer de Joe lui avait procuré beaucoup de plaisir, bien plus que le métier de serveuse.

Ensemble, elles avaient préparé des pancakes au petit déjeuner, des cookies pour le goûter. Elles étaient allées se promener au parc où elles avaient pique-niqué sur une couverture, dans l'herbe. Elles avaient aussi chassé les papillons, joué dans le sable, fait de la balançoire. Et, quand Joe avait reçu la liste des fournitures scolaires, il avait prêté son pick-up à Reily pour qu'elle aille les acheter avec Lily Ann. La rentrée scolaire était en effet dans quelques semaines.

Mais le soir était le moment de la journée qu'elle préférait.

Une fois la télévision éteinte, elle et Lily Ann s'installaient sur le canapé et elle lui faisait la lecture à haute voix. Puis elle mettait la fillette en pyjama et lui chantait des berceuses jusqu'à ce que celle-ci s'endorme. Après quoi, elle revenait sur le canapé, prenait un livre ou rallumait la télévision pour revoir une vieille série, puis attendait Joe. Quand les phares de son pick-up éclairaient le salon, son cœur faisait un bond dans sa poitrine. Elle aimait le sourire qu'il lui adressait en rentrant, la douceur de ses lèvres quand il l'embrassait, leur complicité quand il lui racontait sa journée.

Ce dimanche-là, en fin d'après-midi, ils étaient tous les trois sur la terrasse, regardant le soleil se coucher. Reily et Joe étaient assis sur la balancelle et Lily Ann coloriait sur la table basse.

— Est-ce que je t'ai dit que Veronica m'a envoyé un e-mail ? demanda Joe d'un ton désinvolte, comme si ce n'était pas un petit miracle qu'il communique avec sa mère.

Le matin où il lui avait donné rendez-vous, il avait bien failli finalement ne pas y aller. Il était arrivé avec une demi-heure de retard, après maintes tergiversations. Mais il avait fini par surmonter ses appréhensions et avait eu une conversation polie avec sa mère. Ce n'étaient pas des retrouvailles chaleureuses, mais au moins un début.

— Qu'est-ce qu'elle voulait ? demanda Reily.

— Elle m'a appris des choses sur mon père, en fait elle répondait à des questions que je lui avais posées.

De toute évidence, il n'avait pas envie de lui en dire plus, et cela ne la contrariait nullement.

— Comment tu trouves celui-ci, Reily ? demanda Lily Ann en brandissant son dernier « chef-d'œuvre ».

Elle avait décidé, comme la rentrée était proche, d'apprendre à colorier sans dépasser.

— C'est très beau, ma chérie, j'aime beaucoup les fleurs violettes, lui répondit-elle.

— Et les arbres violets, les animaux violets et l'herbe violette, continua Joe en souriant.

Reily lui donna un petit coup de coude.

— Elle aime beaucoup cette couleur.

— J'espère, étant donné que ses vêtements de rentrée sont violets.

— C'est un reproche ? Tu m'avais bien dit de la laisser choisir ce qu'elle voulait, non ? Et puis qui lui a acheté un vélo violet, des draps violets et repeint sa chambre en violet ?

Il se mit à rire.

Ce fut alors qu'un pick-up remonta l'allée.

— C'est tante Emily ! s'écria Lily Ann.

Abandonnant ses crayons, elle s'élança dans l'escalier pour se jeter dans les bras de sa tante.

— Bonjour, Lily Ann, dit Emily en la serrant contre elle.

Puis elle leva les yeux vers Joe et Reily.

— Salut, vous deux !

— Salut, Emily, répondit Joe.

— Viens voir mes coloriages, lui dit alors Lily Ann.

— Tu veux un verre de limonade ? enchaîna Reily.

— Je ne peux pas m'attarder, déclara Emily. Ma chienne Ella va avoir ses petits, et comme j'avais promis à Lily Ann qu'elle m'aiderait…

— Youpi ! fit celle-ci. Je peux y aller, papa, je peux ?

— Bien sûr que oui, répondit son père.

— Je me suis dit qu'elle pourrait rester dormir à la maison, passer la journée de demain avec moi et Beau, et que je la ramènerai demain soir.

Ce qui voulait dire que Reily et lui auraient toute la nuit pour eux…

Tout seuls.

— C'est une bonne idée, approuva Joe tout en touchant l'épaule de Reily qui sursauta presque.

— Je verrai bébé Kevin ?

— Oui, bien sûr ! Allez, va faire ton sac, Lily Ann ! ordonna Emily. On est pressées.

— N'oublie pas ta brosse à dents ! cria son père.

Reily se tourna alors vers Emily.

— Qui est bébé Kevin ? questionna-t-elle.

— Le neveu de mon ami Beau. Sa demi-sœur est décédée il y a deux mois, et elle lui a laissé la garde de son fils. Il a entamé la procédure d'adoption.

— C'est bien que son oncle l'ait recueilli, observa Reily, l'air grave.

Joe lui serra l'épaule, et elle se sentit toute chavirée.

— J'ai entendu dire que tu fais un tabac chez Joe, le samedi soir, reprit Emily. J'aimerais bien t'écouter chanter.

— Viens samedi prochain, proposa cette dernière. Car, après, je pars pour Nashville.

Emily parut surprise.

— Oh ! Je ne pensais pas que tu avais toujours l'intention de partir…

Beaucoup de personnes en ville semblaient cultiver la même illusion.

— Dans une semaine, mercredi, si tout se passe comme prévu, répondit Reily.

Joe fit glisser un doigt dans sa nuque et elle frissonna. Mais il retira bien vite sa main en entendant les pas de sa petite fille qui revenait.

— Je suis prête ! annonça-t-elle.

— Fais voir ce sac, lui ordonna son père.

Il l'ouvrit et vérifia son contenu.

— Brosse à dents, pyjama, vêtements pour demain… Bon, on dirait que tu n'as rien oublié.

Il referma le sac et le lui tendit.

— Un baiser ! demanda la fillette à son père.

Joe la serra très fort dans ses bras et lui donna un baiser sur la joue. Puis l'enfant tendit les bras vers Reily.

— Un baiser ! dit-elle de la même façon.

Reily obtempéra elle aussi avec empressement.

En regardant Lily Ann s'éloigner avec Emily, elle sentit sa gorge se nouer. Elle avait passé tellement de temps en compagnie de Lily Ann qu'elle allait lui manquer.

— Qu'est-ce qu'on fait ? demanda-t-il un petit sourire aux lèvres. Une partie de petits chevaux, on regarde un dessin animé ?

— J'ai mieux à te proposer, dit-elle, d'un air entendu.

— Je crois que je suis d'accord, répondit-il sur le même ton en se levant pour l'entraîner à l'intérieur.

— En haut ! ajouta-t-il la porte à peine renfermée.

Il en avait assez du canapé auquel la présence

de Lily Ann et la prudence de Reily les avaient condamnés.

— Tu es pressé ? dit-elle.

C'était peu de le dire. Ils avaient si peu de temps devant eux, il voulait savourer chaque minute avec elle. Sans répondre, il la prit par les jambes et la jeta littéralement par-dessus son épaule.

— Joe ! s'écria-t-elle en riant. Qu'est-ce qui te prend ?

— Ce soir, c'est royal, on peut aller dans mon lit.

— Je peux marcher, tu sais.

— Oui, mais c'est moi qui suis aux commandes.

— Et tu m'as demandé mon avis, homme des cavernes ?

— Non, justement ! Mais je sais que nous avons les mêmes intentions.

Alors pour le devancer, quand ils furent dans la chambre et qu'il l'eut reposée à terre, elle retira son débardeur et défit son soutien-gorge. Comme toujours, il resta bouche bée devant la beauté de ses seins. Elle fit ensuite glisser lentement son jean sur ses cuisses…

Que ce strip-tease était excitant !

Les yeux rivés aux siens, il retira lui aussi ses vêtements. Puis il s'avança vers elle et posa ses mains sur son ventre. Son regard se fit plus intense… Il fit alors descendre sa culotte sur ses hanches.

— Oh oui ! lui souffla-t-elle doucement à l'oreille.

La prenant dans ses bras, il lui donna un baiser à couper le souffle. Ce soir, c'était comme s'ils s'embrassaient pour la première fois. Qu'il était enivrant de penser qu'ils étaient complètement seuls ! Il éprouvait aussi une sensation curieuse, comme s'il lui faisait l'amour pour la première fois.

Peut-être était-ce la sensation d'avoir toute la nuit devant eux qui le grisait, ainsi que le plaisir de se réveiller à deux pour un petit déjeuner en tête à tête.

Il sentait les mains de Reily courir sur son corps, l'explorer…

— Je vais mettre un préservatif, murmura-t-il d'une voix haletante.

Quelques minutes plus tard, il plongeait en elle, avec l'impression de retrouver son port d'attache. Alors il comprit… C'était l'amour qui venait de le frapper en plein cœur.

Il l'aimait.

Il se sentait un peu idiot de ne pas s'en être rendu compte plus tôt. Car il était évident qu'il l'aimait depuis le premier jour. Hélas ! Il y avait une sacrée ombre au tableau : *Reily allait bientôt repartir.* Et, même si elle ressentait quelque chose pour lui, elle ne resterait désormais plus assez longtemps pour que ce bourgeon se transforme en amour et la retienne à Paradise.

Toutefois, quand il l'entendit gémir sous lui, il laissa de côté ses réflexions pour se concentrer sur ses sensations…

Quand ils eurent fait l'amour pour la troisième fois, et qu'elle se fut endormie dans ses bras, alors à haute voix, il lui dit qu'il l'aimait.

Sachant que cet amour ne pourrait déboucher sur rien.

- 17 -

Reily se tenait dans le salon de son petit appartement, son sac de voyage rempli à craquer. Sa guitare était bien à l'abri dans un étui que lui avaient donné les musiciens de Thunder Sky lors de sa soirée d'adieu, la veille, au bar de Joe. Pendant six semaines, elle avait habité ce meublé et il lui était difficile d'imaginer qu'elle ne le reverrait jamais.

Quitter Paradise, et tous les amis merveilleux qu'elle s'était faits ici, serait un des moments les plus difficiles de sa vie. En dépit de toutes les années qu'elle avait passées dans le Montana, elle n'avait eu aucun mal à partir. Depuis le décès de ses parents, elle s'était toujours sentie comme en visite dans sa ville natale. Elle n'avait jamais eu l'impression d'être chez elle nulle part. La notion de foyer lui avait échappé… jusqu'à ce qu'elle rencontre Joe, Sue, Lindy, Lily Ann et les autres. Pour la première fois, elle avait eu la sensation d'être arrivée à la maison. Et voilà qu'à présent, elle devait quitter tout ce petit monde… Mais c'était pour découvrir un nouvel univers, car elle allait réussir et devenir une grande star ! se dit-elle pour se remonter le moral. N'avait-elle pas passé les seize dernières années de sa vie à en convaincre son entourage ? Elle ne pouvait pas s'arrêter en si bon chemin.

— Tu as besoin d'aide ?

Reily se retourna. Elle n'avait pas entendu Joe monter.

— J'ai juste un bagage, dit-elle.

— Il ne va pas falloir tarder, sinon tu vas manquer ton bus.

Elle prit une grande inspiration, et redressa les épaules.

— Très bien, allons-y ! répondit-elle.

Sue, Lily Ann et Lindy les attendaient près de la Barracuda que Joe avait spécialement sortie pour l'occasion.

— C'est dans cette voiture que nous nous sommes embrassés pour la première fois, il est normal que ce soit ici que nous nous le fassions pour la dernière fois, lui avait-il expliqué.

Ces propos l'avaient terriblement culpabilisée. Et l'idée de ne plus jamais l'embrasser, de ne plus jamais se blottir contre lui, lui brisait le cœur…

Quand elle s'approcha du petit groupe qui l'attendait, Lindy s'en détacha et se jeta dans ses bras.

— Comme tu vas me manquer ! lui dit-elle. Envoie-moi des e-mails et dis-moi ce que tu fais. Et, surtout, ne nous oublie pas, nous, les gens de Paradise, quand tu joueras dans des stades combles.

Se détachant de son amie pour la prendre par les bras, elle ajouta en souriant :

— J'espère que tu nous enverras des billets gratuits, et au premier rang !

— Evidemment, dit Reily.

Puis elle se tourna vers la tante de Joe qui pleurait à chaudes larmes.

— Sue…

— Ne faites pas attention à moi, je suis très émotive, lui dit-elle en la serrant très fort contre elle. Les départs me font toujours pleurer. Promettez-moi seulement de donner de vos nouvelles et de venir nous rendre une petite visite de temps à autre.

— Promis, mentit-elle.

Car elle savait parfaitement qu'elle n'aurait pas la force de revenir, surtout si Joe faisait la connaissance d'une autre femme. D'un côté, elle se réjouirait pour lui, bien sûr, mais elle ne pourrait pas s'empêcher d'en concevoir de la jalousie. Elle aurait aimé être la femme qui l'aurait rendu heureux, mais c'était un rôle difficile à tenir s'ils habitaient à un millier de kilomètres l'un de l'autre…

Reily s'avança alors vers Lily Ann qui regardait obstinément ses tennis violettes.

— Au revoir, Lily Ann, lui dit-elle.

Mais la fillette croisa les bras, l'air entêté. Quand Reily s'accroupit pour être à sa hauteur, elle se détourna.

— Lily Ann ! la gronda Joe. Dis au revoir à Reily.

La petite fille secoua la tête, et ses boucles se mirent à danser sur sa tête.

— Ce n'est pas grave, dit Reily.

C'était douloureux, mais elle comprenait. Lily Ann voulait que son amie reste et, dans son jeune esprit, ne pas lui dire au revoir signifiait que Reily n'était pas vraiment partie. Elle aussi avait refusé de dire un dernier au revoir à ses parents morts, pensant qu'ils pourraient ainsi réapparaître comme par magie.

— Allons-y, maintenant, déclara Joe.

Il mit son sac et sa guitare dans le coffre de la Barracuda et lui ouvrit la portière côté passager. Elle se glissa à l'avant, attacha sa ceinture et, lorsqu'il mit la voiture en marche, elle fut incapable de retenir les larmes qui lui brûlaient les yeux.

— Elle va s'en remettre, lui dit Joe en faisant allusion à sa fille.

— Je ne supporte pas de lui faire de la peine.

Recouvrant sa main avec la sienne, il emmêla ses doigts aux siens.

— Je sais.

— Elle savait que je partais, on avait coché les jours sur le calendrier, c'était devenu un jeu entre nous, explique Reily. Je pensais qu'elle serait mieux préparée, le moment venu.

Il lui serra la main.

— Savoir qu'une personne va partir ne rend pas les choses plus aisées le jour de son départ.

On sentait qu'il parlait par expérience. Il avait fait bonne figure toute la journée, toute la semaine. Mais il souffrait, c'était évident, même s'il était trop fier pour l'admettre.

— C'est injuste, dit-elle alors.

— Qu'est-ce qui est injuste ?

— Le fait que je doive choisir. C'est soit toi et Lily Ann, soit ma carrière.

— Tu as travaillé trop dur pour reculer maintenant.

— Peut-être que je pourrais diviser mon temps en deux. Beaucoup de gens fonctionnent de cette façon, tu sais. Je pourrais vivre à Nashville la semaine et revenir en avion le week-end ? Ou bien passer trois semaines là-bas et une ici ?

Il poussa un soupir, sans détourner les yeux de la route.

— Non, je n'aime pas faire les choses à moitié. Lily Ann a besoin de stabilité, et moi aussi. Je ne peux pas accepter qu'encore une fois nous soyons relégués au second plan. Ni pour elle ni pour moi.

Et, pourtant, il l'aimait, pensa-t-elle.

Il le lui avait chuchoté un jour qu'il la croyait endormie et qu'elle avait fait mine de l'être, pour ne pas avoir à lui avouer ce qu'elle éprouvait pour lui depuis le premier jour, c'est-à-dire qu'elle l'aimait. A quoi cela aurait-il servi puisqu'elle devait partir ? Mais, maintenant, elle regrettait presque de s'être tue. Car elle savait que, s'il lui avait demandé de rester, elle aurait dit oui. Et qu'elle aurait été heureuse et n'aurait jamais regretté sa décision.

Enfin, en était-elle certaine ?

N'aurait-elle pas fini par se sentir frustrée ? N'en aurait-elle pas voulu à Joe et à Lily Ann, jusqu'à ce qu'il lui soit intolérable de rester ? Elle ne souhaitait pour rien au monde être une deuxième Beth pour eux. Et n'aurait-elle pas pris ce risque, en restant ?

Joe descendait maintenant Main Street, direction Blue Hills, la bourgade voisine d'où partait le bus. Le trajet ne durait que quinze minutes, et plus ils se rapprochaient de la station, plus elle avait du mal à respirer, comme si une force invisible comprimait ses poumons. Elle sentit que ses mains commençaient à trembler et elle avait l'impression qu'elle ne pourrait pas tenir sur ses genoux.

Elle se rendit compte qu'elle paniquait.

Elle était sur le point de commencer une nouvelle vie et, au lieu d'être excitée, elle avait des sueurs froides !

Elle s'enjoignit de se détendre, de respirer calmement…

Quand ils arrivèrent à la station de bus, les passagers montaient déjà dedans. Joe se gara à quelques mètres.

Il allait sortir de la Barracuda quand elle s'écria :

— Joe, est-ce que tu veux que je reste ?

La question inopinée parut le surprendre et, pendant quelques secondes, il resta silencieux, visiblement en conflit avec lui-même.

— Ce n'est pas ce que moi je veux qui compte.

Comme il se trompait !

— Mais si je te disais : « Joe, j'ai changé d'avis et je ne veux plus aller à Nashville », alors qu'est-ce que tu dirais… ?

— Quelle importance, puisque tu n'as pas changé d'avis et que tu pars ?

Elle aurait voulu se taper la tête contre un mur.

— Dis-moi juste si tu m'aimes ou pas, insista-t-elle.

— Allez, sortons tes affaires, trancha-t-il.

Et il descendit de voiture. Il ouvrit le coffre, prit la guitare, la lui tendit, puis s'empara de son sac de voyage. Ils se dirigèrent vers le bus où le chauffeur plaçait les bagages dans la soute. Il posa celui de Reily près des autres.

— Bien, dit-il en se tournant vers elle. Il est temps, je crois, de nous dire au revoir.

Le devaient-ils vraiment ? Son cœur battait à cent à l'heure, ses mains étaient toutes moites, et l'idée de monter dans le bus la terrifiait.

C'était nerveux, voulut-elle se rassurer. Qui n'aurait pas été un peu fébrile à l'idée de partir pour une grande ville où il ne connaissait personne et n'avait ni travail ni logement ? Rester ici était en comparaison si confortable. Et, si elle échouait à Nashville, elle ne pourrait s'en prendre qu'à elle. Mais, encore une fois, si elle ne partait pas et s'en mordait ensuite les doigts ? Aurait-elle le courage de reprendre son destin en main et de briser le cœur d'une petite fille et d'un homme qui ne méritait pas qu'on l'abandonne une deuxième fois ?

— Bon voyage, lui dit Joe, mâchoires serrées. Et n'oublie pas d'écrire pour nous donner des nouvelles.

Elle posa soudain sa main sur son bras.

— Je t'aime, Joe, lui dit-elle.

Il lui donna un dernier et violent baiser sur la bouche, comme s'il désirait la faire taire.

— Au revoir, Reily.

Puis il regagna sa voiture et elle monta dans le bus.

Elle trouva un siège vide, au milieu de l'allée, s'y installa. Elle entendit alors le bruit de moteur de la Barracuda et n'eut pas le courage de regarder dans sa direction.

Cela faisait trois jours que Reily était partie, et Lily Ann était persuadée qu'elle allait revenir.

Son père avait beau lui assurer le contraire, elle n'en démordait pas. Comme si le départ de Reily n'était pas assez difficile, comme s'il n'était pas suffisamment anéanti, il devait sans arrêt rappeler à sa fille, qu'en dépit de ce qu'elle croyait, Reily ne reviendrait pas !

— Je suis sûre qu'elle m'emmènera à l'école, le jour de la rentrée, dit-elle à Joe comme il la mettait au lit, le samedi soir.

Comme il avait l'impression qu'elle avait besoin de plus d'attention, il passait tous les soirs à la maison, à l'heure où elle se couchait.

— Ma chérie, nous en avons déjà discuté. C'est tante Sue qui te conduira à l'école.

— Et elle apportera sa guitare à l'école et nous fera un petit concert, continua-t-elle comme si de rien n'était. J'aurais la plus belle et la plus douée des mamans de toute l'école.

Reily était sa maman, maintenant ?

— Ecoute ma puce, Reily est à Nashville, et ta maman est en Californie, d'accord ?

— Beth est mon ancienne maman.

Il fut surpris qu'elle nomme sa mère par son prénom, cela ne lui était jamais arrivé avant.

Elle prit un air songeur et ajouta :

— Tu crois qu'elle aura un autre bébé, comme la maman de Dakota ? Elle va avoir un petit frère, mais moi j'aimerais mieux avoir une petite sœur.

Sa fille était-elle en train de perdre le contact avec la réalité ? se demanda-t-il, consterné.

— Arrête de penser à tout ça et dors ! lui dit-il.

— D'accord, papa, bonne nuit.

Elle posa la tête sur l'oreiller et il remonta la couette.

— Tu veux que je te lise une histoire ?

— Non, merci.

— Sûr ?

— Oui.

Il lui donna un baiser sur le front, et sortit. Ce fut alors qu'il l'entendit fredonner une berceuse que lui chantait Reily. Il sentit sa gorge se nouer.

— Je m'inquiète pour Lily Ann, avoua-t-il à Sue qui regardait un reality-show. Elle est convaincue que Reily va revenir et, j'ai beau lui dire que non, elle n'en démord pas.

— Elle sait peut-être des choses que tu ignores.

— Sue…

— Il est évident que Reily t'aime et que tu l'aimes. Tu crois que Lily Ann ne s'en est pas rendu compte ? On ne sait jamais. Il se peut que Reily se sente seule et misérable à Nashville et qu'elle ait envie de rentrer à la maison.

— Mais, sa maison, ce n'est pas ici, c'est dans le Montana.

— La maison, c'est là où il y a des gens qui nous aiment et où l'on a des amis. Et, ces deux choses, c'est ici que Reily les a trouvées.

C'était infernal ! Tante Sue était aussi insensée que sa fille.

— Reily ne va pas revenir, et chacun se sentira mieux quand il aura accepté cette réalité, articula-t-il.

Sue haussa les épaules.

— Tu as sans doute raison.

— Bon, je retourne travailler, dit-il.

Ne comprenait-elle pas que tant qu'elle et Lily Ann penseraient que l'absence de Reily était temporaire, il ne pourrait pas lui non plus en finir avec cette histoire et cesser d'espérer ? Il ne passait pas une minute sans qu'il ne songe à elle, et qu'elle ne lui manque terriblement.

Quand il revint au bar, Lindy lui assura que tout s'était bien passé. Le concert allait commencer. Les Thunder Sky passeraient en deuxième. Steve avait appelé la veille pour dire qu'ils pourraient tout de même jouer, alors qu'il pensait que ce ne serait pas le cas puisqu'ils n'avaient plus de chanteur. Néanmoins, l'idée d'écouter les chansons que Reily avait faites siennes pendant quelques semaines le mettait au supplice. Il décida d'aller se barricader dans son bureau et de se plonger dans le travail, pour oublier toutes les questions sans réponse qui le faisaient souffrir.

Soudain, on frappa à sa porte. C'était Lindy.

— Joe, on a besoin de toi, dit-elle.

— Il y a un problème ?

— Non, ce n'est pas un problème, mais ta présence est requise.

— Par qui ?

Elle poussa un soupir exaspéré.

— Bon, tu peux venir, s'il te plaît ?

Contre son gré, il obtempéra, en se demandant bien qui pouvait « requérir » sa présence. Un curieux pressentiment s'empara de lui quand il se rendit compte qu'il n'y avait pas de musique dans le bar et que tout le monde en fait l'attendait et le regardait.

Que se passait-il ? Etait-il entré dans la quatrième dimension ?

— Bonsoir, mesdames et messieurs, dit-on soudain dans le micro.

Il vit alors que les Thunder Sky avaient pris place sur la scène.

— Ce soir, nous commençons par une chanson dédiée spécialement à Joe Miller.

Les instruments se mirent à jouer l'introduction qui lui sembla vaguement familière. Il se tourna vers Lindy, l'interrogeant du regard, quand soudain une voix s'éleva.

La voix de Reily.

Alors il comprit. C'était la chanson qu'elle avait chantée *a cappella* pour Steve, le jour de son audition. La chanson sur la jeune fille de la campagne qui s'était perdue en chemin et voulait rentrer à la maison.

Le cœur battant à tout rompre, il se retourna lentement vers la scène. Il eut d'abord peur qu'il s'agisse d'un mirage… Mais Reily lui sourit… *C'était bel et bien elle qui chantait sur scène.* Alors, sans même s'en rendre compte, il fendit la foule des danseurs, qui s'écartèrent spontanément devant lui pour lui permettre de regagner le devant de la scène. Il resta au premier rang, les yeux rivés sur elle, jusqu'à ce qu'elle finisse la chanson. Puis le groupe enchaîna sur un titre des Allman Brothers qui n'avait pas de paroles, et Reily lui tendit la main pour l'aider à monter sur l'estrade.

— Qu'est-ce que tu fais ici ? demanda-t-il.

— Je ne pouvais pas rester à Nashville, Joe. Dès

que je suis montée dans le bus, j'ai compris que je commettais une grave erreur. Le voyage a duré deux jours, et j'ai eu le temps de réfléchir.

Les gens les regardaient, mais la musique était si forte qu'ils ne pouvaient pas entendre ce qu'ils se disaient. D'ailleurs, il s'en fichait.

— Comment est-ce que tu es revenue ?

— Quand je suis descendue du bus, j'ai tout de suite pris un taxi pour l'aéroport. J'ai réservé le premier vol pour le Colorado et j'ai appelé Steve qui est venu me chercher à l'aéroport de Denver.

— Pourquoi ?

— Pourquoi est-ce que j'ai appelé Steve ?

— Non. Pourquoi est-ce que tu es revenue ?

— Parce que tu m'aimes. Je sais que tu n'as pas voulu me le dire à la station de bus, car tu ne voulais pas influencer ma décision. Tu voulais que je fasse mon choix toute seule. Eh bien, voilà, c'est fait !

Il avait envie de la serrer très fort contre lui, mais il avait presque peur, comme si tout cela était trop beau pour être vrai.

— Je t'aime, Reily, mais je ne te demande pas de te sacrifier pour moi.

— Ce n'est pas un sacrifice.

— Tu regretteras un jour de ne pas avoir tenté ta chance à Nashville.

Elle l'attrapa par le col de sa chemise.

— Ecoute-moi bien, Joe Miller. Depuis la mort de mes parents, il y avait un vide terrible en moi, que seule la musique m'aidait à combler. Mais quand j'ai fait ta connaissance, celle de Lily Ann et de toute la ville, tout l'amour que vous m'avez donné m'a fait oublier ce vide à tout jamais. Et, quand je suis repartie, j'ai eu l'impression de laisser mon âme ici… C'était affreux.

Elle secoua la tête, les yeux emplis de larmes.

— Aucun contrat, aucune carrière ne pourra me combler comme le bonheur que j'ai trouvé auprès de vous. C'est toi que je veux, Joe. Toi et Lily Ann.

— Mais la chanson ? Tu vas laisser tomber ?

— Pas du tout. Tu es en train de parler à la nouvelle chanteuse des Thunder Sky. La musique a toujours été importante dans ma vie, mais ma famille passe en premier.

Il la crut. Il aurait été idiot de ne pas la croire. Alors, sur une impulsion et sans se soucier de toute sa clientèle qui le regardait, il la prit dans ses bras et l'embrassa passionnément avant de l'entraîner en riant vers les coulisses.

Une fois dans son bureau, elle déclara :

— Je t'aime, Joe. Je veux que l'on forme une véritable famille.

— Moi aussi, je t'aime, et nous formerons une famille. Dès que je t'aurais passé la bague au doigt.

Elle rougit et lui adressa un sourire lumineux.

— C'est une demande en mariage ?

Il hocha la tête, les mots lui manquaient.

— Comment va Lily Ann ? J'espère que tout cela ne l'a pas trop perturbée.

— Elle va bien. Depuis que tu es partie, elle est persuadée que tu vas revenir. Elle a déjà prévu que tu ferais la rentrée avec elle et qu'elle aurait bientôt un petit frère ou une petite sœur. Pour sa part, elle préférerait une fille.

— Fille, garçon, pourquoi pas les deux ? dit-elle en dardant sur lui un regard brillant. Si tu es d'accord, bien sûr !

— Définitivement, répondit-il.

Enserrant son visage dans ses mains, il l'embrassa tendrement. Il ne parvenait pas à croire à son bonheur. Il l'avait laissée partir, mais elle était revenue.

— Qu'est-ce que tu vas dire à tes amis du Montana quand ils apprendront que tu n'es pas allée à Nashville, mais que tu as fait ta vie à Paradise, dans le Colorado ?

Elle lui adressa un petit sourire et répondit :

— Je leur dirai que j'ai renoncé à mon rêve de Nashville pour l'homme de mes rêves.

— Le 1er février —

Passions n°377

Amoureuse d'un Kincaid - Jennifer Lewis

Passer un week-end en tête à tête avec RJ Kincaid, son patron... Pour Brooke, la proposition est d'autant plus tentante qu'elle est follement amoureuse de lui, depuis qu'elle est son assistante personnelle. Seulement voilà, quand ils arrivent dans le splendide chalet de RJ, perdu au milieu des bois, Brooke sent son cœur s'emballer. Loin du bureau, osera-t-elle révéler à RJ ce qu'elle éprouve pour lui, et peut-être même, le séduire ? Prendra-t-elle le risque de compromettre sa carrière pour une liaison nécessairement éphémère ?

Les fiançailles de Kara - Heidi Betts

Lorsque les lèvres d'Elijah Houghton se posent sur les siennes, Kara Kincaid se sent défaillir. Cette étreinte sensuelle, fougueuse, brute, elle l'a rêvée tant de fois... Car elle aime Eli depuis l'adolescence, sans jamais avoir osé lui avouer ses sentiments. Hélas, tandis que tout son corps s'embrase à son contact, elle sent la culpabilité l'assaillir. Car, quelques heures plus tôt, Elijah était encore le fiancé de sa sœur...

Passions n°378

Délicieux soupçons - Jules Bennett

S'il y a une chose que Bronson Dane ne permet pas, c'est qu'on tente de le manipuler. Aussi se montre-t-il particulièrement méfiant lorsque, après avoir partagé une nuit de passion avec Mia Spinelli, la nouvelle et ô combien sublime assistante de sa mère, la jeune femme prétend être enceinte de lui. Comment la croire, alors que tout Hollywood ne parle que d'une liaison possible entre Mia et l'ennemi juré de Bronson ? Pour lui, le doute n'est plus permis : Mia l'a séduit pour se servir de lui. Et elle ne va pas tarder à le regretter...

Séduit malgré lui - Teresa Hill

« Cherchez-vous à me séduire, Lilah ? » La question de Thomas Asheford est, contre toute attente, des plus pertinentes. Car une partie de Lilah désire se lover contre lui, jouir de son aura, de sa puissance. Oui, sans qu'elle puisse l'empêcher, une force invisible la pousse vers lui. Or, Lilah le sait, céder à cette attirance serait la pire des erreurs. Car si Ashe la couve d'un regard aussi implacable que brûlant, il représente tout ce qu'elle a toujours fui chez un homme...

Passions n°379

Une attirance fatale - Fiona Brand

Cela fait deux ans que Carla Ambrosi attend que Lucas Atraeus rende officielle leur relation. Deux ans qu'elle rêve que la fatale attirance qui a fait d'eux des amants aussi passionnés que secrets se transforme en une belle histoire d'amour, en un mariage heureux. Certes, tout n'a pas été simple, entre eux, d'autant qu'il y a peu, leurs familles étaient encore ennemies. Mais aujourd'hui, tout va changer, Lucas le lui a promis. Aujourd'hui, il va annoncer leurs fiançailles publiquement. Du moins le croit-elle, avant de le voir s'afficher au bras d'une autre...

Rencontre au Montana - Victoria Pade

Jamais Jenna n'avait rencontré d'homme aussi beau que Ian. Ses yeux bleus, surtout, ont un effet envoûtant sur elle. Or, cette attirance est on ne peut plus malvenue, car Jenna n'a pas de temps à consacrer aux hommes : elle vient d'adopter sa petite Abby, et elle est criblée de dettes. Et puis, surtout, Ian a des vues sur le domaine dont elle a hérité, dans la petite ville de Northbridge, Montana. S'il semble résolu à le lui racheter, elle l'est d'autant plus à lui résister ! Même si elle doit pour cela faire taire le désir qu'il éveille en elle...

Passions n°380

Le secret de ses yeux - Andrea Laurence

Pourquoi ne se souvient-elle de rien ? Pourquoi son nom – Cynthia Dempsey -, son travail, son appartement, sa famille, ne font resurgir aucun souvenir à sa mémoire ? Depuis l'accident, c'est bien simple, elle ne sait plus qui elle est. Mais dans cet océan d'incertitude, une chose est sûre, cependant : Will Taylor, l'homme qui se dit être son fiancé, éveille en elle une passion intense, brûlante. Alors, même s'il lui avoue que, juste avant qu'elle ne perde la mémoire, il s'apprêtait à la quitter, elle sait qu'ils sont faits l'un pour l'autre. Aussi décide-t-elle de profiter de cette nouvelle chance qui leur est offerte, et de conquérir ce fiancé qu'elle a oublié...

La mélodie du désir - Karen Rose Smith

Mikala s'est toujours demandé quel effet cela lui ferait d'embrasser Dawson Barrett. Et la réponse lui est enfin donnée, quinze ans après leur première rencontre... C'est comme une symphonie, une ballade obsédante qui résonne au plus profond de son cœur. Une vague de désir la submerge, avant que tout s'arrête, brusquement : la mélodie, la débauche de sensations, le sentiment enivrant d'être désirée. Elle doit se reprendre, et vite... Car si Dawson se trouve chez elle aujourd'hui, c'est parce qu'il l'a embauchée pour s'occuper de son fils Luke. Et entre eux, il n'y aura jamais rien d'autre qu'une relation purement professionnelle...

Passions n°381

Nuit enchantée - Jo Leigh

Sortir avec Charlie Winslow et assister à la Fashion Week ? Sans doute les deux choses les plus folles auxquelles Bree n'aurait même pas osé rêver en arrivant à New York ! Pourtant, elle doit bien se rendre à l'évidence : l'homme ultra sexy qui se trouve à côté d'elle, à l'arrière de la limousine qui les conduit à la soirée d'ouverture de la Fashion Week, c'est bien Charlie Winslow, le célibataire le plus convoité de tout Manhattan. Alors, même si ce dernier ne l'a invitée que pour honorer une promesse qu'il a faite à sa cousine, et même si Bree sait que le carrosse risque vite de se transformer en citrouille, elle est bien décidée à tout oser pour que cette nuit soit la plus inoubliable de sa vie !

Un désir sans fin - Stephanie Bond

Je suis désolée. Cela n'aurait pas dû se produire, et cela ne se reproduira plus.

Malgré l'incrédulité qu'elle voit briller dans les yeux de Luke Chancellor, son séduisant collègue, et malgré l'intense plaisir qu'elle vient de ressentir entre ses bras, Carol est convaincue d'avoir prononcé les mots qu'il fallait. Si, grisée par la petite fête organisée par leur entreprise pour la Saint-Valentin, elle a eu la faiblesse de céder au désir que Luke lui inspire depuis longtemps, elle sait qu'elle ne peut rien attendre d'une relation avec lui. Et elle se promet de le tenir à distance. Sauf que, contre toute attente, un étrange coup du destin va l'obliger à revivre cette fameuse saint-Valentin, encore et encore...

Passions - HS

La couronne de Verdonia - Trilogie de Day Leclaire

L'héritière de Celestia

Alyssa, devenue princesse de Celestia du jour au lendemain, ne sait comment remercier le mystérieux inconnu qui l'a aidée à s'enfuir du palais. Grâce à lui, elle vient d'échapper à un mariage forcé. Mais lorsque son séduisant sauveur veut la retenir prisonnière à son tour, sa reconnaissance se mue en colère. D'autant qu'elle se sent impuissante devant le désir que lui inspire cet homme implacable...

Mariage au palais

Une seule nuit d'amour, et ils ne se reverront jamais – c'est le pacte secret que le prince Lander de Verdon passe avec la sublime Américaine qu'il a rencontrée au bal. Elle ne sait pas qui il est, il ignore son identité : l'accord semble parfait à Lander. Sauf que la jeune femme hante bientôt ses pensées jour et nuit, au point qu'il finit par décider de la retrouver coûte que coûte...

La fiancée du prince

Le cœur battant, Miri rabat le long voile de dentelle sur son visage et s'avance dans la chapelle royale, les yeux fixés sur l'homme qu'elle aime depuis toujours. Pour accomplir son destin et épouser le prince Brandt d'Avernos, elle est prête à tout. Même à prendre la place d'une autre devant l'autel...

A paraître le 1er janvier

Best-Sellers n°543 • suspense

Le manoir du mystère - Heather Graham

Quand l'agent Angela Hawkins accepte de devenir la coéquipière du brillant et séduisant enquêteur Jackson Crow, elle est loin d'imaginer ce qui l'attend. Tout ce qu'elle sait, c'est que la femme d'un sénateur est morte en tombant du balcon de l'une des plus belles demeures historiques du quartier français de La Nouvelle-Orléans. Et que, pour presque tout le monde, elle s'est jetée dans le vide, désespérée par la mort récente de son fils. Mais à peine Angela commence-t-elle son enquête avec Jackson dans l'étrange demeure du sénateur que l'hypothèse du suicide lui semble exclue. Guidée par son intuition et par des visions inquiétantes où elle voit la jeune femme en danger, Angela est en effet rapidement persuadée que dans l'entourage du sénateur, chacun est moins innocent qu'il n'y paraît. Mais de là à tuer ? Et pour quel motif ? Décidés à dévoiler la sombre vérité, Angela et Jackson vont non seulement risquer leur vie… mais, aussi, leur âme.

Best-Sellers n°544 • *suspense*

Meurtre à Heron's Cove - Carla Neggers

Lorsqu' Emma Sharpe est appelée d'urgence au couvent de Heron's Cove, sur la côte du Maine, c'est en partie en qualité de détective spécialisée dans le trafic d'œuvres d'art au sein du FBI, et aussi en raison des années qu'elle a elle-même vécues ici. Mais elle n'a pas le temps d'en savoir plus, car quelques minutes à peine après son arrivée, la religieuse qui l'a contactée est retrouvée morte. Pour unique piste, Emma doit se contenter de la disparition mystérieuse d'un tableau représentant d'anciennes légendes. C'est alors qu'elle découvre, stupéfaite, que sa famille n'est pas étrangère à l'histoire de cette toile. Se pourrait-il qu'il y ait un lien entre ce vol, le meurtre et son propre passé ? Emma ne sait où donner de la tête. Heureusement, elle peut compter sur la précieuse collaboration de Colin Donovan, un agent secret du FBI solitaire et mystérieux. Même si elle conserve une certaine méfiance vis-à-vis de cet homme qui se moque des règles et semble n'en faire qu'à sa tête. Lancée dans une folle course contre la montre, elle s'immerge avec Colin dans un héritage fait de mensonges et de tromperies. Sans savoir qu'un tueur impitoyable les a déjà dans sa ligne de mire.

Best-Sellers n°545 • thriller

Dans l'ombre du bayou - Lisa Jackson

Lorsque Eve Renner accepte en pleine nuit le mystérieux rendez-vous fixé par Roy, son ami d'enfance, dans un cabanon du bayou, non loin de La Nouvelle-Orléans, elle n'imagine pas qu'elle met le pied dans un véritable guet-apens. Car elle découvre son ami poignardé, le chiffre 212 tracé sur un mur en lettres de sang. Pis encore : Cole, son fiancé, se trouve sur les lieux du crime et tente de la tuer elle aussi…Trois mois plus tard, Eve se remet difficilement de la trahison de Cole, qu'elle aime depuis toujours. Devenue amnésique, elle ne comprend pas ce qui a pu se passer lors de cette nuit de cauchemar. Jusqu'à ce qu'un mystérieux courrier l'incite à chercher dans ses souvenirs d'enfance. Et c'est là que se dissimule non seulement le secret du meurtre de Roy, mais aussi la clé d'autres mystères, plus troubles, plus dangereux encore…

Best-Sellers n°546 • thriller

Face au danger - Brenda Novak

Traumatisée par la violente agression dont elle a été victime trois ans auparavant, Skye Kellermann a mis du temps à surmonter ses angoisses. Ce n'est que depuis peu qu'elle reconstruit son existence autour de l'association d'aide aux victimes qu'elle a créé en Californie avec deux amies. Mais quand elle apprend que son agresseur est sur le point d'être libéré pour bonne conduite, bien avant la fin de sa peine, toutes ses peurs ressurgissent brutalement : comment oublier que c'est son propre témoignage qui a permis d'envoyer cet homme derrière les barreaux ? Lui n'a certainement pas oublié qu'il a tout perdu par sa faute. Le temps presse et Skye n'a qu'une solution : faire ce qu'il faut pour qu'il ne sorte pas de prison, en commençant par prouver son implication dans trois affaires de meurtres survenues à l'époque de son agression, et qui n'ont jamais été résolues... Heureusement, elle peut compter sur l'aide et le soutien inconditionnel de l'inspecteur David Willis, qui est venu la trouver. Car lui aussi en est convaincu : Burke n'en restera pas là.

Best-Sellers n°547 • roman

Le secret d'une femme - Emilie Richards

Lorsqu'elle arrive à Toms Brook, le village natal de sa mère, en Virginie, Elisa Martinez sait que ce qu'elle est venue chercher ici pourrait bien bouleverser sa vie à tout jamais. Aussi courageuse que farouche, elle a appris à cacher derrière une apparente réserve les lourds secrets de son passé. Un passé qui l'a toujours contrainte à fuir de ville en ville, à changer de nom, à taire tout ce qui pourrait la trahir. Pourtant, quand Sam Kincaid lui propose de travailler avec lui, elle sent qu'il lui sera difficile de ne pas ouvrir son cœur à cet homme séduisant et attentionné. Bientôt prise au piège de son attirance pour Sam, Elisa se retrouve déchirée entre la nécessité de protéger ses secrets et le désir de vivre cet amour qu'elle n'attendait plus – un amour qui pourrait bien être la promesse d'une vie nouvelle…

Best-Sellers n°548 • roman

Un si beau jour- Susan Mallery

Vivre enfin ses rêves. C'est le souhait le plus cher de Jenna lorsqu'elle retourne s'installer à Georgetown, dans sa famille, après un divorce douloureux et une vie professionnelle décevante. Aussi, sur un coup de tête, décide-t-elle de lancer un concept innovant : une boutique dans laquelle elle proposera à la fois des accessoires et des cours de cuisine. Une entreprise qui s'avère rapidement être un véritable succès. Mais à peine Jenna retrouve-t-elle sa sérénité et sa joie de vivre, qu'un couple de hippies, Serenity et Tom, débarque dans son magasin et se présente comme ses parents naturels. Bouleversée, Jenna s'insurge contre cette arrivée intempestive. D'autant plus que celle qui prétend être sa mère ne tarde pas à se mêler de sa vie privée. C'est ainsi qu'elle lui présente Ellington, un ostéopathe, certes séduisant, mais qu'elle n'a nullement l'intention de fréquenter ! Et pour couronner le tout, son ex-mari tente désormais de la reconquérir… Submergée par ses émotions, Jenna doute : peut-elle croire à une seconde chance d'être heureuse ?

Best-Sellers n°549 • historique

La rebelle irlandaise - Susan Wiggs

Irlande, 1658.

Lorsque John Wesley s'éveille sous un soleil brûlant, sur le pont d'un bateau voguant au beau milieu de la mer, il peine à croire qu'il est vivant. Autour de son cou, il sent encore la brûlure de la corde… Il aurait dû être exécuté pour trahison, alors pourquoi l'a-t-on épargné ? C'est alors qu'une voix s'élève au-dessus du vacarme des flots : Cromwell, l'homme qui a ordonné son exécution avant de lui offrir un sursis inespéré... Aussitôt, John comprend que son salut ne lui a pas été accordé sans conditions : s'il veut rester en vie et récupérer sa fille de trois ans que Cromwell retient en otage, il doit se rendre en Irlande et infiltrer un clan de rebelles pour livrer leur chef aux Anglais. Une mission simple en apparence, à condition de ne pas tomber sous le charme de la maîtresse des rebelles, la ravissante Catlin MacBride…

Best-Sellers n°550 • historique

Les amants ennemis - Brenda Joyce

Cornouailles, 1793

Fervente opposante à la monarchie, Julianne suit avec passion la tempête révolutionnaire qui s'est abattue sur la France. Et de son Angleterre natale, où les privilèges font loi, elle désespère de voir la société évoluer un jour. Aussi se réjouit-elle quand, au beau milieu de la nuit, un Français blessé débarque au manoir familial de Greystone et lui demande son aide. Julianne ne tient-elle pas là l'occasion rêvée d'apporter sa modeste contribution au mouvement qu'elle soutient ? Et puis, elle rêve d'en apprendre davantage sur le fascinant étranger qui l'a envoûtée dès le premier regard. Mais Julianne est loin de se douter que l'arrivée du mystérieux Français à Greystone ne doit rien au hasard…vivre sous son toit pendant trente jours…